LOÏS

Marja van der Linden

Loïs

Spiegelserie

Zomer &Keuning

© Zomer & Keuning familieromans, – Utrecht, 2012
Postbus 13288, 3507 LG Utrecht
www.spiegelserie.nl

Omslagontwerp: Bas Mazur
ISBN 978 90 5977 637 1
ISBN e-book 978 90 5977 837 5
NUR 344

1

HET WAS HALF JUNI. NADAT APRIL EN MEI VOORAL REGEN EN KOU HADDEN gegeven en het eerder herfst had geleken dan lente, was het weer begin juni omgeslagen, en nu scheen al twee weken achter elkaar de zon. De natuur leek de matige start van het voorjaar goed te willen maken en liet haar mooiste kleuren zien. Een grote diversiteit aan hoge en lage bloeiers sierde de tuinen.

De zon had niet alleen een positieve invloed op de temperatuur, maar ook op het humeur van menigeen. Het leek wel alsof iedereen bij zonnig weer veel vriendelijker was.

Loïs keek naar de mensen die voorbijfietsten en die bijna allemaal vrolijk keken. Ze voelde zichzelf ook een stuk prettiger dan de afgelopen maanden. Ze had daarin weinig in de tuin kunnen werken, en het grauwe weer zorgde ervoor dat ze soms al om vijf uur het licht aan moest doen. Het weer had ook zijn weerslag gehad op de kinderen, die kribbiger waren dan anders. Of misschien kwam dat wel omdat zij prikkelbaarder was dan anders.

Sinds het plotselinge overlijden van haar vader begin januari was er een vage onrust haar leven binnengeslopen. Ze had daardoor met nog meer verlangen dan anders uitgekeken naar het voorjaar. Bezig zijn in de grote tuin achter hun huis hielp haar altijd om haar gedachten te verzetten. Op haar knieën, met haar handen in de vruchtbare, zwarte grond, genoot ze altijd van de geur die uit de wat vochtige aarde opsteeg, en van het prettige gevoel dat ze altijd kreeg van haar wroetende vingers in de grond. Het was alsof dan alle warrige gedachten in haar hoofd tot rust kwamen, alsof het ordenen van de tuin ook orde schiep in haar hoofd.

Maar na een paar veelbelovende zonnige weken in maart was begin april de regen met bakken uit de lucht komen vallen, en het leek wel alsof dat niet meer opgehouden was tot eind mei. Van werken in de tuin was geen sprake geweest, en Loïs had haar vertier binnen moeten zoeken. Hoewel ze normaal gesproken geen ster was in poetsen, had ze om haar onrust te verdrijven het hele huis met bezemen gekeerd. Ze had daarna allerlei klusjes gezocht, had de wc voorzien van nieuwe tegels, had de slaapkamer van Sem behangen met zijn favoriete Cars-behang, had de muren van de badkamer opnieuw gesausd en was zelfs begonnen de bergzolder boven de garage op te ruimen. Ze was daarbij dingen tegengekomen waarvan ze niet eens meer wist dat ze die hadden. Een cursus Frans, waar Marcel ooit eens aan was begonnen – maar ze vermoedde dat hij nooit verder was gekomen dan de eerste cd. Zakken met kleding die ze niet meer paste, omdat ze na de geboorte van de jongste twee kinderen een paar kilo zwaarder was gebleven. Oude motorkleding van Marcel, die hij nooit meer droeg omdat hij geen motor meer had, maar die hij niet weg had willen doen onder het mom van: 'Wie weet, ooit nog eens...' Ze was dozen vol met oude schoolboeken tegengekomen. Ze had zelfs nog een agenda gevonden van haar laatste jaar op de middelbare school. Ze had geglimlacht bij de herinneringen die sommige al lang vergeten namen bij haar opgeroepen hadden, en had even wat heimwee gevoeld naar een tijd waarin alles zo veel simpeler had geleken dan nu.

Nu liep ze hier in het zonnetje en was ze op weg naar de school van Isabel en Sem, waar ze één middag in de week leesmoeder was voor groep 3 en 4. Anne en Koen zaten beiden op het vwo en kregen eind deze week al vakantie, de basisscholen in deze regio zouden hun deuren eind volgende week sluiten. Loïs had een uitnodiging gekregen om ter afsluiting van het schooljaar met alle leesmoeders en klussenvaders – en leesvaders en klussenmoeders – op vrijdagochtend bijeen te komen voor koffie met gebak, en daar was ze nu naar op weg.
Ze wilde oversteken toen er net een begrafenisstoet aan kwam rijden. Ze bleef wachten tot hij voorbij was, en keek naar de voorste glanzende zwarte wagen waarin een eikenhouten kist lag die overdekt was met grote bloemstukken. Ze voelde een steek in haar hart. Dat was net zo'n soort kist als waar haar vader in gelegen had. Nu alweer bijna een halfjaar geleden. Ging die pijn dan nooit voorbij?
Langzaam wandelde ze weer verder, waarbij haar gedachten teruggingen naar haar vader. Hij was bedrijfsleider geweest bij een steeds groter wordend aannemersbedrijf. Anouk, Loïs' vijf jaar jongere zus, had haar man Jos daar leren kennen; hij was de zoon van de eigenaar. Zes jaar geleden waren Anouk en Jos getrouwd, ze hadden inmiddels twee kinderen: Jelle van vijf en Jurre van drie. Ze woonden in een buitenwijk van Arnhem in een prachtige bungalow.

Anderhalf jaar geleden had Jos het bedrijf van zijn vader overgenomen, en was daarmee dus de baas van zijn schoonvader geworden. Loïs' vader had zich daar niet prettig onder gevoeld, maar op zijn leeftijd was het niet eenvoudig om nog van baan of van werkgever te veranderen. Dus was hij met Jos overeengekomen dat hij vervroegd met pensioen zou gaan. 'Ik ben nu tweeënzestig, heb altijd hard gewerkt, en mijn vrouw heeft veel alleen moeten zitten. Ik ben blij dat ik van Jos de gelegenheid heb gekregen om nu meer tijd voor mijn vrouw te hebben, en om meer van de kleinkinderen te kunnen genieten dan ik van mijn kinderen heb kunnen doen,' had hij bij zijn afscheidsreceptie gezegd.

Van het bedrijf had hij twee vliegtickets voor een zelf uit te kiezen bestemming gekregen. Daarmee was hij van half oktober tot eind november samen met zijn vrouw vijf weken naar Canada geweest, waar een neef van hem woonde die hij sinds diens emigratie niet meer gezien had. Die reis was hun goed bevallen en smaakte naar meer, en er stond al een nieuwe reis op het programma, dit keer naar Zuid-Afrika, toen Loïs' vader eind december plotseling met ernstige hartklachten opgenomen moest worden in het ziekenhuis. Hij bleek een flink hartinfarct gekregen te hebben, en er volgden allerlei onderzoeken waaruit bleek dat een van zijn kransslagaders in slechte staat was. Een volgend hartinfarct begin januari werd hem fataal, ze hadden zelfs geen afscheid van hem kunnen nemen.

Loïs' moeder was zo kapot geweest van verdriet dat ze de eerste tijd niet alleen had kunnen zijn. Anouk was in overleg met Jos een paar weken bij haar moeder ingetrokken en ze had de kinderen meegenomen, zodat die voor de nodige afleiding konden zorgen. De band tussen Anouk en haar moeder was daarna nog hechter geworden dan die al was, terwijl de dood van haar vader Loïs had beroofd van het maatje uit haar jeugd.

Loïs was altijd een vaderskind geweest, in tegenstelling tot Anouk, die met hun moeder twee handen op één buik was. Anouk was de mooie, aantrekkelijke dochter die haar moeder zich altijd gewenst had. Waar Loïs een wat kleurloos kind was geweest, was aan Anouk al vroeg te zien dat ze een beauty zou worden. Anouk had al snel rondingen op belangrijke plekken, terwijl Loïs tot aan de bevalling van haar eerste kind nauwelijks borsten en billen had gehad. Anouk had een zandloperfiguur, Loïs had een jongensachtig rechttoe-rechtaanfiguur, nog steeds, al waren de extra kilo's na haar laatste bevalling wel op de juiste plaatsen blijven zitten. Anouk vond het heerlijk als haar moeder haar mooi maakte met allerlei ingewikkelde vlechten in haar lange haar, terwijl Loïs als kind het liefst zo'n kort mogelijk kapsel had, dat ze na het douchen alleen maar af hoefde te drogen. Anouk hield van jurken met tierelantijntjes, Loïs droeg het liefst een spijkerbroek en een sweater. Anouk was een dwingeland die van haar moeder altijd haar zin kreeg, terwijl Loïs gauw tevreden was en een hekel had aan ruzie. Anouk was een poppenmeisje, terwijl Loïs het liefst buiten speelde of in de vakanties met haar vader meeging naar een karwei, waar ze op heftrucks mee mocht rijden.

Toen Loïs naar de eindexamenklas van de havo ging, had haar vader haar weleens toevertrouwd dat hij hoopte dat Loïs na de havo naar de hts zou gaan, en dat zij samen met hem een eigen bedrijf zou starten. Maar dat had Loïs toch niet zien zitten. De verantwoordelijkheid voor zo'n bedrijf trok haar niet, al helemaal niet als ze zag dat haar vader alleen al als bedrijfsleider zo'n beetje dag en nacht met zijn werk bezig was. Nee, ze wilde wel verder leren na de havo, maar niet naar de hts. Uiteindelijk was haar keuze op de pabo gevallen met de bedoeling lerares te worden, het liefst op een school voor moeilijk lerende kinderen. Ze had altijd al iets met kinderen gehad, paste geregeld op de kinderen van de buren, en wilde later graag een groot gezin. Haar vader was aanvankelijk wel teleurgesteld geweest dat zijn wens niet uitkwam, maar hij had zich neergelegd bij haar keuze. Gelukkig had het hun relatie niet negatief beïnvloed en waren ze maatjes gebleven, tot het laatst toe.

Toen Loïs achttien was, was ze Marcel Terhorst tegengekomen op een camping in Frankrijk. Ze viel als een blok voor hem. Marcel was bijna zes jaar ouder dan zij en zag er goed uit. Hij had op zijn twintigste de mts afgerond en werkte sindsdien als constructietekenaar bij een constructiebedrijf in Delft. Hij woonde nog bij zijn ouders, maar was eraan toe een gezin te stichten.

Loïs begreep niet hoe iemand als Marcel verliefd op haar kon worden, maar ze dronk zijn liefde en aandacht met volle teugen in. Toen ze bijna een jaar verkering hadden, had hij haar ten huwelijk gevraagd. Loïs had ondanks haar nog jonge leeftijd volmondig ja gezegd. 'Maar je studie dan?' hadden haar ouders tegengeworpen. 'Je moet nog twee jaar.' Loïs had daar vrij luchtig over gedaan. 'Die pak ik volgend jaar wel weer op.'

Marcel zocht en vond een baan in Arnhem, omdat Loïs niet in de Randstad wilde wonen. Ze kochten een wat verwaarloosd maar schattig klein huisje in de buurt van Nijmegen, trouwden in september van datzelfde jaar en genoten van elkaar en van het huisje-boompje-beestjeleven. Loïs was de eerste maanden vooral bezig met het op orde brengen van hun woning. Marcel renoveerde samen met Loïs' vader de keuken en de badkamer, en Loïs leerde met veel plezier tegelen, verven en behangen. Ze had haar opleiding opgeschort tot het jaar daarna.

Maar zover kwam het niet meer, omdat Loïs al snel zwanger werd. Anne werd in juli geboren na een voorspoedige bevalling. Als Loïs naar haar dochter keek, begreep ze niet dat er zoiets moois uit haar hoekige lijf kon komen. Ze kon geen genoeg krijgen van Annes ronde bolletje, met de samengeknepen oogjes, de tuitende lipjes, de kuiltjes in de roze wangen, de snoezige oortjes, kortom: Loïs was weer verliefd, maar nu op haar dochter. En Marcel was net zo verliefd. De keuze tussen het weer oppakken van haar studie, waarbij Anne naar een kinderdagverblijf zou moeten, of zelf de zorg voor haar baby op zich nemen, vond Loïs niet moeilijk. Dit liet ze zich niet afnemen, ze wilde zélf degene zijn die het eerste lachje, de eerste woordjes en de eerste stapjes van haar dochter zou zien. Marcel had er geen bezwaar tegen, hij verdiende genoeg om van rond te komen.

Zoon Koen deed twee jaar daarna zijn intrede in hun leven, en Loïs had het een paar jaar op haar manier druk met twee kleintjes. Ze verhuisden naar een ruime hoekwoning in Arnhem, met een grote tuin erbij, waar Loïs haar hart helemaal in kwijt kon. Haar ouders vonden het heerlijk dat nu beide dochters in de buurt woonden, en dat ze nu de kleinkinderen wat vaker zagen.

Toen Koen naar de basisschool ging, begon het bij Loïs weer te kriebelen en verlangde ze ernaar om nog een keer het wonder van zwanger zijn mee te maken. Het jaar daarop werd Isabel geboren, en twee jaar daarna Sem. Er waren maar drie slaapkamers op de eerste verdieping, maar het huis had gelukkig een grote zolder die tot dan toe alleen maar als bergruimte gediend had. Loïs' vader had tijdens de bouwvakvakantie op die zolder twee dakkapellen neergezet, en daarna twee prachtige slaapkamers gemaakt voor Anne en Koen. Omdat door die verbouwing de berging verviel, had hij op de garage een zolder gemaakt, die met een vlizotrap bereikbaar was en nu als berging gebruikt werd.

Ja, pap had in huis een hoop voor haar en Marcel gedaan, en van een betaling had hij nooit willen weten. 'Je weet dat ik het met liefde doe,' zei hij altijd. Loïs had het hem ook zo gegund dat hij en mam samen van een onbezorgde oude dag konden genieten. Maar zijn plotselinge dood had die droom ruw verstoord.

Ze was inmiddels bij de school aangekomen. In de algemene ruimte waren leden van de oudercommissie al bezig met het klaarzetten van de stoelen en tafels.

'Kan ik nog iets doen?' vroeg Loïs.

'Graag. Wil jij de gebaksschoteltjes op die tafel daar zetten? De bakker komt zo meteen drie verschillende taarten brengen, dan kan iedereen zelf kiezen wat hij wil. De schoteltjes staan in een krat op het aanrecht, vorkjes liggen er ook bij.'

Loïs deed wat haar gevraagd was. Ze luisterde naar de geluiden die uit de diverse lokalen kwamen, hoorde zelfs dingen die zij ooit op school had gehad toen ze nog jong was: 'Drie keer drie is negen, vier keer drie is twaalf, vijf keer drie...' Deden ze dat nu nog steeds? Tja, wat had ze dan gedacht? Isabel had laatst, net als Anne en Koen toen die in groep 4 zaten, toch ook vol trots haar 'tafeldiploma' laten zien? Ze deden tegenwoordig veel met computers, maar juf Toos, die nog van de oude stempel was, zag blijkbaar nog steeds voordelen in het klassikaal op laten dreunen van de tafels. Zoals Loïs dat ook had geleerd. Ooit.

'Hoi Loïs,' hoorde ze een stem zeggen. Ze draaide zich om.

'Hé, Ireen. Ben je weer opgeknapt?' Ze lachte naar de vrouw die naast haar stond.

Irene Wouters, de moeder van Isabels hartsvriendin Sanne, lachte terug. 'Nou, gelukkig wel. Net toen het weer op ging knappen, kreeg ik griep. Ik heb zelfs een paar dagen op bed gelegen. Niks aan, hoor, ik snakte net als iedereen naar de zon. We hebben gisteravond dus maar besloten om dit jaar de vakantie niet in eigen land te vieren, maar ergens naartoe te gaan waar de zon gegarandeerd schijnt.'

'En, wat is het geworden?' informeerde Loïs.

'Kreta,' was het antwoord. 'Met het vliegtuig. Sanne is door het dolle heen, dat begrijp je wel. 'Ik ga met het vliegtuig mee', roept ze wel tien keer op een dag.'

'Lekker voor jullie,' zei Loïs. 'Isabel zal wel jaloers zijn.'

'Gaan jullie nog weg?' vroeg Irene.

'Ja, eind juli krijgt Marcel vakantie, we willen dit jaar naar de Vogezen.'

'Weer kamperen?'

Loïs knikte. 'Je weet het, Marcel is helemaal verknocht aan z'n De Waardt-tent. Hij heeft 'm al van de zolder gehaald en wil hem binnenkort opzetten in de tuin, om te kijken of alles nog compleet is. Alsof hij vorig jaar niet alles nagekeken heeft voor hij hem opborg...' Ze lachte.

'Die tent hebben jullie toch al een hele poos?' vroeg Irene.

'Ja, al een jaar of veertien. Maar hij ziet er nog als nieuw uit, alleen ruikt-ie nu lekkerder, naar gras en hooi en wind en zon.'

'Gaan jullie kinderen nog allemaal mee?'

'Ja, nu nog wel, maar ik denk dat Anne volgend jaar niet meer mee wil. Ze is dan zestien en op zo'n leeftijd is met je ouders op vakantie gaan waarschijnlijk niet 'cool' genoeg, of 'vet', of hoe ze dat tegenwoordig noemen.'

'Tjonge, wordt ze dan alweer zestien? Waar blijft de tijd!'

'Tja, de tijd gaat zo snel. Zelf heb je dat niet zo in de gaten, of misschien wíllen we dat niet in de gaten hebben. Maar aan je kinderen kun je zien dat je ouder wordt. Nog maar een paar jaar, dan wil ze haar rijbewijs halen en gaan studeren, en vliegt ze het nest uit.'

'Heeft ze al een vriendje? Tegenwoordig lijken ze daar steeds vroeger mee te beginnen.'

'Ik heb haar er nog niet over gehoord, maar dat zegt niks. Ik vertelde vroeger ook niet alles aan m'n moeder.'

Ik vertelde bijna niks aan m'n moeder, verbeterde ze zichzelf in gedachten. M'n vader wist altijd veel meer van me dan m'n moeder. Pap... Weer voelde ze een steek door zich heen gaan. Niet aan denken, dit moest een gezellige ochtend worden.

Op dat moment kwam de bakker binnen met drie taartdozen op elkaar gestapeld. 'Waar moet ik deze neerzetten?' riep hij.

Loïs haastte zich naar hem toe. 'Hier, op deze tafel.' Ze pakte de dozen een voor een aan en gluurde onder de deksels welke smaken hij had meegebracht. Mmm, ze wist nu al wat ze ging kiezen: hazelnootschuimtaart, haar favoriet. De andere twee waren een slagroomtaart en een vruchtentaart. 'Dat ziet er prima uit,' zei ze. 'Die komen wel op vanmorgen.'

'Dat is ook de bedoeling, ik heb ze niet gebakken om naar te kijken,' grapte de bakker.

Tijdens de koffie met taart keek Loïs om zich heen. Al deze mensen waren vrijwilliger op school en ondersteunden op de een of andere manier het onderwijzend personeel. Als zij Marcel niet had leren kennen, was ze nu misschien ook wel schooljuffrouw geweest, en had ze zelf bij dat personeel gehoord. Ooit had ze de wens gehad om les te geven op een school voor moeilijk lerende kinderen. Zou ze dat nu nog willen?

Opeens hoorde ze Irene zeggen: 'Heeft Sanne al verteld dat ik na de vakantie zelf ook weer naar school ga?'

Loïs keek verbaasd op: 'Nee, daar heeft ze niets van verteld. Wat ga je doen?'

'Ik liep er al een tijdje over te denken, en ik heb vorige maand de knoop doorgehakt: ik ga een yogaopleiding doen. Ik zit al zo'n jaar of vijf op yoga, en ik krijg steeds meer zin om zelf les te gaan geven. Zo'n opleiding duurt drie jaar en is het eerste jaar twee dagen per week: op dinsdag en zaterdag. Paul junior en Sanne kunnen op dinsdag na schooltijd bij mijn ouders terecht, en op zaterdag is Paul thuis, dus ik durf het wel aan.'

'Dus je stopt als leesmoeder? Jammer! Maar wat leuk voor je, en wat goed van je om op jouw leeftijd weer naar school te gaan! Vind je dat...'

Irene onderbrak haar: 'Op mijn leeftijd? Je doet alsof ik al zestig ben. Ik ben nog jonger dan jij, hoor, pas tweeëndertig!'

Loïs haalde verontschuldigend haar schouders op. 'Nou ja, ik bedoelde er niets mee. Ik vind het alleen hartstikke dapper van je.'

'Dapper? Alsof ik daar moed voor nodig zou hebben. Ik heb er alleen maar ontzettend veel zin in!' Irene maakte een gebaar met haar hoofd naar de groep mensen om hen heen en zei zacht: 'Ik heb geen zin om net als zij alleen maar gespreksstof te halen uit wat m'n kinderen beleven, of uit nieuwe recepten en tv-programma's en het weer en... Och, nou ja, je begrijpt wel wat ik bedoel. Toch?'

Loïs wist even niet wat te zeggen. Ze schokschouderde.

Irene zag dat blijkbaar als een afwijzing, want ze zei verdedigend: 'Jij bent toch ook niet alleen maar de vrouw van Marcel en de moeder van je kinderen? Je bent toch zelf ook iemand met een eigen weg?'

'Daar heb ik eigenlijk nog nooit over nagedacht,' zei Loïs. 'Ik was denk ik altijd te druk bezig met m'n kinderen.' Nu was zij degene die dacht zich te moeten verdedigen. 'Ik heb er twee meer dan jij, dus...' Ze staarde peinzend voor zich uit en zei toen: 'Maar ik ga daar eens over nadenken, bedankt.'

Op weg naar huis dacht ze na over de woorden van Irene. Was ze dan alleen maar bezig met Marcel en de kinderen? Maar daar was toch niets mis mee? Ze vond het heerlijk om moeder te zijn, had genoten van elke zwangerschap, van hun babytijd, hun kleuter-zijn, hun toenemende zelfstandigheid. Kinderen waren in elke fase leuk, ook als ze zoals Anne en Koen al vijftien en dertien waren, alleen hadden ze dan hun moeder steeds minder nodig. Gelukkig waren Isabel en Sem nog niet zover...

Ze slikte. Sem was al zes, zijn kleuterjaren lagen definitief achter hem. Ze voelde zich ineens oud. Ze was nog maar vijfendertig, maar het idee dat Sem mogelijk haar laatste kind zou zijn, viel ineens als een zwaar gewicht op haar. Laatst bij het opruimen van de bergzolder was ze aanbeland in de hoek van de zolder waar de babyspullen lagen: de inklapbare box, de kinderstoel die Marcel zelf gemaakt had, het wiegje waar ze ooit zelf nog in gelegen had, de dozen met babykleertjes. Ze had met verbazing naar de kleine rompertjes gestaard: hadden haar kinderen daar in gepast, waren ze zo klein geweest? Ze kon het zich nu niet meer voorstellen. Anne van vijftien met haar lange, slanke lijf; Koen van dertien met zijn wat gedrongen gestalte, die één bonk kracht uitstraalde; Isabel van acht met haar dromerige ogen en altijd lachende mond die nooit stilstond; en Sem, hun jongste, die na de zomervakantie naar groep 3 ging. Hij verheugde zich er al op. 'Dan kan ik straks zelf lezen, mam!'

Ze had haar neus in de stapel babykleertjes gestoken, op zoek naar die specifieke babygeur van zachte huidjes en natte haartjes, verlangend naar het

gevoel van een zoekend mondje tegen haar wang en kleine vingertjes krau-
wend in haar nek, een zacht, warm, opgefrommeld lijfje tegen haar borst.
Daarna had ze de kleertjes weer teruggedaan in de doos, met dezelfde verlangende gedachte als Marcel bij zijn motor: wie weet, ooit nog eens...

2

DIE AVOND OP BED VROEG LOÏS AAN MARCEL: 'ZOU JIJ NOG EEN KIND WILLEN?'
Ze voelde naast zich Marcel een plotselinge beweging maken, alsof hij
schrok. 'Hoe bedoel je?'
'Nou, gewoon, of jij nog een kind zou willen.'
Marcel zuchtte. 'Nou, om eerlijk te zijn vind ik vier wel genoeg. Dat is al
meer dan de meeste gezinnen hebben.'
Loïs voelde een lichte irritatie opkomen. 'Het kleinere aantal kinderen in
andere gezinnen hoeft toch geen reden te zijn om zelf geen kinderen meer
te willen?'
'Nee, dat niet. Ik wil alleen maar zeggen dat vier kinderen best al veel is. En
vier gezonde kinderen, niet te vergeten. Dat is toch ook al bijzonder, kijk
maar naar hiernaast.' Bij de buren waren twee van de drie kinderen
autistisch, wat een zware claim op het gezin legde.
Het was even stil. Toen vroeg Marcel: 'Hoe kom je daar nu ineens bij?'
Ze draaide zich op haar zij en nestelde haar hoofd tegen zijn borst. Marcel
sloeg zijn arm om haar heen. 'Nou?' vroeg hij.
Loïs haalde diep adem. 'Ik was laatst de zolder aan het opruimen, en daarbij
kwam ik al de babyspullen weer tegen. Bovendien gaat Sem na de vakantie
naar groep 3, en het idee dat hij ons laatste kind is en dat ik nooit meer
zwanger zal worden... Ik voelde me ineens zo oud...'
Marcel lachte. 'Oud? Jij? Je bent bijna zes jaar jonger dan ik. Dat maakt mij
dus al stokoud.'
Ze gaf hem plagend een duw in zijn zij. 'Ja, een ouwe bok ben je, nou goed!'
Daarna werd ze weer serieus. 'Nee, echt. Vind jij het geen gek idee dat we
nooit meer een baby zullen hebben? Nóóit meer?'
'Nou eh... nee. Dat is iets wat bij het leven hoort, denk ik. 'Er is voor alles een
tijd', zegt Prediker toch? Hoe was het ook weer? 'Een tijd om te baren, en
een tijd om te sterven' of zoiets? Net als dat je eigen kleutertijd ook niet
meer terugkomt. Zou je daar dan ook weer naar terug willen?'
'Nee, natuurlijk niet. En ik ben ook blij dat ik geen tiener meer ben. Ik vind
vijfendertig zijn eigenlijk wel leuk. Maar ik ben nog steeds in mijn vruchtbare leeftijd. Kijk, als ik vijftig zou zijn, was het wat anders, dan zou ik me

er wel bij neerleggen dat ik geen kinderen meer zou krijgen. Maar nu?'
'En hoe moet dat dan voor mannen zijn? Die kunnen op hun honderdste
nog kinderen verwekken, kijk maar naar Abraham. Maar het feit dat je de
mogelijkheid hebt, wil toch niet zeggen dat je daar ongebreideld gebruik
van moet maken? We hebben toch ook ons verstand gekregen?'
Loïs fronste haar wenkbrauwen. 'Bah, wat klinkt dat zakelijk.'
Marcel drukte haar tegen zich aan. 'Soms heeft je hart gelijk, maar soms je
verstand. En mijn verstand zegt me dat vier kinderen meer dan genoeg is.'
Hij gaapte. 'En mijn verstand zegt me ook dat het tijd is om te gaan slapen.'
'Morgen is het zaterdag, dan hoef je er toch niet vroeg uit?'
'Dat weet ik wel, maar weten Isabel en Sem dat ook? Die zijn altijd vroeg
wakker, dat weet je. En ik heb mijn slaap hard nodig, als hardwerkende kost-
winner en huisvader.'
'Je bent een ouwe bok, zie je nu wel?' Loïs gleed met haar hand onder zijn
pyjamajasje en woelde in zijn borsthaar. 'Hè, jammer dat je zo'n slaap hebt...'
zei ze met een zwoele stem.
'Eh, nou, zo'n slaap heb ik nu ook weer niet,' reageerde Marcel meteen. Zijn
mond zocht de hare. 'En je weet het: een ouwe bok lust nog graag een jong
blaadje.'

Loïs was nog diep in slaap toen er een zacht handje over haar wang aaide.
'Mam, mam, ben je wakker?'
'Ja, nu wel,' kreunde ze. Ze kreeg met moeite haar ogen open en zag dat Sem
naast het bed stond. Ze gaapte. 'Hoe laat is het?'
'De kleine wijzer staat al op de acht, kijk maar.' Hij pakte de wekker die op
haar nachtkastje stond en duwde die bijna tegen haar neus.
Loïs schrok wakker. 'Hè, zo laat al?' Het was tien voor acht. Ze keek naast
zich. De plek van Marcel was leeg. 'Waar is papa?'
'Papa is in de keuken, hij vraagt of je een eitje lust.'
Loïs rekte zich uit. 'Ja, lekker.'
'En het zonnetje schijnt. We gaan in de tuin eten.'
Loïs sloeg het dekbed opzij en vroeg: 'Kom je nog lekker even bij mama lig-
gen?' Ze had ineens een sterke behoefte om hem te knuffelen. Ze kwam
overeind en trok hem naar zich toe.

Maar Sem worstelde zich los. 'Nee, ik moet papa helpen. Kom je er nou uit?' Hij rende naar de deur voor ze hem weer vast kon pakken.

'Ja, ik kom zo.' Ze zonk terug in het kussen. Beneden hoorde ze de waterval van woorden van Isabel, die zoals gewoonlijk van alles te vertellen had. Isabel had beslist geen last van een ochtendhumeur, in tegenstelling tot Anne, tegen wie je 's morgens niet al te veel moest zeggen.

Ze keek naar een kier tussen de gordijnen en zag dat de zon al volop scheen. Hè, fijn, dan kon ze vandaag weer lekker in de tuin werken. Door al die regen in mei en de zon van de afgelopen twee weken tierden niet alleen de planten, maar ook het onkruid welig.

Boven zich hoorde ze gestommel. Koen was blijkbaar ook al wakker. Anne zou waarschijnlijk pas om een uur of negen naar beneden komen. Of nog later.

Maar toen ze de badkamer in wilde gaan, zag ze tot haar verbazing dat Anne haar net voor was.

'Wat ben jij vroeg!' zei Loïs verbaasd. 'Moet je niet uitslapen?'

Anne schudde haar hoofd. 'Nee, we gaan vandaag met een groepje naar het zwembad om het schooljaar af te sluiten.'

'O? Gezellig.'

Anne mompelde iets onbestemds en schoot snel voor Loïs de badkamer in, Loïs kon nog net haar badjas van de deurhaak pakken. Ze liep de trap af en ging eerst beneden naar het toilet. Daarna liep ze naar de keuken, waar Marcel net de eieren in het kokende water liet glijden en de kookwekker aanzette. Uit de oven kwam de geur van versgebakken brood. In de tuin was de tafel al gedekt, en Isabel en Sem deden alvast de kussens in de tuinstoelen. Zelfs Koen was al beneden, hij zat voor de tv wat te zappen.

'Zo, schone slaapster,' zei Marcel grijnzend. 'Je hebt een lekker tukje gedaan.' Loïs rekte zich bevallig voor hem uit en sloeg toen haar armen om zijn nek.

'Tja, dat heb je ervan, als die ouwe bok ineens geen ouwe bok blijkt te zijn.' Ze keek hem diep in de ogen. 'Goeiemorgen, schat.'

Hij kuste haar. 'Goeiemorgen. Wil je vandaag een zacht- of een hardgekookt ei?'

'Doe maar zachtgekookt, dat past wel bij m'n stemming.' Ze aaide hem over z'n wang en liep toen de tuin in. 'Hè, wat een heerlijk weer!' Ze hoorde dat de buurman het gras aan het maaien was, en snoof begerig de lucht op. 'Ik snap niet dat ze daar nog geen spuitbus van gemaakt hebben. Versgemaaid gras is toch een van de lekkerste geuren die er bestaat?'

Isabel keek haar ongelovig aan. 'Hoe kunnen ze nu gras in een spuitbus stoppen?'

Loïs trok haar lachend naar zich toe en knuffelde haar. 'Niet het gras zelf, alleen de geur van het gras, gekkie.'

'O, ik dacht al.' Toen schoot Isabel weer iets te binnen. 'Mam, wanneer mag ik nu eens met een vliegtuig mee, net als Sanne?' Dat had ze gisteren ook al wel vier keer gevraagd, ze kon er niet over uit dat haar hartsvriendin met een echt vliegtuig meeging.

'Dat gebeurt vast nog weleens,' hield Loïs zich op de vlakte. 'Wij gaan dit jaar weer kamperen, dat vind je toch ook leuk?'

'Jawel, maar dat doen we elk jaar, en ik ben nog nooit met een vliegtuig geweest.'

'Ik ook niet,' hoorde Loïs Anne zeggen. Ze keek om en zag Anne de tuin in komen, een handdoek om haar natte haren, in een felgekleurd topje en een skinny jeans.

Wat is het toch een mooie meid, schoot het door Loïs heen. Mijn dochters lijken gelukkig veel meer op Anouk dan op mij. Er was geen spoor van jaloezie in die gedachte.

'Wat kijk je naar me?' vroeg Anne wantrouwend.

Loïs lachte. 'Ik kijk graag naar je, omdat ik je zo'n mooie meid vind.'

'Ik mooi?' zei Anne, en ze fronste haar fraai gevormde wenkbrauwen. 'Jij bent bevooroordeeld, alle moeders vinden hun eigen kind mooi.'

'Vind jij jezelf niet mooi dan?' vroeg Loïs verbaasd. Ze dacht altijd dat Anne wel tevreden was met haar uiterlijk.

Anne haalde haar schouders op. 'Hm, kan beter.'

'Waar ben je dan niet tevreden over?'

Anne leek geïrriteerd. 'Eh... niet zulke moeilijke vragen op de vroege ochtend, hoor.' Ze draaide haar hoofd om en riep richting keuken: 'Pap, kunnen we al eten? Ik wil zo weg.'

'Ik kom eraan, de eitjes zijn bijna klaar,' hoorden ze hem terug roepen. 'Koen, kom je ook?'

Even later kwam hij buiten met een blad met eierdopjes, eieren en warme croissantjes. Koen kwam achter hem aan.

Zodra ze begonnen waren, greep Isabel gretig naar de croissantjes.

'Pas op, ze zijn...'

'Au! Heet!'

'Ja, dat wilde ik net zeggen,' zei Marcel droog. 'Dat weet je toch? Ze komen net uit de oven.'

'Ja, maar ik had zo'n honger,' klaagde Isabel.

Marcel legde een croissantje bij Isabel en Sem op het bord en zei: 'Eerst blazen.' Ze zetten het allebei meteen op een blazen.

'Kunnen ze croissantjes ook in een spuitbus doen?' vroeg Isabel tussen het blazen door. 'Die ruiken ook altijd zo lekker.'

'Goed idee!' vond Loïs.

Loïs begon aan haar eitje. Terwijl ze het leeg lepelde, genoot ze van haar man en kinderen om haar heen, het zonnetje op haar rug, de kleurige tuin, de rijk voorziene tafel. Een gevoel van diepe dankbaarheid welde in haar op. Wat had ze het toch goed! Zie je wel, die onrust was nergens voor nodig.

Die ochtend had Loïs het druk met de weekendboodschappen en een paar wassen, maar 's middags had ze het rijk alleen. Ze verheugde zich op een paar uurtjes in de tuin. Anne was nog steeds in het zwembad, Marcel was met Sem naar een hockeywedstrijd van Koen, en Isabel speelde bij Sanne. Loïs trok een oude broek aan, haalde het tuingereedschap uit de schuur en ging aan het werk.

Na een uur of twee flink doorwerken keek ze vergenoegd om zich heen. De tuin lag er weer netjes bij. Ze had van de lavendel een paar geurende takken afgesneden en die in een vaas op de tuintafel gezet. Ze duwde genietend haar gezicht in de blauwe aren en snoof. Hè, heerlijk!

Met een voldaan gevoel over wat ze allemaal gedaan had ging ze naar de keuken, ze maakte een glas thee voor zichzelf en liep ermee de tuin in. Nippend van de nog hete thee liet ze haar blik in het rond dwalen. Er waren een paar lege plekken in de tuin. Zou ze nog even naar het tuincentrum fietsen voor wat eenjarige plantjes? Ze keek op haar horloge. Nee, dat kwam volgende week wel, Marcel en de kinderen zouden zo meteen thuiskomen, ze zouden het vast ongezellig vinden als zij er dan niet was om naar hun verhalen te luisteren.

Ze liet zich in een van de tuinstoelen zakken en staarde peinzend voor zich uit. Het besef van wat ze zojuist gedacht had drong zich aan haar op. Was dit haar voorland: thuis zitten wachten tot Marcel en de kinderen terugkwamen van hun bezigheden buitenshuis, en luisteren naar hun verhalen?

Ze dacht aan wat Irene haar gisterochtend had gevraagd: 'Jij bent toch ook niet alleen maar de vrouw van Marcel en de moeder van je kinderen? Je bent toch zelf ook iemand met een eigen weg?'

Ze had zichzelf tot nu toe altijd een bevoorrechte vrouw gevonden omdat Marcel genoeg verdiende voor het gezin en zij er niet bij hoefde te werken. Ze kende genoeg vrouwen die én een gezin én een baan hadden, en ze had zich vaak afgevraagd hoe zij dat combineerden. Ze zou er zelf niet aan moeten denken om de zorg voor haar jonge kinderen te moeten delen met leidsters van het kinderdagverblijf. Ze waren toch al zo snel groot. Ze had bij Anne zelfs moeite gehad om haar voor het eerst naar school te brengen, en was blij dat ze Koen toen nog thuis had. Toen Koen eenmaal naar school was, waren de muren de eerste weken op haar afgekomen tijdens de schooltijden.

'Joh, wees blij dat je je handen vrij hebt overdag,' had haar moeder gereageerd toen ze zich bij haar daarover beklaagde.

'Voor wat?' had Loïs gevraagd. 'Ik ben niet iemand die de hele dag loopt te poetsen.'

'Nou, je kunt bij vriendinnen op de koffie gaan, of lekker uitgebreid met mij gaan winkelen, of lezen of puzzelen of zo. Ik verveelde me nooit.'

Loïs had zich nooit afgevraagd wat haar moeder deed als zij naar school was. Haar moeder was gewoon altijd thuis als ze uit school kwam, dat was een gegeven.

Loïs was blij geweest dat Marcel geen bezwaar had tegen een derde zwangerschap, en ze verheugde zich bij voorbaat al op de komst van een nieuwe baby. De komst van Sem daarna was niet echt gepland, maar hij was toch net zo welkom als de andere drie kinderen. Ze moederde nu eenmaal graag.

Maar Sem was nu zes. Toen Sem vier was geworden en ook hij naar groep 1 ging, zat Anne inmiddels op de middelbare school, en hadden haar onregelmatige schooltijden ervoor gezorgd dat Loïs soms toch nog overdag een kind thuis had. Ook had ze zich aangemeld als leesmoeder, waarmee ze haar dinsdagmiddagen vulde. Bovendien hadden de kinderen tot en met groep 4 niet alleen de woensdagmiddag, maar ook de vrijdagmiddag vrij. Maar Isabel ging straks naar groep 5, dus voor haar verviel die extra vrije middag. Loïs dacht terug aan het gesprek dat ze gisteravond met Marcel had gehad, over een nieuwe baby. Marcel had gelijk dat een mens soms z'n verstand moest gebruiken, en ze wist nu al dat zo'n kind natuurlijk ook weer een keer vier werd en dat ze dan wéér die drang zou voelen om zwanger te worden. Maar nu ze zich zo ineens met de neus op de feiten geduwd voelde dat Sem blijkbaar het laatste kind was dat ze mocht dragen en baren, had ze het idee dat haar iets afgenomen was. Als ze vooraf had beseft dat Sem de laatste zou zijn, had ze daar veel bewuster van genoten, hield ze zichzelf voor.

Ze vond het nog steeds een vreemd idee. Nooit meer zwanger zijn. Nooit meer dat wonder meemaken van nieuw leven dat zich vormde in haar buik. Natuurlijk, ze wist dat ze een gezegend mens was omdat ze dat al vier keer mee had mogen maken, en omdat al hun kinderen gezond waren. Ze kende genoeg mensen die dat voorrecht niet hadden gekregen: de buren van wie twee van de drie kinderen autistisch waren; de zus van Marcel die ongewenst kinderloos was en daar veel verdriet van had; een van haar schoolvriendinnen die in hetzelfde jaar als Loïs getrouwd was maar die pas na twaalf jaar dokteren een zoon had gekregen, die echter lichamelijk gehandicapt was; een nicht die na vier miskramen de hoop op een kind al opgegeven had, en die nu weliswaar weer zwanger was, maar nauwelijks genoot van haar zwangerschap en haar tijd met angst en beven uitdroeg. Zij, Loïs, had geboft. Maar ze had zo graag nog eens...

Nooit meer. Toen haar vader overleed, was dat besef van de eindigheid van het leven, van het 'nooit meer', voor het eerst tot haar doorgedrongen, en dat besef werd steeds sterker. Ze zou zijn stem nooit meer horen. Nooit meer zou ze zijn ogen zien oplichten als hij haar zag. Nooit meer zou ze hem om raad kunnen vragen. Ze zou hem nooit meer kunnen verwennen met de kaascrackers die hun bakker als specialiteit had, en die hij zo lekker vond. Toen hij vol verhalen thuiskwam na de reis door Canada, was hij dolenthousiast geweest over de nieuwe digitale spiegelreflexcamera die hij daar aangeschaft had, en van de mogelijkheden die de digitale fotografie bood. Hij had zich meteen opgegeven voor een cursus om die mogelijkheden ten volle te kunnen benutten. Hij had zich enorm verheugd op de komende reis naar Zuid-Afrika, een land dat al jaren op zijn verlanglijstje stond om te bezoeken. Het was te groot en te ver weg om in twee weken rond te reizen, en meer vakantie had hij zich tijdens de bouwvak nooit gegund. Het werk ging altijd voor. Door de vrije tijd die voor hem lag, had hij zo veel plannen gehad.

Nooit meer. De mens wikt, maar God beschikt. Iemand had dat destijds op een nogal zalvende toon tegen haar gezegd bij het condoleren na de begrafenis. Ze had de opmerking een echte dooddoener gevonden en had de man wel wat kunnen doen. Nog zo aangeslagen door het onverwachte overlijden van haar vader had ze behoefte gehad aan troostende armen, aan meeleven, aan samen stil zijn. Niet aan een opmerking waarvan haar haren overeind gingen staan. De mens wikt, maar God beschikt. Alsof het zinloos was om als mens plannen te maken, omdat God toch deed wat Hij wilde.

Ze had altijd moeite gehad met mensen die van mening waren dat ze precies aan konden wijzen wat van God kwam en wat niet. Toen het zoontje van haar schoolvriendin gehandicapt bleek, had een buurman gezegd: 'Dat is jullie straf omdat jullie je er niet bij neergelegd hebben dat God jullie geen kinderen wilde schenken.' Loïs had haar oren niet geloofd toen ze dat hoorde, ze had de man volkomen harteloos gevonden. Toen die buren zelf een halfjaar later een zoon met het syndroom van Down kregen, scheen de man als uitleg gegeven te hebben: 'Dat is een poging van de duivel om ons van ons geloof af te trekken.' Ja, zó lustte ze er nog wel een paar, maar niet heus! De mens wikt, maar God beschikt. Als je de verhalen van de Bijbel las, was het vaker andersom: God wikt, maar de mens beschikt – en dan beschikte die mens vaak heel iets anders dan wat God voor ogen had gehad. Dat was al begonnen in het paradijs. God had gezien dat alles 'goed' was, maar de mens had dat niet goed genoeg gevonden, en wilde meer. Adam en Eva leken toen al op de mensen van nu, die alleen maar méér leken te willen. Méér geld – het aantal loterijen en casino's leek alleen maar toe te nemen, inspelend op die begeerte van de mens. Méér aanzien – er verschenen allerlei talentenjachten op de tv, die gouden bergen beloofden aan degenen die de kans hadden om 'm te winnen. Méér aandacht – sommige tv-zenders gingen steeds verder in het maken van de meest krankzinnige tv-programma's om de kijkcijfers op te krikken en het gesprek van de dag te zijn. Méér macht – het aantal politieke partijen rees de pan uit, en om stemmen te trekken riep elke politicus om het hardst dat hij de beste oplossingen had voor de uiteenlopende problemen die er waren. Méér spullen – elke week kwamen er tientallen reclamefolders in de brievenbus die de aandacht vestigden op allerlei dingen waar de moderne mens blijkbaar behoefte aan had.

Maar hoe zat dat dan met haarzelf? Door nog een kind te willen liet ze zelf toch ook zien dat ze niet tevreden was met wat ze had, en dat ze méér wilde? Hoe zou haar leven eruitgezien hebben als ze nooit was getrouwd? Hoe zou haar leven eruitgezien hebben als zij en Marcel gestopt waren bij twee kinderen? Hoe zou een eventueel volgend kind eruitzien, en wat zou het zijn? De vragen buitelden door haar hoofd.

Wat was 'goed' voor haar? Wat had God bij haar, Loïs, voor ogen toen Hij haar schiep?

'Moeder worden' was tot nu toe haar grootste ambitie geweest, en ze had er voor de volle honderd procent van genoten. Maar haar kinderen werden groter. Natuurlijk bleef zij hun moeder, maar ze zouden straks allemaal hun eigen weg gaan. En eens hield dat 'moeder worden' op, of ze nu wilde of niet.

Ze vroeg zich ineens af of ze, door steeds opnieuw moeder te willen worden, de illusie vast had willen houden dat ze oneindig zou leven, dat ze eeuwig jong zou blijven. Wie weet was dat ook zo. Maar daarmee hield ze alleen maar zichzelf voor de gek. Haar kinderen werden ouder, en daarmee zij dus ook. Al was ze er vast van overtuigd dat zij met haar vijfendertig jaar er jonger uitzag en zich jonger voelde dan haar moeder toen die vijfendertig was. Haar moeder had zich vanaf haar huwelijk erg degelijk, bijna ouwelijk gekleed, en Loïs herinnerde zich haar moeder niet anders dan dat ze zich bezadigd gedroeg.

Ze had er niet eerder over nagedacht, maar door de opmerking van Irene kwam de vraag boven: was haar enige doel in dit leven moeder worden? Het leven doorgeven? Met wat voor doel? Dat hun kinderen ook als enig doel hadden om het leven door te geven? Als een onweerstaanbare drang van de natuur, of als de opdracht van God: 'Vervult de aarde'?

Ze dacht aan Anne. Anne had een duidelijk doel voor ogen: ze wilde dierenarts worden en deed daarvoor goed haar best op school, al moest ze er hard aan trekken. Ze hoorde Anne nooit over trouwen of moeder willen worden. Isabel wel. Isabel was vanaf het begin een poppenmoedertje geweest, terwijl Anne al vroeg met allerlei beestjes in de weer was: een worm die ze in de tuin had gevonden, een vogeltje dat uit het nest was gevallen, de kittens van de overburen, en niet te vergeten haar laatste liefde: paarden. Ze ging sinds een jaar elke woensdagavond naar paardrijles, en haar grote wens was een eigen paard.

Anne zou een andere weg gaan dan zij, Loïs. Logisch, het was een andere tijd. Net als zij in weer een andere tijd was opgegroeid dan haar moeder. Haar moeder had nooit doorgeleerd, zij stamde nog uit de tijd dat het vanzelfsprekend was dat je als vrouw stopte met werken zodra er kinderen kwamen.

Wat dat betreft volgden Anouk en zij allebei dezelfde weg als hun moeder. Anouk had wel een vervolgopleiding afgemaakt, de meao, en ze had nog een jaar op een kantoor gewerkt, maar ook zij was gestopt met werken zodra ze getrouwd was, en had zich volledig gestort op het huishouden en later op de verzorging van de kinderen. Zowel Marcel als Jos deed, net als Loïs' vader, nauwelijks iets in het huishouden, al zorgde Marcel sinds de komst van de jongste twee kinderen af en toe voor het ontbijt in het weekend, zoals vanmorgen. Jos kon nog geen ei bakken, volgens Anouk, 'hij zou zelfs water aan laten branden'.

Anne zou over een paar jaar op kamers gaan en gaan studeren. Zij zou een wereld ervaren die haar beide ouders nooit betreden hadden. Konden ze haar daar dan wel op voorbereiden?

Weer dacht Loïs aan het enthousiasme waarmee Irene had verteld dat ze een opleiding ging volgen. Zou ze dat zelf ook willen? Haar eerdere studie weer oppakken, afmaken wat ze eens begonnen was?

Ze was reëel genoeg om te beseffen dat zestien jaar na het stoppen met de pabo van haar gevraagd zou worden om helemaal opnieuw te beginnen als ze weer zou kiezen voor die opleiding. Maar wilde ze dat nog wel?

Even schoot de gedachte door haar heen om haar vaders droom alsnog te volgen en naar de avond-hts te gaan. Maar tegelijk verwierp ze die gedachte. Nee, áls ze al begon aan een nieuwe opleiding, dan zou dat geen technische opleiding zijn. Maar wat dan?

Meegaan met Irene? Ze grijnsde bij het idee. Nee, dat wist ze nu al, dat zou niets voor haar zijn. Ze had uit nieuwsgierigheid een paar keer een yoga-avond bezocht, maar al die ingewikkelde houdingen als de 'zonnegroet', de 'sprinkhaan', de 'koeienkop' en hoe al die andere houdingen ook mochten heten, hadden haar het idee gegeven dat ze met haar lichaam in de knoop kwam te zitten. En toen bij de laatste ontspanningsoefening een van de deelnemers blijkbaar zo ontspannen was dat hij ging liggen snurken, had ze moeite gehad om haar lach binnen te houden.

Dat dus ook niet. Maar wat dan wel?

3

LOÏS WERD IN HAAR GEDACHTEN GESTOORD DOOR DE TELEFOON. HET WAS Anouk.

'Hoi zus, heb je 't druk?'

Loïs herkende de vraag die Anouk altijd als inleiding stelde als ze daarna met een andere vraag op de proppen kwam. En ja hoor, daar had je het al: 'Zouden Jelle en Jurre een avond en nacht bij jullie kunnen logeren? Jos en ik willen vanavond uit eten. Er is deze week in Scheveningen een nieuw hotel-restaurant geopend dat Jos gebouwd heeft, en hij heeft een uitnodiging gekregen om daar een keer samen met mij te komen eten op kosten van de eigenaar. We hebben elkaar deze week amper gezien, Jos had het heel druk. Nu wil Jos het goedmaken en daar meteen een nachtje hotel aan vastknopen. We hebben gebeld naar het restaurant, en gelukkig hadden ze nog een tafeltje voor ons. Kan het bij jou?'

'Tuurlijk,' zei Loïs onmiddellijk, terwijl ze een licht gevoel van ergernis onderdrukte. Anouk belde geregeld of ze de kinderen bij Loïs kon 'dumpen', zoals Anne het een keer oneerbiedig uitdrukte. En Loïs kon slecht nee zeggen tegen Anouk. Ze was dol op haar neefjes en snapte niet dat Anouk ze zo makkelijk naar een ander bracht. Anouk had zich een keer laten ontvallen dat ze bij beide zwangerschappen gehoopt had op een dochter, en dat het beide keren een enorme teleurstelling voor haar was dat het een zoon bleek te zijn. De jongetjes kwamen in materieel opzicht niets tekort, daar viel niets van te zeggen, maar Loïs had de laatste tijd de indruk dat zowel Anouk als Jos weinig van de jongens kon hebben.

'Fijn,' hoorde ze Anouk zeggen. 'Kan ik ze dan zo brengen?'

Loïs keek op haar horloge. Bijna halfvier. 'Ja, dat is goed, doe maar.'

Ze hing op en ging snel douchen. Over een halfuurtje zouden Marcel en de jongens thuiskomen, en Isabel zou om vijf uur naar huis gebracht worden. Hoe laat Anne thuis zou komen, was niet duidelijk.

Ze was nog maar net klaar met douchen toen Anouk al aanbelde. 'Fijn dat het kan, joh. De jongens vonden het ook leuk, hè, jongens? Leuk hè, om een nachtje bij tante Loïs te logeren?'

De jongetjes knikten. Ze zagen er zoals gewoonlijk uit om door een ringetje te halen, met dure merkkleding en -schoentjes. Jelle van vijf droeg een eigenwijs brilletje en een stoer gelkuifje, en Jurre van drie had een bos witblonde krulletjes, die hem een engelachtig uiterlijk gaven.

Loïs bukte zich voor de jongetjes en aaide over hun wang. 'Gezellig dat jullie komen logeren. Tante Loïs moet nog wel even jullie bedjes opmaken. Willen jullie me daarbij helpen?'

De jongetjes knikten weer, nog steeds wat timide.

'Nou, krijgt mama nog een kus? Veel plezier, hè?' Anouk bukte zich en nam van beide jongetjes een plichtsgetrouw kusje in ontvangst. 'Ik weet nog niet hoe laat ik ze morgen op kom halen, hoor,' zei ze terwijl ze Loïs gedag kuste. 'Dat ligt eraan wat Jos nog voor plannen heeft.'

Loïs keek haar zus na. Misschien hadden wij voor morgen ook wel plannen, dacht ze wat schamper. Maar daar hoef jij natuurlijk geen rekening mee te houden.

Ze vermande zich en maakte een uitnodigend gebaar naar de jongetjes. 'Gaan jullie mee naar boven?'

Ze liepen voor haar uit de trap op. Uit de kast op de overloop pakte Loïs een luchtbed voor Jelle en een campingbedje voor Jurre. Het opgeblazen luchtbed legde ze bij Sem op de kamer, en het campingbedje zette ze bij Isabel. Daarna pakte ze linnengoed uit de linnenkast en maakte beide bedjes op. Intussen babbelde ze met de jongetjes. 'We gaan vanavond pannenkoeken eten, die lusten jullie toch wel?'

Ze lieten beiden een brede glimlach zien, en Jelle zei stralend: 'Ik lust er wel vijf! Hé, en ik bén vijf.'

'Ik ben drie,' zei Jurre en hij bewoog zijn vingertjes net zo lang heen en weer tot hij er drie opstak.

'Tjonge, al drie, dát is al groot,' zei Loïs bewonderend.

'Maar ik ben nóg groterder,' riep Jelle.

Toen hoorden ze de achterdeur beneden opengaan, en Loïs zei: 'Hoor eens, daar komen oom Marcel en Koen en Sem. Kom maar, dan gaan we lekker wat drinken in de tuin.'

Koen kwam hun op de trap tegemoet. 'Ik ga douchen,' zei hij met een boze blik in z'n ogen.

Oei, ze hebben zeker verloren, dacht Loïs.

Marcel bevestigde dat toen ze beneden kwam. 'Ze zijn flink ingemaakt, met zes-één,' zei hij. 'Toch was het wel een goeie wedstrijd met veel kansen, alleen hebben ze die niet waargenomen.'

Sem en Jelle hadden elkaar al gevonden, Sem troonde zijn neefje meteen mee naar de zandbak.

Loïs gaf Jurre een duwtje. 'Toe maar, ga jij ook maar in de zandbak spelen bij de jongens, dan krijg je zo een beetje drinken.'

Maar Jurre schudde zijn hoofd. 'Wil niet in de zandbak,' zei hij.

'Wat wil je dan?'

'Televisiekijken.'

Loïs schudde haar hoofd. 'Nee hoor, met dit mooie weer gaan we niet televisiekijken. Zal ik de bak met autootjes op het gras zetten?'

'Oké,' zei Jurre met zo'n diepe dramatische zucht dat Loïs en Marcel in de lach schoten.

'Wil jij de bak even pakken,' vroeg Loïs aan Marcel, 'dan schenk ik wat te drinken in.'

Even later zaten ze naast elkaar te genieten van het zonnetje.

'Had Anouk je weer eens nodig?' vroeg Marcel wat smalend. 'Laat me raden: een etentje?'

Loïs knikte. 'En een nachtje in een hotel erachteraan. De jongens blijven ook slapen. Ik heb de bedjes al opgemaakt.'

'Ik snap niet waarom die twee ooit aan kinderen begonnen zijn,' zei Marcel. 'Ook wat dat betreft lijk jij helemaal niet op je zus. Jij had er juist altijd moeite mee om ze bij iemand achter te laten. Maar Anouk dropt ze net zo makkelijk bij een ander.'

'Joh, wat geeft dat nu, ik doe het met liefde. 't Zijn toch helemaal geen lastige kinderen?' verdedigde Loïs haar zus.

'Dat zijn die van ons ook niet. Tenminste, meestal niet,' zei Marcel. 'Maar wanneer breng jij ze eens een keer naar haar, zodat wij uit eten kunnen?'

Loïs keek hem stomverbaasd aan. 'Huh? Hoe bedoel je?'

Hij haalde zijn schouders op. 'Ik bedoel maar.'

'Dat is geen vergelijk,' zei Loïs. 'Wij hebben vier kinderen, zij maar twee, en wij zijn veel meer ingesteld op kinderen dan zij.'

'Hoor je nu wat je zegt?' zei Marcel. 'Hun huis is veel groter dan het onze, maar ruimte voor andere kinderen is er niet.'

'Nou, ze heeft weleens gevraagd of Isabel een keer mag komen logeren,' zei Loïs aarzelend.

'Omdat Isabel een meisje is dat haar aan haarzelf doet denken, en met wie ze dolgraag tuttelt, omdat ze dat met de jongens niet kan. Niet omdat ze zo graag logés heeft. Anders zou het toch veel logischer zijn om Sem eens te logeren te vragen? Moet je nu weer zien hoe leuk Jelle en hij samen spelen.'

Ze keken naar de zandbak, waar Sem en Jelle een heel gangenstelsel gegraven hadden. Zelfs Jurre was erbij gaan zitten met een paar autootjes. Marcel had gelijk, Anouk had nog nooit gevraagd of Sem eens kwam logeren.

Loïs vergeleek onwillekeurig de spelende jongetjes met elkaar. Sems T-shirt en bermuda leken vaal en verwassen naast de dure merkkleding van Jelle en Jurre. Sems voeten staken in teenslippers, terwijl Jelle en Jurre zoiets vast nooit zouden mogen dragen van Anouk.

Koen kwam de tuin in lopen. Hij keek nog steeds chagrijnig en liet zich op de stoel naast Loïs vallen.

'Papa zei dat jullie verloren hadden. Balen, joh,' zei Loïs.

'Ja, die jongens waren best goed, maar ze speelden ook gemeen,' zei Koen verontwaardigd. 'En de scheids was heel erg op hun hand.'

'Nou, dat viel wel mee,' zei Marcel. 'Jullie kregen ook genoeg kansen, alleen waren zij net wat sterker dan jullie.'

'Nét wat sterker?' zei Koen smalend. 'We hebben met zes-één verloren!'

'Toch was het een goede wedstrijd,' hield Marcel vol. 'Jullie hebben het hun niet gemakkelijk gemaakt. Ik vond het hartstikke goed van jullie dat jullie tot het eind bleven knokken. Dát is nog eens karakter.'

'En volgende keer winnen jullie vast,' zei Loïs.

Koen wierp haar een blik toe van 'je hebt er geen verstand van', maar hij zei niets.

Loïs stond op en woelde hem door z'n natte haar. 'Wil je ook wat drinken?' vroeg ze.

'Ja, doe maar cola. Met ijsklontjes.'

'Tot uw orders, meneer,' zei Loïs plagend. 'Jij nog wat, Marcel?'

'Ja, lekker. Doe maar een pilsje, het is dorstig weer.'

Toen Loïs met de cola en het bier uit de keuken kwam, waren Marcel en

Koen in een druk gesprek verwikkeld, de wedstrijd werd helemaal uitge-
plozen. Ze zette het drinken voor hen neer en liep weer naar de keuken. Ze
zou alvast maar beslag klaar gaan maken voor de pannenkoeken, dan konden ze bijtijds eten. Hoe laat zou Anne naar huis komen?

Terwijl ze dat dacht, zag ze Anne aan komen fietsen. Zo, die was vroeg!

Ze hoorde hoe Anne haar fiets in de garage zette en zag haar even later
binnenkomen. 'Hoi.' Anne gooide haar tas met zwemkleding op een stoel en
leunde tegen het aanrecht. 'Wat eten we?'

'Pannenkoeken. Jelle en Jurre zijn hier, die blijven een nachtje slapen.'

'Alweer?'

Loïs negeerde de opmerking. 'Was 't leuk vandaag?'

Anne pakte een minneola van de fruitschaal en begon die te pellen. 'Mwah.
Ging wel.'

'Het was best lekker weer voor het zwembad. Was het druk?'

Anne knikte en stak een sappig partje in haar mond.

'Was de hele klas er?'

'Nee, Diederik was er niet. Die moest het weekend naar z'n vader.' Diederiks
ouders waren gescheiden, wist Loïs.

'Jammer voor jou.'

'Hoezo jammer voor mij?' Het kwam er fel uit.

Oei, blijkbaar glad ijs. 'Eh, ik dacht dat je Diederik wel leuk vond.'

'Hoe kom je dáár nou bij?' Anne maakte een snuivend geluid. 'Echt niet!'

'O. Nou, dan heb ik dat verkeerd gedacht,' zei Loïs, maar ze dacht er het hare
van. Anne reageerde wel erg fel.

'Hoe laat gaan we eten? Ik wil nog even douchen, het chloor uit m'n haren
wassen. Ik had de shampoo vergeten,' zei Anne.

'Tijd genoeg. Isabel is ook nog niet thuis.' Loïs pakte een grote beslagkom uit
de kast en liet die aan Anne zien. 'Wat denk je, zou die groot genoeg zijn?'

'Ik heb anders best trek.'

Loïs lachte. 'Ja, zwemmen maakt hongerig, hè? Als ik vroeger zwemles had,
gaf oma me altijd vier boterhammen met kaas mee. Ik lustte nooit kaas op
m'n brood, maar had na het zwemmen zo'n honger dat die boterhammen
allemaal grif op gingen.'

'Lustte jij geen kaas?' vroeg Anne verbaasd. 'Nooit wat van gemerkt.'

'Nu wel. Nou, ga lekker douchen, dan ga ik beslag maken.'

'Wat voor toetje hebben we?'

'O ja, een toetje. Helemaal niet meer aan gedacht! Ik heb nog ijs in de vriezer, en een spuitbus slagroom ligt er ook nog wel.' Loïs trok de voorraadla open en haalde daar een pot kersen uit. 'Zullen we die er ook bij doen?'

'Lekker!'

Anne wilde naar boven lopen, maar Loïs riep haar achterna: 'En neem je zwemspullen mee, dan kun je boven je zwempak uitspoelen en je handdoek in de was doen.'

Er klonk een diepe zucht en daarna: 'Moeders!'

'Jongens, gaan jullie je handjes wassen, we gaan zo eten,' riep Loïs vanuit de keuken, waaruit heerlijke geuren opstegen.

Ze kwamen meteen aangerend, Sem voorop. 'Hè, lekker, pannenkoeken, mijn lievelingseten!' riep hij.

'Het mijne ook!' riep Jelle.

'Ik lust ook pannenkoeken!' riep Jurre.

Sem en Jelle konden wel met het opstapje bij de kraan, maar Jurre was daarvoor nog net te klein. Loïs tilde hem iets op zodat hij zelf zijn handjes kon wassen, maar terwijl hij daarbij tegen het aanrecht leunde hoorde ze een krakend geluid.

'Heb je iets in je zak?' vroeg ze, in de verwachting dat het een gekraakt speelgoedje was. Ze voelde in zijn broekzak en trok meteen verschrikt haar hand terug. 'Wat is dat?'

'Dat is een slak,' zei Jurre. 'Dat is mijn vriendje.'

Loïs waste meteen zelf haar handen. Ze vreesde dat het 'vriendje' de crash niet overleefd had. Maar hoe kreeg ze dat slijmerige goedje nu uit die zak?

'Eh... Marcel, wil jij even helpen?'

Ze deed het broekje uit bij Jurre en gaf het met een vies gezicht aan Marcel. 'Er zit een slak in z'n broekzak, wil jij die er even uit schudden boven de vuilnisbak?'

Hij grijnsde. 'Watje, durf je dat zelf niet?'

'Doe het nou maar.'

Gelukkig had Anouk een extra verschoning voor beide jongens meegebracht. Maar ze kon die broek toch moeilijk zo mee terug geven. Loïs pakte een emmer uit het aanrechtkastje en vulde die met een sopje. Zo, straks eerst die broek maar eens een poosje in de week zetten.

De grote stapel pannenkoeken slonk snel, en ook het toetje werd alle eer aangedaan. Isabel zat naast Jurre en moederde wat over hem bij het opeten van het ijs. 'Zal ik je even helpen, Jurre?'

Ze had enthousiast gereageerd toen ze hoorde dat Jelle en Jurre bleven slapen. Zoals altijd mocht Jurres bedje bij haar op de kamer.

'Dat vind je wel leuk, hè, Jurre?'

'Dat vind je wel leuk, hè, Jurre?' imiteerde Anne het hoge toontje dat Isabel altijd aansloeg als ze met Jurre praatte. 'Hé, Isabel, hij is drie jáár, hoor, geen drie maanden!'

'Anne!' Marcels blik was genoeg om haar tot zwijgen te brengen.

Na het eten mochten Sem, Jelle en Jurre samen in bad, waarbij ze er één groot waterfestijn van maakten. Loïs las nog een verhaaltje voor aan Jelle en Jurre, zong samen met hen hun avondgebedje en stopte ze daarna in bed. Sem mocht nog een poosje mee naar beneden, al was dat onder protest.

'Waarom mag ik niet gelijk met Jelle naar bed?'

'Omdat jullie dan gaan liggen keten,' voorspelde Loïs. Ze lachte. Meestal was Sem niet naar bed te branden.

Jelle en Jurre lieten zich niet meer horen, en een uurtje later bracht Loïs Sem en Isabel naar bed. Daarna liet ze zich op de bank voor de tv zakken, waar zojuist een gezellige familiespelshow begon.

'Hè, dat was een lekker dagje.'

'Moe?' vroeg Marcel, die een kopje thee voor haar neerzette.

Ze schudde haar hoofd. 'Nee, maar wel een beetje spierpijn van het in de tuin werken. En m'n hoofd zit een beetje vol.' Ook al had de onverwachte komst van Jelle en Jurre haar gedachtegang over een eventuele vervolgopleiding verstoord, toch was de gedachte daaraan in haar hoofd blijven rondzingen.

'O?'

'Vertel ik nog wel. Nu even niet.' Ze dronk genietend van haar thee en lachte om de grappige scènes in de spelshow.

's Avonds op bed begon ze er zelf over. 'Ik denk erover om een opleiding te gaan volgen. Nu een nieuwe baby er niet meer in zit...' Ze lachte zacht. 'Nee hoor, je had helemaal gelijk, soms moet een mens zijn verstand gebruiken. Maar ik moet er niet aan denken om hele dagen niets anders aan m'n hoofd te hebben dan het huishouden, koffiedrinken met de buurt, naar de stad met m'n moeder, en als oppas te dienen voor Jelle en Jurre. De kinderen worden alleen maar groter en zelfstandiger, dus...'

'Hoe kom je daar nu ineens bij?' vroeg Marcel verbaasd.

'Irene vertelde me dat zij een yogaopleiding gaat volgen. Omdat ze naast moeder en echtgenote ook een stukje levensinvulling voor zichzelf wil. Het is een deeltijdopleiding, twee dagen per week. Sanne en Paul junior gaan op dinsdag na schooltijd naar haar moeder, en op zaterdag past Paul op. Ze vroeg me: 'Jij bent toch ook niet alleen maar de vrouw van Marcel en de moeder van je kinderen? Je bent toch zelf ook iemand met een eigen weg?' Ik realiseerde me dat ik daar tot nu toe nooit over nagedacht had. Jouw vrouw en moeder van onze kinderen zijn was tot nu toe ook voldoende voor me. Maar nu Sem ook al naar groep 3 gaat, merk ik dat dat niet meer genoeg is.'

Ze zuchtte even. 'Ik denk dat de dood van papa er ook wel mee te maken heeft,' bedacht ze toen. 'Het lijkt wel alsof zijn dood me bewust heeft gemaakt van de eindigheid van het leven. Natuurlijk wist ik wel dat we allemaal een keer doodgaan, maar het drong misschien nu pas tot me door. Hij wilde nog zo veel, maar schoof dat telkens door naar 'later'. Maar voor hem is er geen 'later' meer.'

Ze draaide zich op haar zij en legde haar hoofd op zijn borst en haar arm om hem heen. Marcel wrong zijn arm onder haar vandaan en legde die om haar schouders.

'Weet je, ik moest er vanmiddag ineens aan denken dat Anne straks als eerste van onze kinderen zal gaan studeren, en dat zij dan een wereld betreedt die we geen van beiden van dichtbij kennen: naar de universiteit, colleges volgen, op kamers wonen, misschien lid worden van een studentenvereniging. Kunnen wij hen daar wel op voorbereiden als we die wereld zelf geen van beiden kennen?'

Ze voelde dat Marcel z'n schouders ophaalde. 'Geen idee. Maar er zullen wel meer kinderen gaan studeren van wie de ouders zelf nooit naar de universiteit gegaan zijn.'

'Ja. In elk geval, ik loop al sinds gisteren te denken over die opmerking van Irene, en de gedachte om weer naar school te gaan trekt me steeds meer. De dominee had het vorige week in zijn preek over de gelijkenis van de talenten. Ik ben me af gaan vragen wat ik met mijn eigen talenten doe. Ik zorg graag, en dat talent heb ik ingezet in het moederen. Maar ik kon bijvoorbeeld ook goed leren, en ik heb het idee dat ik daar niets mee doe. Alleen maar thuiszitten en het huishouden doen terwijl jij werkt en de kinderen naar school zijn, doet daar natuurlijk ook geen goed aan. Door weer te gaan leren kan ik misschien nieuwe talenten ontwikkelen.'

'Wat wil je dan? Ook een yogaopleiding?'

Ze gaf hem een verontwaardigde duw. 'Je zou me beter moeten kennen! Nee, ik heb nog geen idee.'

'En is het je alleen te doen om het weer gaan leren, of wil je dan ook een baan gaan zoeken?'

Ze haalde haar schouders op. 'Ook geen idee. Zo ver ben ik nog niet met mijn gedachten. Weet jij niks voor me?'

'Nee meissie, zo werkt het niet. Als weer naar school gaan iets is wat jij wilt, zul je er ook zelf achter moeten komen in welke richting. Weet je nog van die talenten? De heer uit die gelijkenis zei alleen maar dát ze ermee moesten werken, niet wát ze ermee moesten gaan doen.'

'Maar jij vindt het dus wel goed?'

'Probeer er eerst maar eens achter te komen wat je precies wilt, en of dat in te passen is in ons gezinsleven. Als ik het me goed herinner kregen die dienaren het aantal talenten dat ze aankonden, en je weet niet of jij naast ons gezin ook nog een studie aankunt.'

'Er zijn genoeg vrouwen die een gezin combineren met een baan of een studie.'

'Maar hebben die allemaal vier kinderen?' vroeg Marcel. 'Irene en Paul hebben er maar twee. En waar wilde jij de kinderen na schooltijd naartoe laten gaan op de dag of dagen dat jij naar school moet? Naar je moeder, of naar Anouk?' Het kwam er wat schamper uit. 'Sorry hoor, maar die hebben het veel te druk met zichzelf.'

'Misschien zou Bianca wel op willen passen.' Bianca was de zus van Marcel, die niet zo ver bij hen vandaan woonde. Zij en haar man Huub hadden tot hun verdriet geen kinderen. Bianca werkte drie dagen per week in een supermarkt. 'Misschien valt dat wel te combineren met haar werktijden.' Ze grijnsde. 'Als Anne ons zou horen, zou ze ons verwijten dat we de kinderen nu al ergens proberen te 'dumpen' terwijl ik nog niet eens weet wat ik wil.'

'Nou ja, het zijn wel allemaal factoren die mee zullen moeten wegen in je beslissing. Uiteindelijk ben je toch in de eerste plaats moeder. Want het opvoeden van kinderen en het runnen van een huishouden is ook een talent dat je gebruikt.'

Loïs was het volmondig met hem eens. 'Natuurlijk! Maar iets daarnaast, iets voor mezelf...' Het idee werd steeds aanlokkelijker.

'Misschien de pabo?' vroeg Marcel. 'Je had destijds toch in je hoofd om die studie weer op te pakken?'

'Nee, van 'oppakken' zou geen sprake zijn, dan zou ik weer helemaal opnieuw moeten beginnen, neem ik aan. Maar met al die grote klassen van tegenwoordig... Ik weet niet of ik dat wel wil. Al trekt het werken met kinderen me nog steeds.'

'Toen je aan de pabo begon, wilde je toch geen gewone schooljuffrouw worden, maar iets met moeilijk lerende kinderen? Die klassen zijn meestal niet zo groot.'

Het trof Loïs dat Marcel zo met haar meedacht. Blijkbaar stond hij niet negatief tegenover het idee. Mede daardoor kregen de gedachten in haar hoofd steeds meer vorm en werd ze steeds enthousiaster. 'Weet je wat ik altijd een leuk vak vond op de pabo? Pedagogiek. Misschien is dat een idee. Ik zal eens surfen op internet.'

'Dan kun je er misschien meteen achter komen wat zo'n opleiding kost,' bracht Marcel haar weer met beide benen op de grond. 'Je bent weliswaar nog lang niet zo oud als ik, maar je zult wel te oud zijn om voor studiefinanciering in aanmerking te komen.'

Deze opmerking ontnuchterde Loïs meteen. Natuurlijk, zo'n opleiding zou geld kosten. En misschien niet eens zo'n klein beetje ook. Daar had ze geen moment aan gedacht.

'Misschien moet ik het hele idee maar laten varen,' zei ze wat teleurgesteld. 'De kinderen kosten al genoeg geld, en straks als ze gaan studeren zal dat alleen nog maar meer worden.'

'Dan moet je 't juist nu doen,' vond Marcel. 'Tenminste, als het te betalen is. We kunnen wel wat hebben. Anne gaat pas studeren tegen de tijd dat jij bijna klaar bent met je studie, en misschien heb je dan zelf al een eigen inkomen.'

Loïs had het tot nu toe geen enkel punt gevonden dat ze geen eigen inkomen had, maar ze vond het nu toch niet zo'n prettig idee dat Marcel naast alle kosten die het gezin met zich meebracht, ook nog op moest draaien voor haar studiekosten. Haar enthousiasme verdween als de lucht uit een lekkende ballon.

Marcel merkte het. Hij knuffelde haar. 'Hé, niet meteen de moed laten varen! Zoek eerst maar eens uit wat je wilt en hoeveel dat zal gaan kosten, dan praten we wel weer verder.'

4

ANOUK EN JOS KWAMEN DIE ZONDAG PAS TIJDENS HET AVONDETEN TERUG OM Jelle en Jurre op te halen. Ze zaten net aan het dessert.

Op Loïs' vraag of ze ook nog moesten eten, zei Anouk: 'Nee hoor, dank je. Het etentje gisteravond was heerlijk, het hotel prima. We zijn vandaag lekker uit wezen waaien aan het strand, hebben de lunch overgeslagen, en zijn toen op de terugweg uitgebreid gaan eten. Dat wordt dus flink sporten van de week!'

Ze gaf de jongens een kusje. 'Zijn ze lief geweest?'

'Ja hoor.' Loïs gaf de beide jongens een knikje. 'Jurre heeft vanmiddag nog een lekker tukje gedaan, hij heeft van halfeen tot drie uur geslapen.'

'O, thuis slaapt hij nooit meer tussen de middag. Nou, dan maar hopen dat hij straks niet al te wakker is.'

'Ze hebben de hele dag in de tuin gespeeld, dus ze zullen straks wel slapen als roosjes,' zei Loïs. 'Net als vannacht.'

Na het dankgebed wilde Jos meteen naar huis. 'Zeg tante Loïs maar dank je wel voor het oppassen.'

'Dank je wel voor het oppassen,' zei Jelle gehoorzaam, en Jurre echode: 'Dank je wel oppassen.'

Loïs gaf beide jongetjes een aai over de bol en liep met hen mee naar de voordeur. 'Graag gedaan, hoor. Tante Loïs vond het wel gezellig met jullie erbij. Oma is ook nog geweest, hè? Die vond het wel gezellig, met al haar kleinkinderen bij elkaar.'

'Kwam ze zelf?' zei Anouk verbaasd.

'Nee, ik ben haar wezen halen,' zei Loïs. 'Ze belde of we bij haar koffie kwamen drinken, en toen ze hoorde dat jullie kindjes hier waren, nodigde ze zichzelf uit om dan maar hier koffie te komen drinken. Ze heeft ook mee geluncht en wilde pas tegen drieën weer naar huis. Marcel heeft haar thuisgebracht.'

Ze zei er maar niet bij dat haar moeder had zitten klagen dat ze Anouk tegenwoordig zo weinig zag. Dat moest ze zelf maar tegen Anouk zeggen.

Terwijl Jos de kinderen in hun autostoeltje zette, hoorden ze hoe hij op boze toon tegen Jelle uitviel, die wat aan het jengelen was. 'Hé, stoppen! Anders ga je maar naar huis lopen!'

Anouk kreeg meteen haast. 'Nu, we gaan, dan kunnen ze straks meteen naar bed.' Ze kuste Loïs vluchtig op de wang. 'Nog bedankt, hè.' Ze stapte snel in de auto.

Loïs staarde de wegrijdende auto na en zuchtte.

Toen ze op maandagmorgen Isabel en Sem naar school had gebracht, ruimde ze snel de ontbijtboel op en ging daarna achter de computer zitten. Ze typte 'deeltijd pedagogiek' in en zocht naar een opleiding in de buurt. In Arnhem en Nijmegen hadden ze op de hogeschool wel een deeltijdopleiding Pedagogiek, maar daarvoor had ze minstens een jaar werkervaring nodig, en die had ze niet. Ze nam tenminste aan dat moeder zijn van een gezin met vier kinderen niet gezien werd als 'werkervaring in een pedagogisch werkveld'. Ook andere deeltijdopleidingen Pedagogiek gingen ervan uit dat een student al werkzaam was op een school of in de zorg of iets dergelijks, en dat die studie alleen maar een verdieping betekende.

Teleurgesteld leunde Loïs achterover. Dat werd dus geen Pedagogiek voor haar.

Misschien dan toch weer de pabo? Toen ze destijds na de havo naar de pabo ging, stond dat gebouw in Arnhem aan het begin van de Cannenburglaan en was het onderdeel van 'Hogeschool Gelderland'. Zou dat nog zo zijn, met al die fusies in onderwijsland? En zouden ze een deeltijdopleiding hebben? Ze typte 'pabo deeltijd Arnhem' in. Raak! Die opleiding was er. De hogeschool heette inmiddels Hogeschool van Arnhem en Nijmegen, kortweg HAN. Ze keek naar de toelatingseisen. Daar voldeed ze ruimschoots aan met haar havodiploma en twee jaar pabo, al was dat zestien jaar geleden. En met haar vereiste rekenvaardigheden was ook niks mis. Een voordeel van de pabo zou zijn dat ze in de schoolvakanties geen stage hoefde te lopen, dat was wel handig met nog twee kinderen op de basisschool.

Eens kijken op welke dagen ze les zou hebben. Hm, twee avonden per week, op maandag en donderdag, van zes uur tot kwart over tien. Dat zou wel te doen zijn, en het voordeel was dat ze daarvoor geen oppas hoefde te regelen omdat Marcel 's avonds thuis was. Daarnaast zou ze één dag in de week stage moeten lopen, de school zorgde voor de diverse stageadressen. Inclusief de stage en de lesuren zou de studiebelasting zo'n veertig uur per week zijn. Zou dat haar lukken? Zou ze naast haar toch wel drukke gezin voldoende tijd hebben om die studie te doen? Zeker als ze ook nog eens stage zou moeten lopen? Misschien kon ze dat om te beginnen wel op de school van Isabel en Sem doen. Dat zou helemaal mooi zijn!

Het enthousiasme dat ze aanvankelijk gevoeld had, nam weer bezit van haar. Ook zag ze nog meer voordelen als ze juist deze opleiding zou kiezen. Al was het al achttien jaar geleden dat ze naar de pabo gegaan was en waren de inzichten in de loop der jaren ongetwijfeld bijgesteld, toch zou ze dingen herkennen en mogelijk snel oppakken als ze eenmaal weer bezig was.

Ze zou het eerste jaar dan als een soort proefjaar voor zichzelf kunnen zien. Lukte het haar om naast haar gezin de studie te volgen, dan kon ze daarmee doorgaan. Lukte het niet, dan was er geen man overboord en had ze het in elk geval geprobeerd. Alleen was dat cursusgeld dan weggegooid geld.

O ja. Geld. Wat waren de kosten?

Ze klikte op wat links en schrok toen van de hoogte van het collegegeld. Dat was een flink bedrag! En daar kwamen ook nog eens kosten van boeken en readers bij. Kon ze het wel maken om een dergelijk bedrag uit te geven voor iets wat misschien helemaal niet zou lukken?

Ze sprak er 's avonds met Marcel over. 'Ik vind het toch een hoop geld. Daar komt nog bij: volgend jaar zit Anne in de vierde, en dat jaar zijn er extra kosten in verband met de reis naar Rome die ze dan maken. Ik denk dat ik het maar over laat gaan. Dan zoek ik wel wat vrijwilligerswerk of zo.'

Maar Marcel schudde zijn hoofd. 'Hé, wie A heeft gezegd, moet ook B zeggen, hoor. Zo ken ik je helemaal niet. Meestal ben je juist zo'n doorzetter!'

'Ja maar... Zo'n hoop geld, en wie weet lukt het me niet eens.'

'Tuurlijk lukt je dat, als het iets is wat je echt wilt. Waar een wil is, is een weg.'

Ze lachte om de uitdrukking die hij ook tegen de kinderen gebruikte als die ergens geen zin in hadden.

'Als Anne straks wil gaan studeren zeg je dan toch ook niet dat dat niet kan omdat er zo veel kosten aan verbonden zijn?'

Loïs schudde haar hoofd. 'Nee, natuurlijk niet. Maar wij zijn haar ouders, wij hóren daarvoor te zorgen. Desnoods ga ik vakkenvullen of schoonmaken als daar geen geld voor zou zijn.'

'Je moet het maar zien als een investering in jezelf,' zei Marcel. 'Of anders als cadeautje van mij. Uiteindelijk heb ik je ervan afgehouden om je opleiding af te maken.' Hij schudde haar plagerig heen en weer.

'Echt?'

'Echt.'

'Maar als het toch niet lukt, vind je het dan geen weggegooid geld?'

'Nee. Net zomin als ik het weggegooid geld zou vinden als een van de kinderen zijn of haar studie niet af zou kunnen maken omdat het te hoog gegrepen was. Ze zouden dan toch wat geleerd hebben.'

'Je bent een schat.' Loïs sloeg haar armen om Marcel heen.

'Je moet morgen meteen maar bellen om informatie. Volgende week is het vakantie, dan kun je waarschijnlijk niemand meer bereiken. Of misschien hebben zij nu ook al vakantie, net als Anne en Koen.'

'Tja, dat zou natuurlijk kunnen. Goed idee, ik bel morgen meteen.'

Er waren nog enkele docenten op de hogeschool aanwezig, en een van hen was bereid om Loïs te woord te staan. Ze kon de volgende ochtend om tien uur langskomen.

Met een wat zenuwachtig, gespannen gevoel fietste Loïs die woensdagochtend naar de campus waar de pabo van de HAN tegenwoordig gevestigd was. Tjonge, dat was een groot terrein! Dat was een wereldje op zich.

Op het grote binnenplein zocht ze naar het gebouw waar de pabo zich bevond. Iemand wees haar het drie verdiepingen tellende bakstenen gebouw, en toen ze dat binnenliep klopte haar hart in haar keel. Het leek wel hetzelfde gevoel als toen ze als brugpieper voor de eerste keer naar de middelbare school ging!

Een jongedame zag haar zoekende blik en kwam op haar toe lopen. 'Waar moet u zijn?'

'Ik heb een afspraak met de heer Van der Zwan,' zei Loïs.

De jongedame wees naar een trap. 'Hier twee trappen op, en dan is het de derde kamer aan uw rechterhand.'

'Dank u wel.'

Loïs liep naar boven en stond even later voor de deur die haar gewezen was.

A. van der Zwan, decaan, stond er op het bordje naast de deur.

Ze klopte en wachtte op een reactie. Die niet kwam.

Ze klopte nog eens. Weer geen reactie.

Ze keek op haar horloge. Twee minuten voor tien. Ze wist zeker dat de afspraak om tien uur gepland was. Wat moest ze nu doen? Misschien was die man niet goed geworden of zo. Moest ze nu de deur openen om te kijken of er iemand binnen was? Of zou ze weer teruggaan naar beneden?

'Aha, daar is mijn afspraak al. Stond u al lang te wachten?'

Ze keek om. De man die dat geroepen had en die zich nu naar haar toe haastte, was lang, slank, had een wilde bos blonde krullen en een rond brilletje dat hem een jongensachtige uitstraling gaf. Hij droeg een blauwe spijkerbroek en een knalroze overhemd. Isabel zou het 'supergaaf' vinden; haar lievelingskleur was roze.

Hij had haar bereikt en schudde haar de hand. 'André van der Zwan,' zei hij.

'En u bent...?'

'Loïs. Loïs Terhorst.'

'En u wilde informatie over...?'

'De deeltijdopleiding van de pabo.' Blijkbaar wist die man alleen dat hij een afspraak had, maar niet met wie en waarover.

'Komt u verder.' De man opende de deur en liet haar voorgaan. 'Gaat u zitten.' Hij wees op een stoel voor het grote bureau dat midden in de kamer stond, en ging er zelf achter zitten.

'Wat wilt u weten? Wilt u trouwens een kopje koffie?' Hij schoot weer overeind.

'Nee, laat u maar, ik heb thuis al wat gedronken,' zei Loïs. 'Of u moet zelf nog niets gehad hebben?'

'Daar heb ik nog geen tijd voor gehad. Eerlijk gezegd smacht ik naar een bakkie.'

'Nou, dan haalt u toch een kopje voor uzelf?' Loïs vond de man ontwapenend open.

'Hè, doet u dan gezellig een kopje met me mee?'

'Ik hoef geen koffie meer, maar een kopje thee zou ik wel lekker vinden.'

De man haastte zich weer de deur uit, en verscheen even later met twee dampende kartonnen bekers in zijn handen. Hij zette een beker heet water voor haar neer, gaf haar een theezakje dat met het touwtje aan zijn pink bungelde, en diepte uit zijn borstzakje twee suikerstaafjes op die hij op het bureau legde. Daarna ging hij weer op zijn plaats zitten. 'Zo, en vertelt u eens, wat wilt u weten. Of mag ik je zeggen?'

Loïs had intussen het theezakje in de beker gehangen en haalde het na wat heen en weer halen weer naar boven. Ze keek om zich heen. Waar moest ze dat druipende zakje nu laten? In haar beker laten hangen was geen optie, ze gruwde van te sterke thee.

Hij zag haar zoeken en sprong weer overeind. 'Hier, gooit u het maar in de prullenbak.' Daarna ging hij weer zitten. 'Waar waren we gebleven?'

Loïs merkte dat de situatie op haar lachspieren werkte. De man die maar heen en weer bleef rennen, het gesprek dat nog steeds niet begonnen was, het zenuwachtige, gespannen gevoel dat ze de hele ochtend al had, en de brugpiepererváring bij het betreden van het gebouw, dat alles maakte dat ze met moeite haar lachen binnen kon houden.

Ze wilde net uitleggen waarvoor ze kwam, toen de overbekende eerste maten van Frans Bauers *Heb je even voor mij?* uit zijn mobiele telefoon kwamen. De toepasselijkheid van het liedje op deze situatie maakte dat ze in een proestend lachen uitbarstte.

Hij greep haastig naar zijn telefoon en zette die uit. Daarna lachte hij grijnzend mee. 'Zullen we na deze chaotische intro maar jij en jou zeggen?' vroeg hij.

Ze hiklachte: 'Ja... dat is goed...' Ze veegde de tranen van haar wangen.

'Ik heet André, en jij heet...?'

Niet alleen chaotisch, maar blijkbaar ook nog eens kort van memorie, dacht Loïs, en ze kreeg opnieuw de slappe lach.

'Zo'n grappige naam is dat toch niet?' vroeg André verbaasd. Dat hielp niet echt om Loïs' lachen te stoppen. Ze verslikte zich, kreeg een hoestbui, en toen ze een slokje drinken wilde nemen om het hoesten te bedaren brandde ze haar mond aan de gloeiend hete thee. Ze zette de beker snel weer neer en zocht naar een zakdoek om haar tranen weg te vegen.

André zat wat verbouwereerd te wachten tot ze uitgelachen was.

Na een paar diepe zuchten kon Loïs uitbrengen: 'Hèhè... Ik heet Loïs.'

'Hoe? Louise?'

'Dat is m'n doopnaam, zo heette m'n oma, maar m'n roepnaam is Loïs. Loo-is.'

'Leuke naam.'

'Komt uit de Bijbel.'

'En waar kan ik je mee van dienst zijn?'

'Ik kom voor informatie over de deeltijdopleiding van de pabo.'

'Ja, dat had je daarnet al gezegd.' Dat had hij dus wel onthouden. 'Maar wat wil je precies weten?'

Loïs vertelde van haar wens om een opleiding te gaan doen en hoe ze daartoe gekomen was. 'En zo ben ik hier terechtgekomen,' besloot ze.

André vertelde haar het een en ander over de opzet van de opleiding, en gaandeweg het gesprek werd Loïs gegrepen door zijn zichtbare enthousiasme voor het vak.

'Geeft u... geef je zelf ook les?' vroeg ze.

'Ik geef pedagogiek en didactiek,' zei André. 'Twee hoofdvakken.'

'Zou ik op grond van mijn eerdere twee pabojaren nog ergens een vrijstelling voor kunnen krijgen?' vroeg Loïs hoopvol.

'Dat verwacht ik niet,' zei André. 'Ik zou dat ook niet wenselijk vinden. Je volgt niet alleen als individu de lessen, maar ook als groep, en sommige opdrachten moeten ook als groep uitgevoerd worden, onder andere om de onderlinge samenwerking te stimuleren. Je zou buiten dat proces vallen als je een gedeelte van de lessen niet zou volgen.'

'Dat had ik eerlijk gezegd al verwacht,' zei Loïs.

'Zie het maar als een voordeel dat je al een paar jaar pabo achter de rug hebt, je zult de dingen daardoor waarschijnlijk eerder oppakken dan een ander.'

Loïs knikte, dat had ze zelf ook al bedacht.

'Hoe staat het met je taal- en rekenvaardigheden?'

'Die zijn ruim voldoende, al zeg ik het zelf. Ik had daar altijd hoge cijfers voor.'

'We doen bij nieuwe studenten altijd een indicatietest om te kijken hoe het met die vaardigheden staat, maar dat zal bij jou geen enkel probleem zijn, verwacht ik,' zei André.

'Dat denk ik ook niet.'

'Daarnaast doen we een paar keer per jaar een taal- en rekentest, dat merk je vanzelf. Wil je nog thee?'

'Nee, dank je.'

'En, wat vind je er tot nu toe van? Lijkt het je wat?' vroeg hij. 'Hoe oud ben je eigenlijk?'

'Vijfendertig. Hoe oud is de gemiddelde leerling in de deeltijdopleiding?'

'Dat is moeilijk te zeggen, dat wisselt sterk. Er zijn studenten die nog maar begin twintig zijn, maar we hebben dit jaar ook twee vijftigers. Ik denk dat jij zo'n beetje in de middenmoot zult vallen.'

'Vijftigers!' verbaasde Loïs zich. 'Hebben die nog zicht op een baan?'

'De een is een man die zich wil laten omscholen nadat hij jarenlang als taxichauffeur heeft gewerkt, de ander is een vrouw van zevenenvijftig die altijd al erg geïnteresseerd is geweest in het onderwijs. Ze is twee jaar geleden weduwe geworden, haar kinderen zijn al volwassen en wonen niet meer thuis. Ze heeft zelfs al een kleinkind. Ze noemt zichzelf een laatbloeier, maar zij is een van onze beste en meest gemotiveerde studenten. En de kinderen op de scholen waar ze stage loopt, lopen weg met haar.'

Loïs dacht aan haar moeder, die maar iets ouder was dan de vrouw over wie André zo lovend sprak. Nee, haar moeder zou het niet in haar hoofd halen om op haar leeftijd nog iets nieuws aan te pakken.

Die gedachte leek haar het laatste duwtje over de streep te geven. 'Het lijkt me wel wat,' zei ze als antwoord op Andrés eerdere vraag. 'Het lijkt me zelfs erg leuk!'

'Goed om te horen,' zei André. 'Heb je nog vragen?'

'Ja. Ik begreep dat ik al het eerste jaar stage moet lopen, en dat de school helpt met het zoeken naar stageadressen. Mag ik ook stage lopen op de school van mijn jongste kinderen? Dat zou wel handig zijn.'

'Ik kan me voorstellen dat jou dat wel handig lijkt, maar ons lijkt dat nou juist niet. Je zult als stagiaire een heel andere rol hebben dan als moeder, dat zijn echt twee verschillende petten op. Dat is niet alleen voor jou lastig, maar ook voor het personeel. Dus nee, dat mag niet. Maar er zijn genoeg andere basisscholen in Arnhem en omgeving, dus daar komen we wel uit.'

'Op welke dag valt die stagedag? Want dan heb ik oppas nodig, dat moet ik nog regelen.'

'De stage gaat in overleg tussen school en stagiair. Eén dag per week is het minimum, als het kan liever twee dagen per week, maar dat hangt af van de beschikbaarheid van de student. Als je twee dagen per week stage kunt lopen, zie je meer dan wanneer je bijvoorbeeld iedere dinsdag hetzelfde programma draait.'

Loïs keek wat bedenkelijk. Twee dagen per week stage lopen leek nu even een onoverkomelijke hobbel.

André zag haar fronsen. 'Wat is er?'

'Ik had eigenlijk gerekend op maar één dag per week stage. Ik heb ook nog een gezin.'

'Zoals ik al zei: het aantal stagedagen is afhankelijk van de beschikbaarheid van de student. Als jij maar één dag per week kunt, is dat zeker voor het eerste jaar ook voldoende. Nog meer vragen?'

'Wanneer begint het nieuwe schooljaar, en waar kan ik me aanmelden?'

'Kijk, dat is nog eens spijkers met koppen slaan,' lachte André. 'Ik loop zo even met je mee naar beneden, dan zal ik een brochure voor je pakken. Aanmelding kan tegenwoordig uitsluitend via internet, de gegevens daarover kun je vinden op onze site. Ben je een beetje handig met de computer?'

'Handig genoeg, denk ik. En anders kunnen mijn kinderen er vast wel bij helpen. Onze oudste twee zijn vijftien en dertien, die weten veel meer over computers dan ik.'

'Handig, zulke hulpjes,' lachte André. 'Ik heb helaas geen kinderen.'

Loïs keek stiekem naar zijn hand. Hij droeg geen ring. Zou hij niet getrouwd zijn? Ze durfde het niet te vragen. Misschien was hij wel homo. Niet iedere man zou zo'n knalroze overhemd durven dragen.

Ze liepen samen naar beneden. Hij zocht een brochure voor haar op en overhandigde die haar. Daarna nam hij hartelijk afscheid. 'Ik hoop tot ziens!'

'Dat hoop ik ook,' zei Loïs.

Blij fietste ze naar huis. Het zenuwachtige, gespannen gevoel van die ochtend had plaatsgemaakt voor een prettige opwinding, alsof er iets leuks te gebeuren stond. Als een kind dat uitkeek naar het schoolreisje.

Toen ze thuiskwam lag er een briefje van Anne op tafel. *Ben naar de paarden.* Koen zat achter de computer. 'Oma Thea heeft gebeld,' zei hij zonder om te kijken. 'Ze heeft gevraagd of je zo snel mogelijk terug wilt bellen. Het was dringend, zei ze.'

'Heeft ze nog gezegd waarom?' vroeg Loïs.

'Nee. Ze vroeg waar je was, en ik heb gezegd dat ik dat niet wist. Waar was je eigenlijk?' Ze had alleen gezegd dat ze even weg was.

'Ik had een gesprek met iemand op de hogeschool.'

'O. Voor Anne? Nu al?'

'Nee. Niet voor Anne. Voor mezelf.'

'Voor jezelf?' Hij draaide zich nieuwsgierig om. 'Wat moet jij nou op een hogeschool?'

'Hetzelfde als wat iedereen daar doet. Leren.'

'Ga jij weer naar school?' Hij leek het idee bij voorbaat al belachelijk te vinden.

'Ja, waarschijnlijk wel. Waarom niet?'

'Je bent een móéder!'

'Ja, en? Een van de studenten daar is al oma.'

Hij trok een gezicht en draaide zich weer naar het scherm.

Loïs haalde haar schouders op en pakte de telefoon. Ze toetste het nummer van haar moeder in. Die nam meteen op, alsof ze naast het toestel had zitten wachten.

'Waar moest jij vanmorgen naartoe? Ik zag je langsfietsen. Had je niet even binnen kunnen wippen voor een kopje koffie?'

Loïs voelde een lichte ergernis opkomen. 'Ik had een afspraak met iemand, dus nee, ik kon niet even binnenwippen.'

'Jullie schijnen te vergeten dat ik de hele dag alleen zit. Anouk kwam vroeger geregeld langs, maar die zie ik ook bijna nooit meer.'

'Tja, mam, wij hebben ook zelf nog een leven.' Loïs hoorde hoe sarcastisch dat klonk, en zich toch wat schuldig voelend ging ze verder: 'U had tóch ook een vriendin of een buurvrouw op de koffie kunnen vragen als u behoefte had aan gezelschap?'

'Die hebben ook geen tijd, net als jullie.'

Loïs moest denken aan de vrouw over wie André het vanmorgen had gehad. Die vrouw was ook weduwe en had ook kinderen die het huis uit waren, maar die ging niet in een hoekje zitten kniezen.

'Zijn er geen clubs bij u in de buurt waar u af en toe eens naartoe kunt gaan? Misschien kunt u leren bridgen, dat doet Marcels moeder ook, en dat vindt ze o zo leuk.'

'Ik, bridgen? Laat me niet lachen. Ik ben daar veel te oud voor. Ik ben al eenenzestig!'

Ja mam, dat weet ik, dat vertelt u vaak genoeg, dacht Loïs.

'Misschien moet u er eens tussenuit, met een reisje mee of zo.'

'Wil je me weg hebben, zodat jullie tenminste niet langs hoeven komen?' vroeg haar moeder op scherpe toon.

'Nee mam.' Loïs zuchtte. 'Koen zei dat ik zo snel mogelijk terug moest bellen. Wat is er aan de hand?'

'Ik heb nieuwe schoenen nodig. Kun jij vanmiddag met me naar de schoenenwinkel?'

'Nieuwe schoenen? Koen zei dat het dringend was.'

'Dat is het ook. Ik heb dringend nieuwe schoenen nodig. Nou, kun je vanmiddag?'

'Het is woensdag vandaag, mam, dan zijn de kinderen thuis. Ik neem tenminste aan dat ik ze niet mee kan brengen.'

'Nee, dat is waar, het is niet handig om ze mee te nemen. Maar morgenmiddag, dan zijn ze naar school, kun je dan?'

'Eh, ja, morgenmiddag zou ik wel kunnen. Vrijdagochtend krijgen de kinderen vakantie, daarna kan ik moeilijker weg.'

'Nou, dan zie ik je morgenmiddag,' besloot haar moeder. 'Kom je me om halftwee ophalen?'

'Goed, mam.'

'Tot morgen dan. Dag.' Haar moeder hing op.

Loïs stond een tijdje naar de telefoon in haar hand te staren. Haar blije stemming van vanmorgen was weggezakt.

Als ze nu niets ondernam, werd dit haar voorland: klaarstaan voor haar moeder om voor boodschappenwagen en gezelschapsdame te spelen, klaarstaan voor haar zus om als oppas voor haar kinderen te dienen. Vanuit het idee: Loïs heeft toch niks anders te doen. En zij, die zo moeilijk nee kon zeggen als het om haar moeder en haar zus ging, zou op komen draven op elk gewenst moment. Ze had geen nee gezegd toen haar moeder na Sems vierde verjaardag had gezegd: 'Nu kunnen we tenminste elke week samen naar de stad.' En ze had geen nee gezegd vanaf het eerste moment dat Anouk haar als babysit inschakelde.

Alles in haar kwam daar nu tegen in opstand.

Die André van vanmorgen had het over 'persoonlijke leerdoelen' gehad.

Misschien moest ze eerst maar eens beginnen met nee leren zeggen...

5

HET WERD VRIJDAG. LOÏS LIEP MET SEM AAN HAAR HAND NAAR HUIS. HIJ HAD een 'verzorgplantje' in zijn andere hand. Een wat verlept begoniaatje, dat zoals het er nu uitzag de zomer niet zou overleven.

'Mooi plantje, hè?' zei hij stralend. 'Ik heb het zelf uitgezocht. Ik vind die rode bloemetjes zo leuk.'

'We moeten het thuis eerst maar eens een poosje in een emmer water zetten, zo te zien heeft het erge dorst,' zei Loïs.

Hij keek bedenkelijk naar het plantje. 'In een emmer water? Is dat niet te koud?'

'Nee hoor, dat vinden plantjes juist fijn. En dan laten we het lekker drogen in het zonnetje. Plantjes houden ook van zonlicht.'

Thuisgekomen pakte Loïs een emmer, waar ze een laagje water in deed. Sem zette het plantje er voorzichtig in.

Loïs pakte een plantenspuit om het plantje nat te sproeien. Sem keek bezorgd toe of het allemaal wel goed ging. Toen het water van de spuit op het plantje terechtkwam, hield Sem als vanzelf zijn oogjes dicht en zijn adem in, zoals hij zelf ook altijd deed als Loïs zijn haar waste en het met de douchekop uitspoelde. Loïs glimlachte. Kinderen...

Ze zette de emmer met het plantje op een plekje in de zon en ging toen de tafel dekken.

'Anne! Koen! Eten!' riep ze naar boven.

'Waar is Isabel?' vroeg Anne toen ze zaten te eten.

'Die is met Sanne mee. Volgende week is Sanne op vakantie, en als zij terugkomt zijn wij weg, dus de meisjes zien elkaar een hele poos niet. Ze mag daarom een nachtje bij Sanne logeren en heeft vanmorgen haar koffertje al meegenomen.'

'En ik heb een verzorgplantje,' riep Sem. 'Zal ik het laten zien?' Hij wilde al opstaan.

'Straks, Sem. Eerst eten,' zei Loïs streng.

Zou Sem later ook zo'n man worden als die André? dacht Loïs toen. Ze glimlachte.

'Wat zit je te lachen, mam?' vroeg Anne.

'O, Sem deed me aan iemand denken die ik woensdag ontmoet heb,' zei Loïs, en ze vertelde over haar kennismaking met André. Ook de aanleiding voor die kennismaking kwam ter sprake. 'Ik heb me gisteravond aangemeld voor de pabo,' besloot ze. Ze keek afwachtend naar Anne. Zou zij net zo afwijzend reageren als Koen?

Maar Anne vond het geweldig. 'Echt, mam, supercool! En moet je dan ook huiswerk maken en zo?'

'Ja, natuurlijk, dat hoort er allemaal bij.'

'Moet je dan ook elke dag naar school? En waar moeten Isabel en Sem dan naartoe?' Anne was zoals altijd praktisch. 'Of gaat tante Anouk dan op hen passen?' Ze lachte wat smalend.

Loïs negeerde die laatste vraag, maar antwoordde: 'Het eerste jaar heb ik twee avonden per week school, dus dan is papa thuis. Ik zal daarnaast mini-maal één dag per week stage moeten lopen. Isabel en Sem blijven die dag over op school. Ik heb gisteren aan tante Bianca gevraagd of Isabel en Sem op de dag dat ik stage moet lopen naar haar toe kunnen, en dat vond ze goed. Maar misschien moet ik haar vragen om hier op te passen, dan kan zij Koen en jou ook opvangen.'

'Ik heb geen oppas meer nodig,' mengde Koen zich in het gesprek.

'Nou...' lachte Loïs. En toen hij haar verontwaardigd aankeek, vervolgde ze: 'Nee hoor, ik weet dat je geen gekke dingen zult uithalen.'

'Kun je niet op De Startbaan stage lopen?' vroeg Anne. De Startbaan was de basisschool van Isabel en Sem.

'Nee, dat heb ik al gevraagd, maar dat raadt de opleiding af. Eigenlijk wel logisch.'

Sem had zich, hongerig als hij altijd was, tot nu toe vooral beziggehouden met zijn boterhammen, maar hij leek toch wat van het gesprek opgevangen te hebben, want hij vroeg: 'Wat is staasjelopen?'

'Stage lopen doe je als je iets moet leren,' begon Loïs. Tja, hoe legde je aan een kind van zes uit wat stage lopen was? 'Wat wil jij later worden?' vroeg ze toen.

'Vuilnisman.' Het kwam er zonder nadenken uit. Vuilnisman zijn en hele dagen op zo'n grote wagen mogen rijden, leek Sem het einde.

Dat hielp ook niet echt.

'Als jij later vuilnisman wilt worden, moet je natuurlijk eerst leren hoe je in zo'n grote wagen moet rijden, en hoe die vuilnisbakken in die grijparm gaan, en waar het vuilnis naartoe moet en zo. Om dat te leren moet je eerst een poos meerijden met andere vuilnismannen, zij laten je dan zien hoe dat moet. Dat noem je 'stage lopen'. Pas als je dat gedaan hebt, ben je een echte vuilnisman.'

'Dus jij moet ook op zo'n vuilniswagen meerijden?'

Anne en Koen schaterden het uit. Loïs lachte ook en zei: 'Nee, mama wil geen vuilnisman worden, mama wil schooljuffrouw worden. Dus dan moet ik stage lopen op een school, en van de juffrouwen en meesters leren hoe ik een goede juffrouw word.'

Ze aaide hem over zijn bol en vervolgde: 'Als jij naar groep 3 gaat, gaat mama twee avonden per week zelf naar school, dan past papa op. En op één dag in de week moet mama dan naar net zo'n school als De Startbaan, om stage te lopen. Isabel en jij blijven op die dag over op school, en tante Bianca komt jullie dan die middag uit school halen en blijft bij jullie tot ik thuiskom.'

'O.' Dat was blijkbaar genoeg informatie. 'Ik ben klaar, mag ik nu mijn verzorgplantje laten zien?'

'Wacht maar tot we allemaal klaar zijn, dan mag je het pakken.'

Anne kon er nog steeds niet over uit. Bij het afruimen vroeg ze: 'Hoelang duurt die opleiding?'

'Als het allemaal lukt, vier of vijf jaar.'

Anne lachte breeduit. 'Dan zit je ook nog op school als ik ga studeren. Leuk hoor, dan zijn we allebei student.'

'Ik had niet verwacht dat je het zo leuk zou vinden,' zei Loïs. 'Koen vond het denk ik maar niks.'

'Ja, Kóén,' zei Anne alsof dat alles verklaarde. 'Wat vindt oma er eigenlijk van?' dacht ze toen hardop.

'Die weet het nog niet.'

'Je bent gisteren toch met haar wezen winkelen?'

'Ja, maar toen heb ik nog niets verteld. Ik heb me gisteravond pas opgegeven. Buiten jullie en tante Bianca weet niemand het nog, ook tante Anouk niet.'

'Nou, ik ben benieuwd hoe zij zal reageren. Dan is ze straks haar oppas kwijt.'

'Misschien vinden oma en tante Anouk het wel hartstikke leuk voor me,' zei Loïs verdedigend, al had ze hetzelfde gedacht als Anne.

Nou ja, dat merkte ze vanzelf wel. En als ze het allebei niks vonden, hadden ze gewoon dikke pech!

Zowel Loïs' moeder als haar zus reageerde met verbazing op het bericht dat Loïs weer zou gaan studeren.

'Waar je zin in hebt,' zei Anouk. 'Ik kan niet wachten tot Jurre ook naar school gaat, dan heb ik eindelijk m'n handen vrij. Ik vind die twee dagen dat hij naar de kinderopvang gaat, altijd zo snel omvliegen.'

'Waar je zin in hebt,' vond ook haar moeder. 'Je vond je opleiding toch niet belangrijk genoeg om mee verder te gaan toen je trouwde? Waarom dan nu ineens wel? Ik had me er juist op verheugd dat je nu meer tijd voor mij kreeg. Maar ja, met mij hoef je natuurlijk geen rekening te houden. Nou, als je maar niet denkt dat ik op Isabel of Sem pas als jij naar school bent.'

'Nee mam, dat hoeft niet, dat doet Bianca.'

'Bianca? O ja, die zus van Marcel. Die heeft toch zelf geen kinderen?'

'Nee, die heeft geen kinderen, maar niet omdat ze ze niet wilde. Zij vindt het hartstikke leuk om op te passen.'

'Weer gaan studeren. Op jouw leeftijd! Hoe verzin je het.'

'Er zit zelfs iemand van uw leeftijd op die opleiding,' zei Loïs. 'Zij is een van de beste studenten.'

Haar moeder keek haar ongelovig aan. 'Dat verzin je!'

'Nee, echt niet. Die vrouw is zevenenvijftig, maar vier jaar jonger dan u. Ze is ook weduwe, net als u, en heeft al volwassen kinderen en zelfs al een kleinkind.'

'Wat moet zo iemand nog met een opleiding?' Loïs' moeder was stomverbaasd.

'Bezig zijn, midden in het leven staan, haar hersens actief houden, weet ik veel. Ik hoorde pas iets op tv over een man van in de tachtig die promoveerde, en hij scheen niet de enige te zijn die dat op hoge leeftijd deed.'

'En wil jij dat ook? Tot je tachtigste doorgaan met leren?'

'Nee mam. Of... dat weet ik nog niet. Maar wat ik wel wil is na de vakantie naar de pabo.'

'Opnieuw.'

'Ja, opnieuw. En misschien lukt het me weer niet om hem af te maken. Misschien gaat dat niet meer naast mijn gezin. Maar dan heb ik het in elk geval wel geprobeerd.'

Haar moeder vond blijkbaar dat er nu wel genoeg aandacht aan dat onderwerp was besteed, want ze zei: 'Ik heb toch spijt dat ik vorige week die mooie bruine sandaaltjes niet gekocht heb.'

'U heeft anders lang genoeg zitten dubben of u ze nu wel of niet aan zou schaffen.' Loïs voelde de vraag die op haar moeders mededeling zou volgen, al aankomen.

'Kun jij me morgen niet even heen en weer rijden?'

'Morgenochtend ga ik helpen de school opruimen, dat doen de ouders altijd na het schooljaar. Anne past dan op Isabel en Sem. En morgenmiddag ga ik met Isabel en Sem om nieuwe kleren.'

'Zo veel tijd hoeft het toch niet te kosten om met me naar de winkel te gaan? Ik weet nu welke ik wil hebben.'

'Kunt u het niet aan Anouk vragen?'

'Dat heb ik gedaan, maar die heeft morgen al een afspraak.'

Ik ook, dacht Loïs. Maar dat telt blijkbaar niet.

'En overmorgen?'

'Dan zijn ze misschien al verkocht.'

'U kunt toch bellen of ze ze apart leggen?'

'Nee, dat vind ik zo armoedig staan, net alsof ik ze nu nog niet kan betalen. Kun je niet vragen of Anne ook tussen de middag op wil passen? Dan kun je na het opruimen direct naar mij toe komen, en gaan we gezellig samen in de stad lunchen. Hè ja, laten we dat doen, dat is al zo'n poos geleden! Ik trakteer.'

Nee leren zeggen valt niet mee, dacht Loïs. Dat leerdoel moest dan maar naar een later tijdstip verschuiven. 'Oké, ik vraag het wel aan Anne.'

'Fijn!'

Haar moeder kwam niet meer terug op Loïs' mededeling dat ze naar de pabo ging. Wel leek ze nog meer te claimen dan voorheen, ze belde bijna iedere dag of Loïs iets voor haar wilde doen.

Toen ze op de avond voor hun vertrek naar de Vogezen in bed stapte, slaakte Loïs dan ook een zucht van verlichting. 'Hèhè, effetjes drie weken geen telefoontjes van m'n moeder met allerlei verzoeken. Gelukkig blijven Jos en Anouk deze zomer in Nederland, anders zou ze in staat zijn om ons zelfs in Frankrijk nog te bellen. Ik heb gezegd dat we elke avond rond zes uur ons mobieltje aanzetten om te kijken of er sms'jes zijn, en dat die alleen voor noodgevallen zijn. Verder laten we onze mobiel uit, hoor!'

'Ja juf,' zei Marcel op een quasitimide toon.

Ze lachte en kroop tegen hem aan. 'Hè, heerlijk, drie weken lang alleen met ons zessen. Ik verheug me er zo op!'

De volgende morgen vertrokken ze al vroeg, en in de drie weken die daarop volgden genoot Loïs van het niets hoeven. Ze stonden op een camping met zwembad waar allerlei activiteiten voor de jeugd in alle leeftijdscategorieën te doen waren. De kinderen waren de hele dag bezig, Marcel ging bijna elke dag vissen in een nabijgelegen meertje, en Loïs vermaakte zich prima in haar eentje met een stapel boeken die ze mee had genomen, af en toe een puzzelboekje tussendoor, en soms zomaar heerlijk nietsdoen. Het weer werkte ook mee, en ze kregen allemaal een lekker kleurtje.

Anne had een groepje Hollandse tieners gevonden, met wie ze veel optrok. Een van de jongens, Richard, had zichtbaar een oogje op haar, maar Anne reageerde zo te zien vrij laconiek op zijn toenaderingspogingen. Toen Loïs haar daarnaar vroeg, zei ze: 'Nee hoor, ik hoef nog geen vriendje. Al dat kleffe gedoe. Sommige meiden uit mijn klas willen maar al te graag en zijn helemaal wanhopig als hun verkering uit is, maar binnen drie dagen hebben ze vaak alweer een nieuw vriendje, dus zo diep zit dat niet. Ik heb helemaal geen tijd voor jongens, ik heb genoeg aan m'n schoolwerk en de paarden.' Ze staarde voor zich uit. 'Soms vind ik Diederik wel leuk, leuker tenminste dan andere jongens. Maar hij gaat na de vakantie bij z'n vader wonen, want z'n moeder heeft een nieuwe vriend en daar kan Diederik helemaal niet mee opschieten. Diederiks vader woont in Zeist, dus dan gaat hij ook naar een andere school en zie ik hem niet meer.'

'Jullie kunnen elkaar toch mailen?' vroeg Loïs.

Anne kleurde. 'Hij weet niet eens dat ik hem wel leuk vind. Dan ga ik hem toch zeker niet mailen!'

Loïs legde haar arm om Annes schouders. 'Er komt vast wel weer een jongen die je erg leuk vindt, eentje die jou ook leuk vindt.'

Anne haalde haar schouders op. ''t Zal wel.'

De verjaardag van Marcel werd gevierd met een uitstapje naar de Grand Ballon, de hoogste bergtop van de Vogezen en een van de bergen die soms beklommen werden in de Tour de France. Marcel, als fervent wielersportliefhebber, had dit uitstapje op zijn verlanglijstje staan. En Isabel, die in dezelfde week jarig was, werd verrast met een dagje pretpark.

De laatste week van de kampeervakantie bezochten ze een spectaculaire roofvogelshow in een ruïne in Kintzheim. Adelaars, arenden, buizerds, valken, uilen en diverse gieren vertoonden daar hun vliegkunsten.

Een van de hoogtepunten van de show kwam toen er vrijwilligers gevraagd werden om op de grond te gaan zitten met hun benen voor zich uitgestrekt, waarna er een reusachtige condor over hun benen heen gelokt werd met een hapje eten. Marcel, Anne en Koen gingen meteen zitten, maar Isabel en Sem vonden het maar eng en drukten zich tegen Loïs aan. 'Wat is nee in het Frans?' vroeg Sem met een angstig stemmetje.

Anne was de koning te rijk toen zij uit het publiek gehaald werd en een leren handschoen van een van de mannen kreeg, waarna ze met uitgestrekte arm een buizerd mocht lokken. De vogel landde sierlijk op haar gehandschoende arm en plukte aan het aas dat ze in haar handschoen had. Ze keek naar Marcel of hij er toch wel foto's van maakte, en gaf even later node de handschoen weer af.

'Wauw! Dat was supercool!' zei ze toen ze met een kleur op haar wangen weer ging zitten.

Isabel en Sem keken met bewondering naar hun grote zus. 'Dat jij dat durfde!' zei Isabel.

'Daar was niks engs aan, hoor,' zei Anne enthousiast. 'Zo'n prachtige vogel. Heb je mooie foto's gemaakt, pap?'

Marcel zocht de mooiste uit op zijn digitale camera en liet die haar zien.

'Daar wil ik een grote afdruk van, voor op m'n kamer,' zei Anne.

'Mooi cadeautje voor je verjaardag,' vond Loïs.

Op de laatste avond van de vakantie gingen ze met z'n allen uit eten, en de volgende morgen vroeg vertrokken ze weer richting Arnhem. Richard kwam Anne uitzwaaien. Zijn smachtende blikken ontlokten Koen de opmerking: 'Wat een sukkel, zeg! Ik eet nog liever mijn schoen op dan dat ik zo achter een meisje aan zou lopen.'

'Wacht maar, als je zelf verliefd wordt, praat je wel anders,' waarschuwde Marcel hem lachend.

'Nou, dan kun je lang wachten,' vond Koen.

De reis naar huis verliep voorspoedig, en aan het eind van de middag waren ze weer thuis.

Terwijl Marcel en de kinderen de auto uitlaadden, liep Loïs hun huis binnen. Dit vond ze zoals gewoonlijk een bijzonder moment. Na drie weken in een tent gebivakkeerd te hebben, was het altijd net of ze bij thuiskomst hun huis door andere ogen bekeek. Zo veel kamers, terwijl ze op de camping genoeg hadden aan een tent met drie kleine compartimenten – wat op zich al een hele luxe was vergeleken met de kleine tentjes die ze op de camping hadden zien staan. Al de huisraad die ze in de loop der jaren in hun huis verzameld hadden, leek nu een overdaad aan overbodige spullen, dingen die ze al die weken niet nodig gehad hadden en waar ze dus blijkbaar prima zonder konden. Een volle glazenkast, terwijl een paar bekers ook voldeden. Een dressoir met daarin een berg aan serviesgoed, terwijl ze op de camping zes plastic borden gebruikten en daar prima van konden eten. Een aanrechtkastje vol met pannen, terwijl ze op de camping genoeg hadden aan twee pannen en een koekenpannetje. Vaasjes, prulletjes, hebbedingetjes, een heel huis vol. Maar binnen een dag waren ze er weer aan gewend, wist ze, en vonden ze steeds weer dingen die ze óók nog wilden hebben.

Sem verstoorde haar gedachten door aan haar arm te trekken. 'Mam, kijk eens naar m'n verzorgplantje! Er zitten weer bloemetjes aan!'

Loïs keek naar de vensterbank, waar Sem voor vertrek z'n plantje neer had gezet. Wat ze zag was een fris begoniaatje, dat in geen enkel opzicht leek op het plantje dat Sem mee naar huis had gekregen en dat de weken daarna nauwelijks getierd had. Bianca had tijdens hun afwezigheid voor de planten en de post gezorgd; blijkbaar had zij erg groene vingers.

Maar toen ze Bianca 's avonds aan de telefoon had, biechtte deze op dat het plantje het niet had overleefd, maar dat ze dat zo sneu vond voor Sem dat ze een nieuw plantje gekocht had.

'Nou, hij was er erg mee in z'n schik,' zei Loïs.

'Ik heb trouwens met mijn baas overlegd, en mijn rooster zal vanaf 1 september aangepast kunnen worden zodat ik 's middags vrij ben op de dag dat jij stage moet lopen, dus dat is gelukt,' zei Bianca.

'Hartstikke fijn!'

'Heb je er al zin in? Dat zal wel een overgang zijn, van nu hele dagen niksdoen naar straks én een opleiding én een gezin draaiende houden.'

'Ja, dat zei Marcel ook al toen ik zo lag te luieren op de camping. En het zal ook best wel wennen zijn. Maar ik kijk er echt naar uit.'

's Avonds op bed kon ze niet meteen in slaap komen en lag ze na te denken over de nieuwe weg die voor haar lag. Een weg die haar geen angst inboezemde, maar die haar aanlokkelijk voorkwam. Ze realiseerde zich dat het onrustige gevoel dat ze de maanden na het overlijden van haar vader over zich gehad had, had plaatsgemaakt voor een prettige spanning. Alsof het leven zich van een nieuwe kant liet zien. De dood van haar vader had haar met de neus op het feit gedrukt dat het leven eindig was, ook voor haar. Maar zijn dood had er tevens voor gezorgd dat ze meer na was gaan denken over de kansen en mogelijkheden die haar in de tijd tussen geboorte en dood geboden werden.

Zijn dood, én de opmerking van Irene: 'Jij bent toch ook niet alleen maar de vrouw van Marcel en de moeder van je kinderen? Je bent toch zelf ook iemand met een eigen weg?'

Over een paar weken was het zover. Dan zou ze een weg inslaan waarop Marcel en de kinderen haar niet zouden vergezellen.

Vreemd, dit voelde toch anders dan toen ze destijds naar de pabo ging, terwijl dat eigenlijk net zoiets was geweest. Ook toen sloeg ze een weg in waar haar ouders en zus niet met haar meegingen. Wat was er nu anders aan?

Ze zat nu anders in haar vel, wist ze ineens. Destijds was ze een onzeker meisje geweest, dat na de middelbare school niet precies wist wat ze wilde, en dat voor de pabo gekozen had omdat dat 'iets met kinderen' was. Ze had geen moeite gehad met de leerstof op zich, maar die in praktijk brengen had ze wel moeilijk gevonden. Ze had dan ook geen enkel bezwaar gehad om te stoppen met haar opleiding toen Marcel haar ten huwelijk vroeg, dus zo sterk was die behoefte om door te leren toen niet. Nu zat ze een stuk lekkerder in haar vel. Haar huwelijk met Marcel, zijn liefde en die van de kinderen, de verbouwing die haar meer zelfvertrouwen gegeven had, dat alles maakte dat ze anders naar zichzelf keek.

Het voelde alsof ze er nu pas aan toe was om het nest uit te vliegen.

Dit beeld trof haar zo, dat ze daar verder over nadacht. Een 'nest', dat was een veilige plek waar anderen voor je zorgden zolang je nog jong was, waar je kon groeien naar volwassenheid. Maar er kwam een tijd dat je het nest moest verlaten.

Het beeld van haar zwangerschappen drong zich nu aan haar op. Haar baarmoeder was ook zo'n 'veilig nest' geweest, waar haar ongeboren kinderen hadden kunnen groeien tot ze groot genoeg waren om geboren te worden. Ze herinnerde zich nog de tegenstrijdige gevoelens die ze had gehad bij de bevalling van Anne toen ze mocht gaan persen. Enerzijds wilde alles in haar die persdrang tegengaan, en wilde ze het kindje veilig in haar warme moederschoot bewaren. Anderzijds was daar die onweerstaanbare drang om het kindje ter wereld te brengen. Bij de bevallingen van de andere kinderen had ze dat ook gehad, maar niet zo sterk als bij Anne.

Was het nest verlaten niet net zoiets? Met enerzijds de angst voor die onbekende wereld en de behoefte om op dat veilige plekje te blijven, en anderzijds de behoefte om te groeien en de vleugels uit te slaan.

Als ze destijds alleen maar had toegegeven aan de drang om Anne in haar moederschoot te houden omdat alleen dat haar een veilig plekje leek voor haar kindje, had Anne het niet overleefd, besefte ze ineens. Al was een bevalling een hele worsteling voor moeder én kind om het kind ter wereld te brengen, toch was die noodzakelijk om het kind de ruimte te geven om te groeien.

Zo zouden Marcel en zij straks Anne los moeten laten als zij het nest ging verlaten. Omdat Anne, en na haar de andere kinderen, meer ruimte nodig hadden om te groeien dan het gezin hun bood.

Had zij dat destijds zo gevoeld toen ze nog thuis woonde? Dat ze meer ruimte nodig had?

Nee, wist ze. Daarom was ze zo snel ingegaan op Marcels huwelijksaanzoek.

Zo was ze van het ene nest naar het andere gegaan.

Dat gevoel van veiligheid was pas iets wat ze in haar eigen gezin ervaren had.

Het besef drong zich opnieuw aan haar op: pas nú was ze eraan toe om uit te vliegen.

6

'Nou, mam, veel plezier!' zei Anne haar moeder gedag.

Loïs stond klaar om naar de hogeschool te gaan. Vorige week hadden ze een kennismakingsmiddag gehad, en vanavond had ze voor het eerst les. Of heette dat 's avonds ook 'college'?

Ze pakte haar rugtas. Het was leuk geweest om samen met Anne schoolspullen in te slaan: een agenda, schriften, kladblok, pennen, en deze nieuwe leren rugtas. Ze had haar gegevens ingevuld in de agenda, en had daarbij het voornemen herkend dat ze op de middelbare school ook altijd had gehad aan het begin van het nieuwe schooljaar: dit keer ging ze netjes schrijven. De maagdelijk witte pagina's van de schriften hadden zo'n zelfde uitwerking gehad, en op de eerste pagina's schreef ze altijd in haar mooiste handschrift. Maar van lieverlee ging ze steeds slordiger schrijven, en al snel volgden er tekeningetjes die ze zat te maken als de lessen saai waren, of steekwoorden als ze iets wilde onthouden.

Hoe zou dat nu gaan?

'Veel plezier, schat.' Marcel kuste haar en hielp haar in haar jack.

'Lukt het allemaal?'

'Tuurlijk, ga nou maar.'

Loïs bukte zich om Isabel en Sem een kus te geven, en riep daarna naar boven: 'Dag Koen.'

'Doei,' klonk het van boven.

Loïs keek om zich heen. Had ze nu alles? Moest ze nog iets doen? De tafel was gedekt, het eten stond klaar, Marcel en de kinderen konden zo aanschuiven. Zelf had ze vooraf wat gegeten, maar ze had weinig trek gehad. Marcel pakte haar bij haar arm en duwde haar naar de voordeur. 'Straks kom je te laat.'

Die waarschuwing hielp. Ze kon het toch niet maken om de eerste keer te laat te komen! Ze liep naar haar fiets, bond de rugtas achterop en stapte op. 'Dag hoor. Tot vanavond.'

Ze trapte stevig door, alsof ze de spanning die ze toch voelde weg kon trappen. Ze had de hele dag zo'n zin gehad in de nieuwe opleiding, maar nu voelde ze zich toch wat schuldig omdat ze zomaar wegging. Zou het wel goed gaan vanavond zonder haar? Isabel was niet zo lekker geweest en klaagde over pijn in haar buik. En Sem vond het maar niks dat niet mama maar papa hem vanavond zou voorlezen uit de kinderbijbel. 'Ik vind het veel leuker als jij voorleest, dan klinkt het veel echter.'

Zou ze dat schuldgevoel elke keer hebben als ze naar school ging? Of als ze naar haar stageadres ging?

Vorige week bij de kennismaking waren onder andere de stageadressen uitgedeeld. Deze week werd ze op 'haar' eerste adres verwacht voor een soort sollicitatiegesprek, en ervan uitgaand dat dat positief verliep, zou ze de week erna aan de slag kunnen. Daar zag ze toch wel wat tegen op. Hoe zou het team zijn, en hoe groot zouden de klassen zijn? Zou het klikken met de mentor die ze toegewezen zou krijgen? Hoe zouden de kinderen op haar reageren? Van Isabel en Sem kreeg ze altijd wisselende reacties op stagiaires in hun klas. Over de een waren ze heel enthousiast, over de ander duidelijk minder.

Haar eerste stageadres lag niet ver van de hogeschool vandaan. Het was twintig minuten fietsen naar allebei, dat was te doen. Van haar toekomstige klasgenoten had ze begrepen dat ze niet allemaal in Arnhem woonden. Twee van hen kwamen uit Wageningen, die hadden daar een eerste stageadres gekregen, maar ze moesten dus wel twee keer per week heen en weer naar Arnhem reizen.

Het leek tijdens de kennismakingsdag een leuke klas waarin ze terechtkwam. Niet zo groot, ze waren met z'n twaalven, zes mannen en zes vrouwen, dat was wel goed verdeeld. Over twee weken zou daar nog een man bij komen, die was nu nog met vakantie. De jongste van de groep was vijfentwintig, Loïs zat met haar vijfendertig jaar zoals André al had gezegd bij de middenmoot, en de oudste was drieënveertig. Met de meesten zou ze het wel goed kunnen vinden, dacht ze. Er was één iemand bij die haar direct al tegenstond: een vrouw van eenenveertig, die zich voorstelde met: 'Ik ben Rosa huppelepup, de vrouw van de directeur van...' Alsof dat haar enige identiteit was. Loïs had zich afgevraagd hoe de vrouw zou reageren als zij zich voorgesteld had als: 'Hoi, ik ben Loïs, de vrouw van Marcel en de moeder van Anne, Koen, Isabel en Sem.' Maar als ze eerlijk was tegen zichzelf, was dat ook háár enige identiteit geweest de afgelopen jaren.

Bij de kennismakingsmiddag waren ook enkele docenten aanwezig geweest. Ze kende er niet één van, blijkbaar was het lerarenbestand in de afgelopen zestien jaar flink veranderd. André was er niet bij, die was nog met vakantie, werd er gezegd. De docenten werden allemaal bij de voornaam genoemd. Sommige docenten waren jonger dan zij, maar er was ook iemand van tegen de zestig bij. Voor drama zouden ze les krijgen van een vrouw, verder waren het allemaal mannen.

De school kwam in zicht. Nu voelde Loïs een vervelende kriebel in haar buik en werd het allemaal toch wel heel eng. Zou ze teruggaan en tegen Marcel zeggen dat ze er maar van afzag?

Ze pakte zichzelf denkbeeldig in de kraag van haar jack. Nu niet zo kinderachtig doen! Je bent een grote meid!

's Avonds kwam ze laaiend enthousiast thuis. Marcel zat haar op te wachten en ze overlaadde hem met verhalen. Leuke klas, prima docenten, veel gelachen bij de diverse kennismakingsrondes, waarbij ze bij elke les iets anders hadden moeten doen, zodat ze bij de laatste les al van alles over elkaar konden vertellen.

Ze hadden ook al een paar opdrachten gekregen. Eén daarvan was een groepsopdracht. 'In mijn groepje zit ook nog Bert, dat is die man van drieenveertig. Hij is vrachtwagenchauffeur geweest en heeft altijd op het buitenland gereden, maar hij wilde nu eens iets heel anders. De andere groepsleden zijn Ilse, da's een leuke jonge vrouw, en Rosa, ik heb je vorige week al over haar verteld, die directeursvrouw. Nou, ik ben benieuwd of zij het volhoudt, ze zat nu al te mopperen over het huiswerk dat we op kregen. Ik vraag me af wat zij op de opleiding doet. Ze had vorige week verteld dat ze zich 'aan het oriënteren' was en dat ze een baantje als bestuurslid op een school ambieerde. Nou, dan zal ze toch een andere houding aan moeten nemen.'

'Misschien denkt ze wel dat haar man als kruiwagen kan dienen,' merkte Marcel droog op. 'Wil je iets drinken?'

'Wat? O ja, doe maar een glaasje rode wijn. Zo'n eerste schooldag is toch een soort feestje.' Loïs leunde vergenoegd achterover.

Toen Marcel het glas voor haar neerzette en naast haar kwam zitten, biechtte ze op: 'Ik kreeg ineens de zenuwen toen ik vlak bij school was. Ik was in staat om me om te draaien en weer naar huis te komen. Is alles goed gegaan hier?'

Marcel lachte. 'Natuurlijk, wat dacht je dan? Dat we hier allemaal zaten te wachten tot jij weer thuis was?'

'Hoe is het met Isabel? Ze had een beetje buikpijn vanmiddag.'

'Niks van gemerkt, ze heeft lekker gegeten van de lasagneschotel die je gemaakt had en vroeg zelfs om een tweede toetje.'

'Dat heb je haar toch zeker niet gegeven?'

Marcel schudde zijn hoofd. 'Nee, natuurlijk niet.'

'En Sem?'

'Anne heeft hem voorgelezen, en daarna is hij lief gaan slapen.'

Ze leunde tegen hem aan en slaakte een diepe zucht. 'Hè, lekker idee dat ik niet onmisbaar ben.'

'O ja, over onmisbaar gesproken: je moeder heeft gebeld.'

Loïs ging overeind zitten. 'Waarvoor? Ze wist dat ik vanavond mijn eerste lessen had.'

'Misschien wilde ze zeker weten dat je naar school was, en dat je haar niet voor de gek gehouden had.'

'Waar belde ze voor?'

'Dat zei ze niet. Ze vroeg alleen of jij er was, en daarna hing ze op. Misschien was het niet zo dringend, of heeft ze Anouk gebeld.'

Loïs fronste haar wenkbrauwen. Hè, wat vervelend nu weer. 'Nou, ik zal haar morgen wel bellen, vragen wat er aan de hand was.'

'Je kunt ook wachten tot ze zelf weer belt. Dat zal ze snel genoeg doen, haar kennende.'

'Doe niet zo onaardig,' verdedigde Loïs haar moeder.

'Da's niet onaardig, dat is de realiteit.'

Loïs zette haar lege glas op tafel en gaapte. 'Ga je mee naar bed? Ik barst van de slaap, heb vannacht bijna niet geslapen van de spanning.'

'Ja, ik ga met je mee. Spannend, hoor.'

'Wat is er spannend?'

'Nou, dat ik vannacht voor het eerst naast een deeltijd-pabostudente slaap.'

Loïs gaf hem een plagerig duwtje. 'Mooi woord voor galgje.'

Terwijl Marcel de lichten uitdeed en de deuren op het nachtslot deed, ging Loïs even bij de kinderen kijken, zoals ze altijd deed voor ze ging slapen. Anne was nog wakker. 'Hoi mam, was 't leuk?'

'Slaap je nog niet? Het is al over elven.'

'Ik lag te wachten tot jij thuiskwam. Ik ben morgen toch het eerste uur vrij, dus ik kan wat later opstaan. Ik was zo benieuwd hoe je het gehad had.'

'Het was 'supercool', om jouw woorden te gebruiken. Morgen zal ik je er alles over vertellen, ga nu maar gauw slapen. Welterusten.'

'Trusten, mam.'

Loïs sliep rommelig die nacht. De vele indrukken van school bleven door haar gedachten zweven. Pas tegen de ochtend viel ze in een diepere slaap, en toen de wekker afliep, kon ze maar met moeite wakker worden. Marcel was toen al naar zijn werk.

Met een slaperig hoofd stapte ze uit bed. Ze wreef over haar nek, die stijf aanvoelde. Zeker te ingespannen gezeten gisteravond. Eerst maar eens douchen, even lekker de warme straal in haar nek voelen.

Daar knapte ze van op. Ze riep Isabel en Sem en liep de trap af. Koen was al in de keuken bezig zijn broodtrommel klaar te maken.

'Hoi mam, hoe was het gisteren?'

Wat lief dat hij dat vroeg! 'Hartstikke leuk, ik heb ervan genoten.'

'Waren er nog meer die zo oud zijn als jij?'

'Zelfs nog ouder!' Ze woelde hem plagerig door zijn haar. 'Er was iemand bij van drieënveertig, en er waren er nog twee ouder dan ik.'

'Zo zo.' Het leek hem mee te vallen.

Isabel en Sem kwamen naar beneden en eisten haar aandacht op. Ze ontbeet met hen en bracht hen daarna naar school.

Toen ze terugkwam zat Anne al op haar te wachten. Ze luisterde gespannen naar Loïs' verhalen.

'En, heb je al huiswerk gekregen?'

'Ja, twee verslagen maken, en als groepsopdracht een werkstuk over dyslexie.'

'En moet je dan ook tentamens doen en zo?'

'Ja, verschillende. Soms bestaat een tentamen uit een verslag, soms een verslag en een mondeling tentamen, soms een openboektentamen, dat is bij elk

vak weer anders.'
'Leuke docenten?' Anne wilde alles weten.
'Ja, de meesten wel. Allemaal mannen, er zit maar één vrouw bij. Zij geeft drama, dat krijg ik donderdag. Daar ben ik wel benieuwd naar. Ik vond dat vroeger niet zo'n leuk vak, maar het klikte ook niet zo tussen mij en de docent.'
'Drama? Is dat toneelspelen of zoiets?'
'Ja, dat noemen ze rollenspel. Je leert daarbij om je in te leven in een ander, maar ook om naar jezelf te kijken. Ik ben benieuwd hoe ik dat vak nu ga vinden.'
Anne keek op de klok. 'Ik moet weg.' Ze stond op en pakte haar tas.
'En ik moet huiswerk maken,' zei Loïs. Ze lachten allebei.
Toen Anne vertrokken was, ruimde Loïs de tafel leeg en installeerde ze zich daar met haar studieboeken. Ze had via internet tweedehandsboeken kunnen kopen, dat scheelde een stuk in de kosten.
Ze was nog maar net begonnen aan de eerste opdracht toen de telefoon ging. Haar moeder. 'Heeft Marcel niet gezegd dat ik gisteravond gebeld heb?'
'Jawel, maar hij wist niet waarvoor, want toen hing u op, zei hij.'
'Waarom bel je me dan niet terug?'
Loïs zuchtte. 'Omdat ik gisteravond pas tegen elf uur thuis was, en ik heb vanmorgen nog geen tijd gehad. Wat is er dan?'
'Ik voel me niet lekker, ik heb pijn op mijn borst.'
Er gingen meteen allerlei alarmbellen rinkelen bij Loïs. Zo was het bij haar vader ook begonnen. 'Heeft u de dokter al gebeld?'
'Nee, nog niet. Kun jij niet even langskomen? Ik voel me echt heel beroerd.'
Loïs keek naar de tafel met boeken en schriften. Nou ja, dat kwam dan vanmiddag wel. 'Ik kom eraan.'
Ze liet haar huiswerk voor wat het was en fietste snel naar haar moeders huis. De voordeur stond al open. Loïs stapte naar binnen en zag haar moeder op de bank liggen. 'Hoe is het nu?'
'Het gaat wel weer.' Haar moeder kwam overeind. 'Wil je een kopje koffie?'
'Zou u dat nu wel doen? Hoe is het met de pijn op uw borst?'
'Die is gezakt. Het zal wel niks zijn. Koffie?' Haar moeder stond kwiek op en liep naar de keuken.

Loïs was stomverbaasd. Werd ze hier nu bij de neus genomen of...?
Ze liep achter haar moeder aan. 'Als ik u was, zou ik toch maar een afspraak maken met de huisarts. Bij papa begon het ook met pijn op z'n borst.'
'Dat is goed, kind, dat doe ik dan morgen wel.' De koffiemachine pruttelde en even later stonden er twee kopjes koffie klaar. 'Drinken we het hier op of zullen we in de tuin gaan zitten?' vroeg haar moeder. 'Het is nu nog lekker zacht buiten.'
'Eh... o, laten we dan maar in de tuin gaan zitten.' Loïs brieste inwendig, maar liet dat niet merken. Misschien hield haar moeder zich wel flinker dan ze zich voelde, en was er toch iets ernstigs aan de hand.
Ze zaten nog maar net in de tuin toen Anouk achterom kwam, met Jurre aan de hand. 'Hallo. Zo, zus, jij ook hier?'
'Wil je ook koffie, kind?' vroeg haar moeder. 'En jij, Jurre, een glaasje limonade?' Ze stond op en liep naar de keuken.
Anouk liet zich in een tuinstoel zakken. Jurre kwam tegen haar aan hangen. 'Niet zo hangen, Jurre. Ga maar eens kijken of je oma kunt helpen.'
Jurre liep traag naar de keuken. Ze hoorden hoe zijn oma binnen tegen hem keuvelde.
'Mam belde me vanmorgen dat ze last had van pijn op haar borst, en ze vroeg of ik direct kwam,' vertelde Loïs. 'Maar toen ik hier kwam, was er niets meer aan de hand. Heb jij haar weleens eerder over dergelijke klachten gehoord?'
Anouk haalde haar schouders op. 'Nee.'
'Misschien moet ze toch eens naar de huisarts. Bij papa begon het ook met pijn op z'n borst.'
'Ik vind alles best, als ik maar niet met haar mee hoef.'
Loïs keek verbaasd naar haar zus. Haar moeder en Anouk waren altijd zo close geweest.
'Is er wat?'
'Hoezo?'
'Je doet zo... zo koel. Vroeger zou je het geen punt gevonden hebben om met mama mee te gaan naar de huisarts.'
'Dat zal best. Maar mijn hoofd staat er nu niet naar.'
Hun moeder kwam binnen met een blad met daarop koffie voor Anouk,

limonade voor Jurre, en een pak koekjes. Jurre volgde in haar kielzog met een opstapje in zijn hand, dat hij als stoeltje naast zijn moeder neerzette.

Tijdens het koffiedrinken viel het gesprek even stil. Loïs zat op hete kolen: haar huiswerk wachtte.

Toen ze de koffie ophad, zei ze dan ook: 'Nou, als er niks is, mam, dan ga ik maar weer. Ik heb een hoop huiswerk.'

'Huiswerk?' vroeg Anouk.

'Gisteravond had ik mijn eerste lesavond.'

'Hè, blijf nog even,' vroeg haar moeder. 'We zitten nu net zo gezellig bij elkaar. Dat gebeurt bijna niet meer.'

'Nee.' Loïs hoorde dat ze haar stem wat verhief. Dat nee zeggen moest toch eens beginnen. 'Nee, ik was vanmorgen net zo lekker bezig, maar toen belde u dat u zich zo beroerd voelde. Maar er blijkt niets aan de hand te zijn, dus ik ga weer naar huis.'

'Ik had anders echt pijn op m'n borst, hoor,' zei haar moeder verdedigend.

'Dan moet u een keer naar de huisarts,' zei Loïs. 'Bedankt voor de koffie, mam. Dag Anouk, dag Jurre.' Ze liep achterom, pakte haar fiets en trapte boos naar huis.

Toen ze thuiskwam was het al elf uur geweest, zag ze op de klok. Om half-twaalf moest ze om Sem, het was nu de moeite niet meer om aan haar huiswerk te beginnen. Ze stopte de boeken weer in haar tas. Dan moest ze vanmiddag maar verdergaan.

Die middag was ze nog maar net een uurtje bezig toen Koen thuiskwam.

'Wat ben je vroeg?' zei Loïs verbaasd.

'De gymleraar was ziek. Wat ben jij aan het doen?'

'Huiswerk maken.'

'Pfff.' Hij vond het toch nog steeds een raar idee dat ze weer naar school ging.

'Wil je iets drinken?'

'Ja, lekker.'

Ze stond op om een glas thee voor hem en haarzelf in te schenken.

'Wat eten we vanavond?'

'Andijvie met een balletje gehakt.'

'Hè bah, andijvie.'

'Tja, we kunnen nu eenmaal niet elke dag lasagne eten, dat hebben jullie gisteren al gehad.' Lasagne was Koens favoriete maaltijd.

Loïs ging weer aan tafel zitten en keek op haar horloge. Tien over twee. Om kwart over drie moest ze bij school staan om Sem te halen, ze had nog een klein uur.

Koen zette de televisie aan en ging wat zitten zappen.

'Koen!'

'Ja?'

'Je stoort. Ik zit huiswerk te maken.'

'O. Sorry hoor.' Hij zette de televisie uit en vroeg: 'Kan ik dan wel achter de computer?'

'Nee, liever niet. Daar moet ik straks zelf achter, ik moet een en ander op internet uitzoeken.'

'Wat moet ik dan doen?'

'Eh... wat dacht je van ook huiswerk maken?'

'Ik heb nog niet zo veel.'

'Ga dan wat lezen, of een eindje fietsen of zo. Dóé in elk geval iets waarbij je mij niet stoort.'

Koen pakte de tv-gids en ging daarin zitten bladeren.

Zijn aanwezigheid irriteerde Loïs. Vreemd, hij deed dezelfde dingen als anders, maar dan had ze daar geen last van. Ze sloeg haar boeken dicht en zei: 'Ik ga wel boven zitten.' Ze propte haar schoolspullen in haar tas en liep naar de ouderslaapkamer. Daar gooide ze haar tas op het bed en ging er zelf naast zitten. Ze keek de kamer rond.

'Boven zitten' was gemakkelijker gezegd dan gedaan. Hun slaapkamer was niet zo groot. Het brede bed bedekte een groot deel van het vloeroppervlak, en de linnenkast nam bijna een hele muur in beslag. In de hoek bij de deur stond een rieten stoeltje, dat meestal vol kleding lag. En in de hoek bij het raam hing een wastafel.

Zou ze op Annes kamer gaan zitten? Die had een flink bureau. Nee, toch maar niet, Anne zou dat vast niet prettig vinden.

Ze deed het hoofdeinde van haar kant van het bed omhoog, pakte een boek en een schrift uit haar tas en probeerde zittend op bed wat te schrijven. Nee, dat was ook niks.

Ze keek op haar horloge. Halfdrie. Ze zou maar stoppen en alvast voorbereidingen voor het avondeten gaan maken. Misschien kon ze vanavond nog wat werken.

Die avond moesten na het eten eerst de kleintjes naar bed gebracht worden, vervolgens wilde Marcel graag naar het journaal kijken, en daarna zou zijn favoriete autoprogramma komen dat Loïs hem niet wilde ontzeggen. Dus zat er voor haar niets anders op dan weer op haar slaapkamer te gaan zitten. Dit keer ging ze op het stoeltje zitten, dat ze voor het bed zette zodat ze dat als tafel kon gebruiken.

Zo werkte ze een poosje door, tot ze kramp in haar rug kreeg van het voorover zitten. Ze zette haar handen in haar lendenen en strekte haar rug. Eerst maar eens een kopje thee halen.

Toen ze beneden kwam, zat Marcel nog voor de tv.

'Wil je koffie of thee, Marcel?'

'Doe maar koffie.'

Ze schonk koffie en thee in, bracht Anne en Koen wat te drinken en ging toen naast Marcel op de bank zitten.

'Dank je. Ben je al klaar met je huiswerk?'

'Nee, nog niet, maar ik kreeg kramp in m'n rug. Da's niks, Marcel.'

'Wat?'

'Nou, ik ben op het stoeltje gaan zitten en heb het bed gebruikt als tafel, maar daar is het bed veel te laag voor. Ik heb vanmiddag met de hoofdsteun omhoog op bed geprobeerd te werken, maar dat ging ook niet.'

'Dan kom je toch beneden aan tafel zitten?'

'Maar daar stoort de tv me.'

'O sorry, dan zet ik hem toch uit?' Marcel reikte naar de afstandsbediening en zette de tv uit.

Ze leunde tegen hem aan. 'Ik heb alles bij elkaar nog geen twee uur kunnen werken vandaag. Dat schiet niet op.' Ze vertelde hem hoe de dag verlopen was. 'Ik wist natuurlijk dat ik huiswerk zou moeten maken, maar stom dat ik er helemaal niet aan gedacht heb waar en wanneer ik dat zou moeten doen. Voor m'n gevoel had ik overdag altijd zeeën van tijd, en was de huiskamer voor mij alleen. Niet dus.'

'Dat lijkt me inderdaad erg lastig voor je.' Hij lachte. 'Maar in zo'n groot huis moet toch ook een plekje voor jou te vinden zijn? Misschien zouden we een werkhoek op onze slaapkamer voor je kunnen creëren.'

'Kan dat? Wordt dat niet te krap?'

Marcel dacht na. 'Als we nou eens...' Hij zette z'n koffiekop neer en stond op. 'Kom eens mee.'

Hij ging haar voor naar hun slaapkamer. 'Als we de kast nu eens tegen die muur zouden schuiven? Dat kan denk ik net. Dan zouden we het bed daar kunnen zetten, en...' Hij keek weifelend de kamer rond. 'Tja, je moet natuurlijk wel voldoende licht op je werk hebben.'

Loïs probeerde zich voor te stellen welke ruimte de verplaatsing van bed en linnenkast op zou leveren. Volgens haar schoten ze daar maar weinig mee op.

Ze wees naar de wastafel. 'Die hoek van de kamer is het dichtst bij het raam. Alleen jammer dat die wastafel daar net hangt.'

'Die zouden we toch weg kunnen halen? Zo vaak gebruiken we hem niet, de badkamer is hiernaast.'

'Hé, ja, dat is een goed idee!' Loïs zag het meteen voor zich. 'Als we nu de kast daar... en het bed zo... dan zou daar een bureautje kunnen staan en past er zelfs nog een stoel voor.' Ze sloeg haar armen om Marcels nek. 'Zou dat kunnen?'

'Doen we. Ik zal er zaterdag meteen mee beginnen.'

Zaterdag. Dat betekende dat ze zich de rest van de week nog moest zien te redden. Nou ja, die paar dagen kwam ze ook nog wel door.

7

WOENSDAGOCHTEND BELDE ANOUK.

'Kan ik vanmiddag de kinderen bij jou brengen? Ik wil even naar de stad, ik heb wat kleren voor mezelf nodig.'

Vanmiddag waren Isabel en Sem ook thuis, dus dan zou er toch niks van huiswerk maken komen. 'Ja hoor, breng ze maar.'

Loïs zat achter de computer. Ze moest voor de groepsopdracht allerlei dingen op internet opzoeken, en had al een paar keer heen en weer gemaild met haar groepsgenoten. Bert en Ilse hadden direct gereageerd, maar Rosa liet niets van zich horen. Die was zeker met iets anders bezig.

Loïs had deze ochtend lekker door kunnen werken en had een voldaan gevoel over haar inspanningen. Ze was al een stuk gevorderd met een van de twee individuele verslagen en had een opzet gemaakt voor het andere. Als ze morgen ook zo door kon werken, kwam ze een heel eind. Ze hadden drie weken de tijd voor deze verslagen, maar morgenavond zouden ze waarschijnlijk wel weer nieuwe opdrachten krijgen, want dan kregen ze twee nieuwe vakken, waaronder drama.

Ze dacht terug aan de dramalessen die ze eerder gevolgd had. De dramadocent destijds was een man die ze totaal niet begreep. Of hij begreep haar niet. Ze had met moeite een voldoende beoordeling kunnen halen. Hij had haar 'weinig zelfreflectief' gevonden, en ze had alle mogelijke moeite gedaan om hem te laten horen wat ze dacht dat hij wilde horen, maar dat had weinig effect gehad. Nu ze zestien jaar verder was – en ook zestien jaar wijzer, dacht ze glimlachend – begreep ze beter wat hij bedoeld had. Hij had willen horen wat ze zélf vond, niet wat ze dácht dat hij wilde horen.

Ze herinnerde zich de opmerking van Irene en haar reactie daarop: 'Daar heb ik nog nooit over nagedacht.' Dat wás ook zo. Natuurlijk had ze wel nagedacht over van alles en nog wat, over welke boodschappen ze moest halen, over wat ze zouden eten, over welke kleren ze de kinderen aan zou trekken, over waar ze dit of dat had neergelegd, over waar ze naartoe op vakantie zouden gaan, welke mening ze had over een of ander televisieprogramma. Ook had ze zich dingen afgevraagd: hoe ze het de mensen om zich heen zo aangenaam mogelijk kon maken, of de mensen haar wel aardig vonden, hoe ze ervoor kon zorgen dat ze haar aardig bléven vinden, wat ze wilden horen.

Maar vragen als: 'wie ben ik?' en: 'wat wil ik?' en: 'wat doe ik hier?' had ze zichzelf tot nu toe niet gesteld. Die vragen waren pas na de dood van haar vader aarzelend ontstaan. Ze had geprobeerd ze weg te drukken, maar ze drongen zich steeds dichter aan haar op, tot ze er niet meer omheen had gekund. De preek over de gelijkenis van de talenten had dat alleen nog maar versterkt. De vraag van Irene was daarna een soort sleutel geweest die de deur naar die vragen geopend had. En daarmee had ze een vorm van bewustzijn ervaren die ze tot dan niet gekend had.

Ik ben mezelf niet, of al die jaren nooit geweest. De woorden van het lied van Acda en De Munnik kwamen als vanzelf naar boven.

Was dat zo? Gold dat ook voor haar? Flarden van allerlei gesprekken dwarrelden door haar hoofd, maar ze kreeg er geen vat op.

Om haar gedachten meer te richten ging ze weer achter de computer zitten en typte 'Zelfbewustzijn' in. Eerst maar eens bij Wikipedia kijken.

Zelfbewustzijn is de beleving van de eigen identiteit, dus van wie wij zijn en wat wij doen, denken, voelen of hebben meegemaakt.

Ze keek verder. Volgens Descartes, een filosoof, maakte het zelfbewustzijn deel uit van de onstoffelijke ziel. Vandaar zijn bekende uitspraak *Cogito ergo sum,* 'ik denk dus ik besta'.

Nou, denken deed ze de laatste tijd steeds vaker. Dus kon ze wel zeggen dat ze bestond.

Ze las weer verder. Hé, dat was interessant! De oude filosofen zeiden het al: ken uzelf. *De waarheid ligt al in de mens, de kunst is haar naar boven te halen. Socrates hanteerde daarbij de methode van de vroedvrouw: door het stellen van gerichte vragen de waarheid bij de gesprekspartner naar boven halen, zoals de vroedvrouw de baby uit zijn moeder verlost.*

Dat kwam overeen met het beeld van de bevalling dat ze had gehad!

Haar gedachten vormden zich steeds meer naar dat beeld. Ze pakte een schrift en een pen en als vanzelf welden de woorden in haar op:

Geborgenheid
Veiligheid
Warmte
Bescherming
Klein wereldje

Dan:
Druk
Persdrang
Angst
Worsteling
Terug!

Geen terug
Licht
Lucht
Verdriet
Blijdschap
Stemmen
Armen
Voeding
Afhankelijkheid

Groei
naar zelfstandigheid

Zelf scheppen van
Geborgenheid
Veiligheid
Warmte
Bescherming
Klein wereldje

Dan:
Druk
Persdrang
Angst
Worsteling
Terug!

Geen terug
Verdriet
Veel verdriet
Stemmen
Veel stemmen
Behoefte aan
Licht
aan
Lucht
aan
Blijdschap
aan
Armen
aan
Voeding
Afhankelijkheid

Mijn God!
Is dit nu
Wedergeboorte?

Het was alsof de woorden die ze zelf opgeschreven had, haar iets duidelijk maakten wat ze tot daarvoor niet beseft had. Alsof ze pas wist wat ze dacht toen ze zag wat ze opgeschreven had. God had de mens geschapen uit 'stof', en had die mens toen Zijn Geest ingeblazen. Daarna werd die mens pas echt levend. Zo ging dat met ieder mens. Zoals God haar lichaam geschapen had in de schoot van haar moeder en ze daarna lichamelijk geboren was, zo was

God ook de Schepper van haar ziel en haar geest, en was het alsof die nu pas 'wakker' werden, alsof Hij haar nu nieuw leven ingeblazen had. Haar, Loïs Terhorst. Ze was een onderdeel van de schepping, een radertje in het grote geheel, en zij had haar eigen plaats daarin. Ze mocht er zijn.

Ze was zich dat nog nooit zo bewust geweest als nu.

Ze schrok op toen ze de kerkklok hoorde slaan. Halftwaalf! Ze had al bij school moeten staan om Sem op te halen! Ze schoot overeind, plukte haar vest van de kapstok en schoot dat aan terwijl ze naar de tuin rende, waar haar fiets al klaarstond. Ze jakkerde de straten door, en kwam daarbij al diverse vaders en moeders tegen met hun kinderen achterop.

Ze foeterde op zichzelf. Zij ook met haar opleiding! Ze was nog geen week bezig en ze vergat nu al haar taak als moeder. De twijfel sloeg meteen weer toe. Kon ze dit wel van haar gezin vragen? Mocht ze dit wel? Was dat ontwakende bewustzijn wel iets om blij mee te zijn?

Sem stond met een ongeduldig gezicht te wachten. 'Waar bleef je nou!' zei hij boos. 'Ik sta al een halfuur te wachten.'

Z'n juf, die naast hem stond, lachte. 'Niet zo overdrijven, Sem. Je moeder is maar vijf minuten te laat.'

'Sorry dat ik zo laat ben, ik was de tijd helemaal vergeten,' zei Loïs hijgend.

'Geeft niet, hoor. Dag Sem, tot morgen.'

Sem klom achter op de fiets. In zijn hand hield hij een tekening.

'Zal ik die in de fietstas doen?' vroeg Loïs. Ze pakte de tekening van hem aan.

'Zo, dat is een mooie!' Ze deed de tekening in de tas en fietste weer naar huis.

Thuisgekomen raapte ze de post van de mat. Hé, een geboortekaartje. Van het nichtje dat al vier miskramen achter de rug had. Gelukkig was het nu wel goed gegaan!

Nieuwsgierig maakte ze het kaartje open. Ze las:

Ik leef en stel daarrond geen vragen.
maar eens zal ik weten
dat aan de dageraad van mijn bestaan
Liefde is voorafgegaan.

Ze keek niet eens meer naar de naam en of het een jongen of een meisje was. Ze liet het kaartje zakken en staarde verwonderd voor zich uit.
Het was als een antwoord.

De volgende avond fietste ze met een blij gevoel naar school. Geen schuldgevoel deze keer. Dat kwam misschien nog weleens, maar dat zag ze dan wel weer. Ze voelde zich één met de schepping. Zij mocht haar plek daarin innemen, werkend met de talenten die haar waren toevertrouwd. Ze mocht haar weg met vallen en opstaan afleggen, mocht fouten maken. Die waren niet onoverkomelijk, als ze er maar van leerde en die fouten niet steeds opnieuw maakte. De gelijkenis van de talenten was daar duidelijk in geweest. De knecht met dat ene talent werd niet gestraft omdat hij zijn talent verspeeld had, maar omdat hij het niet gebruikt had. Omdat hij het begraven had. Misschien had die knecht dat wel juist gedaan uit angst óm het te verspelen. Zolang het begraven was, kon hij doen alsof hij dat talent niet had. En hoefde hij ook geen verantwoordelijkheid te dragen voor een mogelijk verlies ervan.
Zij had haar eigen talenten. Een paar daarvan kwamen tot hun recht in haar gezin, in haar familie en in de kerk. Maar daarnaast mocht ze er nu mee woekeren op de nieuwe weg die voor haar lag. Ook al was dat soms wat eng. De hogeschool kwam in zicht. Ze glimlachte.

Die glimlach lag nog op haar gezicht toen ze thuiskwam.
'Ik hoef niet te vragen of je het naar je zin gehad hebt,' zei Marcel. 'Dat straalt ervan af.'
Loïs gooide haar rugtas op een stoel en ging naast Marcel op de bank zitten. Ze zuchtte. 'Dit is écht leuk! Ik had er wel enorm veel zin in, maar ik had nooit kunnen denken dat ik het zó leuk zou vinden.'
'Nou, geniet ervan, zou ik zeggen,' zei Marcel. 'Er zullen ook weleens momenten komen waarop je het niet zo leuk zult vinden, maar dit heb je alvast binnen.'
'Hoe is het hier? Is alles goed gegaan?'
'Ja hoor. Sem vond het zelfs goed dat ík hem voorlas.' Marcel begon te lachen. 'Het verhaal van de Goede Herder was aan de beurt. Ik deed m'n best

om het zo spannend mogelijk voor te lezen. Toen dat kleine schaapje verdwaald was en het om hulp riep, deed ik dat op een heel zielig, zacht, klaaglijk toontje: Help... help me dan toch... Maar Sem verbeterde me direct: 'Dat moet je niet zó doen, hij moet roepen: HELP! HELP! Anders horen ze hem toch niet?"

Loïs lachte. 'Tja, hij heeft natuurlijk wel gelijk.'

'Maar 't was dus leuk vanavond,' constateerde Marcel.

Loïs knikte. 'O ja,' zei ze, 'Rosa is gestopt met de opleiding.'

'Nu al?'

'Ja, blijkbaar was het toch niet wat ze zocht.'

'Dus nu zijn jullie nog maar met z'n drieën in jullie groepje.'

'Jawel, maar volgende week komt er nog iemand bij, ene Jacques. Die was vorige en deze week nog met vakantie. Hij zal wel bij ons groepje ingedeeld worden.'

'Hoe ging het met drama? Dat had je toch ook vanavond?'

Loïs lachte. 'Leuke docente! Ze heet Simone en komt heel relaxed over, veel minder streng dan mijn vorige dramadocent. We hebben heel wat af gelachen vanavond. We kregen allemaal hetzelfde gedicht, maar we moesten dat om de beurt met elk een verschillende emotie voordragen, de een verbaasd, de ander blij, weer een ander boos enzovoort. Ik moest het verdrietig doen, wat ik best moeilijk vond, want het was een vrolijk gedicht. Het ging over het zonnetje dat scheen en de vlindertjes die fladderden en zo. Maar wel een goede opdracht, ook om te kijken hoe anderen het deden. Ilse moest het opgetogen doen, zij stond er bijna bij te springen. En Bert moest het verwijtend laten klinken. Hij heeft normaal gesproken een heel prettige, warme stem, maar die klonk nu heel anders.'

'C'est le ton qui fait la musique,' zei Marcel.

'Precies!'

'Heb je weer huiswerk opgekregen?'

'Ja, een observatieopdracht voor drama, die we af moeten sluiten met een haiku.'

'Een wát?'

'Een haiku. Dat is een gedichtje van drie niet-rijmende regels, dat bestaat uit eerst vijf, dan zeven en dan weer vijf lettergrepen. De vorm komt uit Japan, heb ik begrepen. Een haiku ging oorspronkelijk over de natuur, maar wij moeten het dus doen over datgene wat we geobserveerd hebben. We moeten dat ergens in een winkel doen, en er moet een kind bij betrokken zijn.'

'Leuke opdracht, lijkt me.'

'Ja, dat vind ik ook. En we hebben vanavond ook les gehad van André, de docent bij wie ik destijds informatie over de opleiding gekregen heb. Weet je wel, die chaoot.'

'Is hij in zijn lessen ook zo chaotisch?'

'Nee, dat viel me hartstikke mee. Hij kan heel boeiend vertellen, we hangen allemaal aan zijn lippen.'

'Lijkt me lastig, twaalf studenten aan je lip,' lachte Marcel. Hij zag het al voor zich.

'Nou ja, bij wijze van spreken dan. Het waren er trouwens maar elf,' verbeterde Loïs hem. 'Maar echt, die man is heel goed in zijn vak. Vanaf volgende week hebben we trouwens op maandag ook les van André, deze week was dat aangepast omdat André niet eerder terug was van vakantie.'

'En heb je nu morgen dat gesprek op je stageadres?'

'Ja, om twee uur. Ik ben benieuwd.'

'Wil je nog wat drinken?'

Loïs gaapte. 'Ik pak wel een glas warme melk, dan slaap ik straks lekker.' Ze stond op. 'Jij nog iets?'

'Nee, dank je, anders moet ik er weer uit vannacht.'

Even later was iedereen in huize Terhorst in diepe rust.

De volgende middag fietste Loïs naar de school waar ze haar eerste stage zou gaan lopen. Tenminste, als alles goed verliep. Ze had Sem bij Bianca gebracht.

De school zag er aan de buitenkant uitnodigend uit. Bij de bouw waren veel kleuren gebruikt, in elk lokaal hingen tekeningen en werkstukjes voor de ramen, en er was een grote speelplaats met een apart gedeelte voor de jongste kinderen.

Zo te zien waren er twee ingangen, eentje voor de bovenbouw en een voor de onderbouw. Welke moest zij nu hebben? Ze gokte erop dat ze die voor de bovenbouw moest hebben, zette daar haar fiets neer en voelde aan de deur. Die was op slot.

Ze wilde net aanbellen toen ze door de deur iemand aan zag komen. De man deed de deur voor haar open en zei: 'Loïs Terhorst?'

'Ja, ik heb een afspraak.'

'Komt u maar mee.'

Hij bracht haar naar een kamertje waar twee stoeltjes, een tafeltje en een kastje stonden, nam haar jack aan, nodigde haar om te gaan zitten en zei: 'Iets drinken?'

'Kan ik een glas water krijgen?'

'Komt eraan.' De man liep weg, kwam terug met een glas water, zette dat voor haar neer en verdween weer.

Zwijgzaam type, dacht Loïs. Zou hij de conciërge zijn?

Even later ging de deur weer open en kwam er een vrouw binnen. Ze gaf Loïs een hand, stelde zich voor als Hetty Klink en ging in het andere stoeltje zitten.

'Jij wilt hier stage komen lopen, begreep ik. Ik zal je eerst iets over de school vertellen en hoe wij hier te werk gaan, en daarna mag jij iets over jezelf vertellen en wat je hier hoopt te vinden.'

'Dat lijkt me prima.'

Hetty vertelde over de visie van de school, het jaarplan, methoden die gebruikt werden, het aantal leerlingen, speciale projecten zoals de verkeersweek, van alles kwam aan bod.

Daarna mocht Loïs iets over zichzelf vertellen. Hetty keek ervan op dat Loïs al eerder een gedeelte van de pabo gevolgd had.

'Dat stond niet bij je gegevens, maar dat is prettig om te horen, dan zal niet alles nieuw voor je zijn,' zei ze.

'Nou, er zal in de afgelopen zestien jaar toch wel een en ander veranderd zijn,' zei Loïs.

'Natuurlijk, maar de basis, het lesgeven aan kinderen, is hetzelfde gebleven. Daar heb je dus al iets ervaring mee, en dat is meegenomen. Bovendien heb je zelf kinderen, dan heb je vanuit die hoek dus ook al ervaring met het basisonderwijs. Hoe oud zijn je kinderen?'

'We hebben een dochter van vijftien, een zoon van dertien, een dochter van acht en onze jongste zoon is zes. Hij gaat dit jaar naar groep 3.'

'Een flink gezin.'

'Ja, maar ook erg leuk.'

'Zijn jullie ook kerkelijk betrokken? Zoals je waarschijnlijk al weet, zijn wij een school met een christelijke identiteit.'

'Ja, we zijn lid van de PKN.'

'Nou, wat mij betreft zijn er geen bezwaren om jou als stagiaire aan te nemen. Dan moeten we alleen nog bespreken op welke dagen we dat doen. Wanneer kun jij?'

'Eh... ik heb een gesprek op school gehad, en daar hoorde ik dat één dag stage in de week voor het eerste jaar voldoende is. Omdat het voor mij naast m'n gezin al een hele verandering is om weer naar school te gaan, zou ik het fijn vinden als jullie daar ook genoegen mee namen. Twee dagen is, zeker om mee te beginnen, echt te veel voor me. Kan dat?'

'Ja hoor, dat doen we wel vaker. Kun je dinsdags komen?'

'Dat denk ik wel, die dag komt mij ook goed uit. Ik ben die dag leesmoeder op de school waar onze jongste kinderen op zitten, maar dat zeg ik dan wel af.'

'Fijn, dan noteer ik dat. Heb je zelf nog vragen?'

'Nee, op dit moment niet, maar die zullen ongetwijfeld komen. O ja. Word jij mijn stagebegeleider?'

'Ja, daarom heb ik ook het gesprek gedaan. Meestal doen we dat met z'n tweeën, maar mijn collega heeft zich vanmorgen ziek gemeld en de rest had geen tijd.'

'En in welke groep loop ik stage?'

'Een eerste stage is altijd in de onderbouw. Je komt bij mij in groep 2.' Hetty pakte wat papieren uit het kastje. 'Dit is een folder van de school, dit is ons jaarplan. Zal ik je ook wat van onze nieuwsbrieven meegeven?'

'Graag, dan krijg ik een idee waar jullie allemaal mee bezig zijn.'

'Zal ik je het klaslokaal nog laten zien? De kleuters zijn vanmiddag vrij, die krijg je volgende week pas te zien, maar dan heb je vast een indruk waar je het komende halfjaar aan de slag gaat.'

'Dat lijkt me leuk!'

Ze stonden op en Hetty begeleidde Loïs naar haar klaslokaal. Loïs keek rond. De stoeltjes stonden allemaal in een kring, klaar voor het kringgesprek op maandagochtend. Verder was er een poppenhoek, een zandtafel, een watertafel, een timmerhoek, een boekenhoek, een schilderhoek en een computerhoek.

'Hoeveel kinderen zitten er in groep 2?' vroeg Loïs.

'Ik heb er op dit moment drieëntwintig, maar ik heb er ook weleens dertig gehad,' zei Hetty.

''t Ziet er allemaal gezellig uit,' zei Loïs. 'Ik heb er zin in!'

'Goed zo.' Hetty keek op haar horloge. 'Het is bijna kwart over drie, de school gaat zo uit. Dan kun je gelijk kennismaken met wat andere collega's.'

Ze ging Loïs voor naar de lerarenkamer. 'Hier zitten we tijdens het speelkwartier en tussen de middag, tenminste, als we geen pleindienst hebben.'

De kamer was licht en ruim, aan de muur hingen enkele abstracte schilderijen. Loïs liep op een ervan af en bleef er bewonderend voor staan. 'Wat een mooie kleuren!'

'Creaties van onze directeur,' legde Hetty uit. 'Hij heeft na de pabo de kunstacademie gedaan en schildert niet onverdienstelijk. Hij exposeert ook geregeld.'

De bel ging, en even later zwermden er een heleboel kinderen door de gangen. Ze pakten hun jassen en renden naar buiten.

Hetty stelde haar collega's, die een voor een binnenkwamen, aan Loïs voor: 'Dit is Loïs Terhorst, onze nieuwe stagiaire. Dit is Leo Rommens, onze directeur, hij heeft groep 8 en de helft van groep 7.'

'Mooie schilderijen,' zei Loïs terwijl ze zijn hand schudde.

'Dank je. Da's altijd een goeie binnenkomer,' lachte Leo. 'Welkom in ons team.'

Hetty ging verder met haar collega's voorstellen en besloot met: 'De collega's van groep 1, 3 en 4 zijn al naar huis, die zijn vanmiddag vrij, dus daar zul je volgende week pas mee kennismaken.'

'Dan hoef ik tenminste niet alle namen in één keer te onthouden,' zei Loïs. Ze herhaalde de diverse namen in zichzelf.

'En de man die de deur voor me opendeed?' vroeg ze.

'Dat is Dan, onze conciërge,' zei Leo.

'Zal ik je een lijst meegeven van de kinderen van groep 2?' stelde Hetty voor.

'Dan heb je alvast een idee van de namen van de kinderen, al heb je daar nog geen gezicht bij.'

'Goed idee, doe maar.'

Hetty liep naar de computer, zocht het desbetreffende bestand op en printte het. 'Alsjeblieft.'

Loïs deed de papieren die ze van Hetty gekregen had in haar tas. 'Nou, dan ga ik maar.' Ze gaf iedereen een hand. 'Tot volgende week.'

Ze keek om zich heen. 'Mijn jack. De conciërge heeft mijn jack meegenomen, maar ik weet niet waar hij het gehangen heeft.'

Hetty opende een kast in de lerarenkamer. 'Het hangt vast hier.'

'Ja, dat donkerblauwe.'

'Dinsdag krijg je een sleutel van deze kamer, en dan kun je ook het stageformulier ondertekenen. Ik zal zorgen dat het klaarligt,' zei Hetty.

Met een armzwaai verliet Loïs het gebouw en daarna fietste ze naar het huis van Bianca. Ze had een prettige indruk gekregen van de school en van het team. En bij Hetty als stagebegeleider had ze een goed gevoel.

'En, hoe was het?' vroeg Bianca meteen toen ze de deur opendeed.

Wat reageert zij toch anders dan m'n moeder en Anouk op het feit dat ik weer ben gaan leren, dacht Loïs. Bianca was alleen maar blij voor en met haar geweest.

'Leuk!' Loïs vertelde enthousiast over haar gesprek met Hetty en de kennismaking met de school. 'Mijn stagedag wordt dinsdag, dus dan kun jij dat doorgeven aan je baas. Het was wel veel informatie ineens, maar dat heb je altijd in het begin. Waar is Sem?'

'In de tuin. Hij is de konijntjes aan het voeren.'

Ze liepen via de keuken de tuin in. 'Hoi Sem.'

Hij keek even op. 'Hoi mam.' Daarna ging zijn aandacht weer naar het konijntje dat knabbelde aan een wortel die Sem in zijn handje hield.

'Wil je een kopje thee of moet je zo weg?' vroeg Bianca.

Loïs keek op haar horloge. Kwart voor vier. Isabel zou na schooltijd naar Sanne gaan, en Anne en Koen hadden een sleutel. 'Eén kopje kan nog wel.'

Ze had vanmorgen eerst de was buiten gehangen die 's nachts gedraaid had en had daarna twee uur aan één stuk door kunnen werken aan haar huiswerk. De was zou inmiddels wel droog zijn, dan kon ze die nog net opvouwen en de strijk doen voor ze aan het eten begon. Ze aten pasta vanavond, dat was niet zo veel werk.

'Het is wel een hele planning zo, denk ik,' zei Bianca toen ze een glas thee voor Loïs neerzette.

'Ja, dat wel, maar dat was te verwachten. Waar ik alleen helemaal niet aan gedacht had, was dat aan de woonkamertafel m'n huiswerk maken niet altijd even handig is.' Ze vertelde over haar ervaringen van de afgelopen week. 'Marcel gaat morgen beginnen aan een werkplek voor me op onze slaapkamer, zodat ik de spullen daar kan laten liggen en ik 's avonds rustig kan werken als hij tv wil kijken. Dat zal wel wat rommel geven, want hij wil de wastafel weghalen, maar dan krijg ik tenminste m'n eigen plekje. Ik kan niet wachten!'

8

DE VOLGENDE MORGEN GING MARCEL METEEN AAN DE SLAG. TOEN LOÏS TERUGKWAM van het boodschappen doen, had hij de wastafel al verwijderd. Het viel Loïs mee hoeveel ruimte daarmee gecreëerd werd. 'Die muur moet natuurlijk wel opnieuw behangen worden,' zei Marcel. Hij keek de kamer rond. 'Zullen we anders de hele kamer van een nieuw behangetje voorzien? Want als we die kast verplaatsen, zie je dat ook meteen aan de verkleuring van het behang erachter.'

Loïs aarzelde. Dat zou weer een nieuwe berg werk met zich meebrengen, en daar zat ze nu niet bepaald op te wachten. Maar ja, Marcel had wel gelijk.

Marcel zag haar aarzelen. 'Het is alleen maar behangen, het verfwerk ziet er nog goed uit.'

Loïs ging overstag. 'Laten we dat maar doen. Zal ik alvast de linnenkast leeghalen? Want die krijgen we nooit verplaatst als alles er nog in ligt.'

'Da's goed. Dan zetten we die tijdelijk in het midden van de kamer, dan kan ik overal makkelijk bij met behangen. Het bed kan uit elkaar. Als we de matras nu eens bij Isabel op de kamer leggen, en de onderdelen van het bed bij Sem? Het wordt wel even behelpen, maar dan pakken we het meteen goed aan.'

'En waar laat ik dan al die spullen uit de linnenkast?'

'In dozen of zo. Joh, dat lukt wel, het is maar voor even.'

'En dan moeten we ook nog om behang.' Loïs trok een bedenkelijk gezicht. 'Het wordt wel een zootje.' Ze zuchtte. 'En dat allemaal omdat ik zo nodig een eigen werkplek wil hebben.'

Marcel trok haar naar zich toe. 'Hé, kop op, het is maar voor even. En je krijgt er iets moois voor terug.'

De telefoon ging, maar voor ze het exemplaar op de slaapkamer konden pakken, had Koen beneden al opgenomen. Even later riep hij naar boven: 'Mam, oma Thea aan de telefoon.'

Loïs maakte zich los uit Marcels armen. 'Ik pak hem hier wel,' riep ze terug. Ze pakte de telefoon. 'Hoi mam.'

'Dag kind,' klonk het vermoeid.

'Wat klinkt u moe?'

'Ja, ik heb heel slecht geslapen vannacht. Zou jij mijn boodschappen willen doen? Ik heb geen moed om naar buiten te gaan.'

'Ik heb net alle boodschappen gedaan,' zei Loïs. 'Jammer dat u niet eerder gebeld hebt, dan had ik ze gelijk mee kunnen nemen.'

'Dat kon ik toch niet weten?' zei haar moeder. 'Ik kan hiervandaan toch niet zien wat jij allemaal aan het doen bent?'

Loïs hoorde het verwijt in haar moeders stem. Nou ja, ze moest toch ook nog om behang, dan kon ze gelijk wel weer even naar de supermarkt. 'Goed, mam, wat heeft u allemaal nodig?'

Het was nog een hele lijst.

'Ga je nog mee behang uitzoeken of zal ik dat alleen doen?' vroeg Loïs aan Marcel toen ze opgehangen had.

'Ik hoef niet mee, hoor. Jij weet wel wat ik mooi vind. Ik zal alvast opmeten hoeveel rollen je mee moet nemen, als jij dan in de schuur wilt kijken of we nog genoeg behangplaksel hebben? Dat staat in de kast, tweede plank van boven.' Marcel kende de gereedschapskast in de schuur als zijn binnenzak, wat ze soms wat irritant vond. 'En als je toch nog naar de supermarkt gaat, neem dan meteen een stapel dozen mee.'

'Goed idee!'

Loïs reed eerst naar de bouwmarkt en zocht daar een eenvoudig maar mooi behang uit. Daarna reed ze naar de supermarkt. Voor ze de boodschappen van haar moeder deed, laadde ze eerst een grote stapel bananendozen in de auto. Zo, daar kon ze een hoop in kwijt. En op de bergzolder stonden nog een paar verhuisdozen, wist ze.

Even later stond ze met een doos met boodschappen voor haar ouderlijk huis, waar haar moeder al voor het raam stond.

'Fijn, dank je wel, kind.'

Haar moeder zag er inderdaad moe uit, zag Loïs. 'Gaat het weer een beetje?' Ze zette de doos met boodschappen op de keukentafel.

Haar moeder betaalde de boodschappen en liet zich daarna steunend op een stoel zakken. 'Nee, nog niet zo.'

'Heeft u weer last van uw hart?'

'Nee. Ik lag er vannacht steeds maar aan te denken dat we vorig jaar om deze tijd bezig waren met de voorbereidingen van onze reis naar Canada. Het lijkt wel alsof ik je vader steeds meer ga missen.'

'Ach mam...' Loïs wist even niet wat te zeggen. Natuurlijk miste zij haar vader ook, maar de afgelopen weken waren zo vol geweest van al het nieuwe dat op haar afkwam, dat de pijn wat naar de achtergrond geschoven was. 'Misschien moet u wat meer afleiding zoeken.'

'Jij hebt makkelijk praten,' zei haar moeder. 'Jij hebt je gezin om je heen, terwijl ik hier hele dagen alleen zit. En dan begin je ook nog eens aan een studie. Ik had juist gehoopt dat je wat meer tijd voor mij zou krijgen nu de kinderen allemaal naar school zijn. En Anouk komt ook steeds minder vaak, en ik zit hier maar alleen in dit grote huis...'

Loïs stond op en ging op haar hurken voor haar moeder zitten. Ze pakte haar handen vast. 'Mam,' zei ze zacht. 'Mam, Anouk en ik hebben allebei een druk leven. U kunt niet van ons verwachten dat we u hele dagen gezelschap komen houden omdat u zich alleen voelt.'

'Van wie dan wel?' vroeg haar moeder bitter. 'Jullie zijn mijn kinderen.'

'Nee, dat bedoel ik niet. Ik bedoel dat u niet hier moet gaan zitten wachten tot er iemand langskomt. Dan duurt een dag wel heel lang. U bent nog maar net zestig, dat is best jong in deze tijd. Wie weet wordt u wel negentig, net als uw grootmoeder, en...'

'Ik hoop het niet!' onderbrak haar moeder haar. 'Ik moet er niet aan denken!'

'... en u bent nog gezond,' ging Loïs onverstoorbaar verder. 'Tenminste... Bent u nog naar de huisarts geweest in verband met die hartklachten?'

'Nee, nog niet.'

'Doe mij dan een plezier en maak maandag een afspraak.' Loïs stond op. 'En echt, mam, ik denk dat u zich een stuk beter zou voelen als u afleiding zocht. Misschien kunt u wel vrijwilligerswerk of zoiets gaan doen. Zelf iets betekenen voor een ander.'

Haar moeder snoof. 'Vrijwilligerswerk! Zeker in een ziekenhuis met een karretje met fruit langs de bedden gaan. Nee hoor, mij niet gezien!'

'Er zijn anders veel meer mogelijkheden om vrijwilligerswerk te doen.'

'Wat dan?'

'Ja, dat weet ik ook zo gauw niet. Misschien iets in de kerk? Bezoekdame of zo?'

'Ze kunnen beter míj komen bezoeken. Ík zit alleen.'

Loïs hield een scherpe opmerking binnen. 'Nou, mam, ik ga weer. Marcel gaat de slaapkamer behangen, hij zit op me te wachten.'

Ze reed terug naar huis, waar Marcel inmiddels al begonnen was met het uit elkaar halen van het bed. Isabel en Sem stonden naar hem te kijken.

'Papa heeft de matrassen op mijn kamer neergelegd, hij zegt dat jullie vannacht bij mij slapen,' zei Isabel.

'Dat klopt, mag het?' vroeg Loïs.

'Natuurlijk! Gezellig!'

'En wie komt er dan bij mij slapen?' vroeg Sem met een sip gezichtje.

'Een ander keertje komen we bij jou slapen, goed?'

'Wanneer?'

'Dat weet ik nog niet.'

'Anders leg je jouw matras ook op mijn kamer,' stelde Isabel voor.

'Hè ja, mag dat, mam?'

'Nou, vooruit dan maar. Dat wordt wel erg krap, maar het is op jouw kamer straks niet zo gezellig als het bed van papa en mama daar staat,' zei Loïs.

De kinderen juichten en gingen meteen aan de slag om Sems spullen te verhuizen.

Loïs haalde de dozen uit de auto en begon met het leeghalen van de linnenkast. Zo werkten ze een poosje door, tot Marcel zei: 'Hoe laat is het eigenlijk? Ik heb best wel trek.'

Loïs keek op haar horloge. 'Logisch dat je trek hebt, het is al over halfeen. Ik ga de tafel dekken.'

Na het eten gingen ze weer verder, en rond een uur of drie stond de linnenkast leeg in het midden van de kamer en was het bed van de kamer af.

'Wat een ruime kamer lijkt het zo,' vond Loïs.

'Wacht maar tot straks alles er weer in staat,' zei Marcel waarschuwend.

'Ik ben toch benieuwd hoe het er straks uitziet.'

'Je zult ook nog een bureautje moeten hebben,' bedacht Marcel praktisch.

'Of misschien kan ik daar ook wel iets zelf voor fabriceren, bijvoorbeeld een blad met boekenplanken erboven. Dan kunnen we de ruimte optimaal benutten.'

'Maar dat kost weer meer tijd,' zei Loïs. 'Dat behangen is er ook al bij gekomen.'

'Ik heb al gekeken, het oude behang hoeft er niet per se af, het zit er nog strak op, is alleen maar verkleurd. Dus ik kan meteen gaan behangen. Misschien krijg ik vandaag al die twee muren af, daar zit geen stopcontact of iets, dat is alleen rechttoe rechtaan. En dan kan ik maandagavond de andere twee muren doen, als jij naar school bent.'
'Zou dat lukken? Dat zou fijn zijn!'
'Ik doe m'n best!'

Ze aten die avond pas tegen zeven uur, maar toen had Marcel dan ook beide rechte muren behangen, plus twee banen waar de wastafel gehangen had. 'Je ziet niet eens meer dat daar een wastafel hing.' Loïs streek met haar hand over de muur. 'Gaaf, joh.'
'En ik heb tijdens het behangen al na lopen denken over je werkblad,' zei Marcel. 'Ik zal het straks voor je uittekenen.'
Toen Loïs Isabel en Sem naar bed had gebracht, liet hij het haar zien. 'Kijk, een L-vormig werkblad, met de korte kant onder het raam, dan heb je lekker veel licht op je blad. En boven de lange kant drie boekenplanken. Zou dat genoeg zijn?'
'Vast wel. En dan koop ik van die leuke gekleurde kartonnen dozen om losse spulletjes in te doen.' Ze zag het voor zich. 'Is dat veel werk, die planken en dat blad?'
Marcel schudde zijn hoofd. 'Nee hoor. Er zijn van die handige ophangsystemen, daar kan ik én het blad én de boekenplanken aan bevestigen. Dan heb je ook geen last van poten die in de weg zitten. Dus da's een kwestie van op maat zagen, schuren, twee keer lakken, ophangen en klaar is Kees.'
'Super! Dan hoef ik alleen maar beneden dingen op de computer op te zoeken, verder kan ik alles daar doen.'
'O ja, een computer. Daar heb ik ook al aan zitten denken. Misschien kun je de computer van je vader krijgen. Je moeder doet er toch niks mee. De kast kun je op de onderste boekenplank kwijt, en de monitor zet je dan op de korte kant van het werkblad. Dan heb je ook geen last van de zon op je scherm.'
'Goed idee! Ik ga haar meteen bellen.'
Haar moeder nam echter de telefoon niet op. Loïs werd meteen ongerust.

'Er zal toch niks aan de hand zijn? Ze klaagde van de week over haar hart, en vanmorgen zag ze er zo moe uit.' Ze zag allerlei spookbeelden voor zich van haar moeder die gevallen was, of die dood op bed lag. 'Ik ga toch maar even kijken,' besloot ze.

'Misschien zit ze wel bij Anouk.'

'Ja, dat kan ook. Wacht, dan bel ik haar eerst wel.'

Maar bij Anouk was haar moeder ook niet. 'Nee, geen idee waar ze zou kunnen zitten. Misschien wel bij de buren.'

Loïs werd steeds ongeruster. 'Ik ga wel even kijken.'

Bij haar moeder brandde licht in de kamer, de gordijnen waren gesloten. Loïs belde niet aan maar zocht aan haar sleutelbos de sleutel van haar ouderlijk huis, die ze voor noodgevallen had mogen houden.

Zodra ze de deur geopend had, hoorde ze haar moeders stem: 'Ben jij dat, Anouk?'

'Nee, ik ben het, Loïs.' Ze liep naar de kamer, waar haar moeder in haar duister televisie zat te kijken. 'Ik had gebeld, maar u nam niet op.'

Haar moeder keek verbaasd, maar zei toen: 'O ja, dat is waar. Ik heb vanmiddag een poos op bed gelegen, en heb toen de stekker van de telefoon eruit getrokken. Ik heb vergeten hem weer terug te steken.'

Loïs plofte in een stoel neer. 'Ik schrok me wild, ik was bang dat u gevallen was of zo.'

'Nee hoor, niks aan de hand. Wil je wat drinken nu je toch hier bent? Ik heb nog niks op.'

'Doe maar een kopje thee. Of nee, wacht maar, ik schenk het zelf wel in.'

In de keuken kwam Loïs weer een beetje tot zichzelf. Ze was behoorlijk geschrokken.

Toen ze binnenkwam met twee kopjes thee, vroeg haar moeder: 'Waar belde je voor?'

'O, ik wilde vragen of ik papa's computer mag gebruiken, u doet er toch niks mee.'

'Papa's computer? Jullie hebben toch een computer?'

'Jawel, maar Marcel is op onze slaapkamer een werkhoek voor me aan het maken, zodat ik daar rustig m'n schoolwerk kan doen. Maar ik moet voor sommige opdrachten ook op internet, en dan zou ik daar elke keer voor naar beneden moeten. Toen bedacht Marcel dat ik die van papa misschien wel kon gebruiken, dan kan ik die boven zetten.'

'Nou, van mij mag het, hij staat hier toch maar te verstoffen. Neem je hem gelijk mee?'

'Mag dat?'

'Ja hoor. Net wat je zegt, ik doe er toch niks mee.'

'Dan zal ik vragen of Marcel hem schoont, want er zullen nog wel bestanden van papa op staan.'

'Geen idee, daar bemoeide ik me nooit mee.'

'Fijn, mam! Ik ben er echt heel blij mee. Het wordt zo mooi! Marcel heeft de helft van de slaapkamer al behangen, en waar de wastafel hing gaat hij een werkhoek voor me maken. Komt u een keer kijken als het klaar is?'

'Als jij me dan komt halen.'

Wat had haar moeder eigenlijk een klein wereldje, dacht Loïs toen ze weer naar huis reed. Ze had nooit haar rijbewijs willen halen – 'Waarom? Je vader rijdt toch?' – en fietsen deed ze nauwelijks. Ze had weinig vriendinnen, en maar één jongere zus die met een Belg getrouwd was en ergens onder Brussel woonde, dus die zag ze ook niet veel. Loïs' ooms en tantes van vaderskant woonden allemaal ver weg, en die hadden het ook te druk met hun eigen kinderen en kleinkinderen om regelmatig bij hun schoonzus op bezoek te gaan. Eigenlijk was haar moeder net zo'n type als Rosa, zij was ook altijd 'de vrouw van' geweest. En had dat altijd prima gevonden. Tot haar vader overleed.

Dat wás ook niet gemakkelijk, daar kon Loïs zich wel iets bij voorstellen. Haar moeder had zich zo verheugd op de tijd dat haar man met pensioen zou zijn, en op de reizen die ze dan samen zouden maken. Die tijd was helaas maar erg kort geweest, en ze was nu niet meer 'de vrouw van', maar 'de weduwe van'. Daarnaast zag ze zichzelf blijkbaar alleen nog maar als 'de moeder en oma van'. Logisch dat ze de aandacht die ze van haar man hoopte te krijgen na diens pensionering, nu bij haar kinderen en kleinkinderen zocht.

Loïs begréép dat ook wel, maar betekende dat begrip dat ze haar moeder maar tegemoet moest komen in die behoefte? Omdat haar moeder dat van haar verwachtte?

Verwachtingen. Ieder mens had ze, bewust of onbewust. Leuk begrip, als je er goed over nadacht. Soms waren die verwachtingen gebaseerd op statistieken, zoals het weer. Dagelijks keken duizenden mensen net als zijzelf naar de weersverwachtingen, en ze mopperden als die niet altijd uitkwamen. Daar rekenden ze blijkbaar wel op, want anders keken ze er niet naar.

'In verwachting zijn' betekende dat je verwachtte dat er over negen maanden een kindje geboren zou worden. Of niet. Ze dacht aan haar nichtje, dat de vijfde keer dat ze in verwachting was, het niet meer durfde te verwachten, maar alleen sterk hóópte dat ze deze keer haar zwangerschap wél zou uitdragen. Zij hield er echter rekening mee dat het dit keer weer mis zou gaan, en op grond van die vier miskramen viel dat ook wel te verwachten. Blijkbaar berustten verwachtingen op eerdere ervaringen. Maar waar liet je die dan door bepalen? Stel dat dat nichtje weer zwanger zou worden na haar eerste uitgedragen zwangerschap, liet ze haar verwachtingen dan bepalen door de vier miskramen, of door de keer dat het wél goed gegaan was?

Maar verwachtingen berustten niet alleen op ervaringen. Want de verwachtingen van haar moeder ten aanzien van haar dochters hadden eerder te maken met haar behoefte dan met haar ervaringen.

Leuk, al dat gepuzzel in haar hoofd!

Toen ze thuiskwam, waren Anne en Koen boven op hun spelcomputer bezig, hoorde ze. Loïs zocht in haar tas meteen naar een schrift om haar gedachten te noteren. Dit was iets waar ze verder over na wilde denken als ze daar de tijd voor had.

Marcel haalde intussen de computer uit de auto. 'Die ziet er toch nog prima uit?'

'Hij moet nog wel geschoond worden, er zal nog van alles van papa op staan,' zei Loïs.

'Dat komt wel goed. Je moeder was blijkbaar gewoon thuis?'

'Ja, ze had vanmiddag de stekker uit de telefoon gehaald toen ze naar bed ging, maar had vergeten hem weer terug te doen.'

'Zie je nu wel, jij maakt je altijd veel te snel zorgen.'

'Tja, dat is nu eenmaal de aard van het beestje. Dat weet je toch?'

'Moet je nog naar Anouk bellen om te zeggen dat er niks aan de hand was?'

'Ja, dat zal ik gelijk doen.'

Jos nam de telefoon op. 'Anouk is al naar bed.'

'Zo, die ligt er vroeg in!'

'Ja.'

'Was ze niet lekker?'

'Nee hoor.' Jos wilde er blijkbaar niets over kwijt.

'Nou, zeg maar dat ik bij mama geweest ben en dat er niks aan de hand was.'

'Zal ik doen.'

Loïs hing met een verbaasd gezicht op. Wat was Jos kortaf! Dat was ze helemaal niet van hem gewend. Niet dat hij altijd zo spraakzaam was, maar dit waren alleen maar eenlettergrepige woorden geweest.

Toen ze Anouk afgelopen dinsdag bij haar moeder zag, had Anouk ook al zo koel gereageerd. En toen ze woensdagmiddag de jongens kwam brengen en ze later weer kwam ophalen, was ze niet eens binnengekomen. Zou er iets aan de hand zijn? Zou het niet goed gaan tussen Anouk en Jos?

Ze schudde de nare gedachten van zich af. Als Marcel wist wat ze dacht, zou hij hetzelfde als daarnet zeggen: 'Jij maakt je veel te snel zorgen.'

Ja, hij had makkelijk praten, maar die gedachten kwamen zomaar vanzelf op. Zat er maar een knopje in haar hoofd waarmee ze vervelende gedachten weg kon draaien. Maar dat knopje was ze tot nu toe nog niet tegengekomen.

Marcel had inmiddels de computer op de woonkamertafel gebruiksklaar gemaakt, en startte hem op. 'Zo, eens kijken of alles het nog doet.'

Dat lukte, en de computer liet een vrolijk gezoem horen. 'Hij is niet zo geruisloos als de onze, 't is nog een oud model, maar zo te zien doet hij het nog prima. Eens kijken. Welke programma's zul je het vaakst gebruiken?'

'In elk geval internet, ik moet kunnen mailen en googelen. En Word om verslagen te maken. En waarschijnlijk ook Excel, voor schema's en zo.'

'Word en Excel zitten er in elk geval op. Om boven ook op internet te kunnen zal ik een draad naar boven moeten trekken.'

Marcel startte Word op. 'Er staan nog een hoop bestanden op. Moet ik die allemaal in één keer deleten of wil je nog kijken of er iets belangrijks tussen zit?'

'Tja, geen idee. Alles deleten lijkt me zo rigoureus, maar om nu in de bestanden van mijn vader te gaan zitten neuzen trekt me ook niet zo.' Loïs ging achter Marcel staan en keek over zijn schouder mee. 'Kijk, er staan ook afbeeldingen op zijn bureaublad.'

'Daar zullen de foto's van Canada wel in staan,' vermoedde Marcel. Hij klikte op het icoontje.

'Zie je wel. Een map Canada. En nog twee mappen: Loïs en Anouk. Daar zullen wel de foto's in staan die hij van de kleinkinderen gemaakt heeft.'

Hij klikte op de map Loïs, en daarna op de eerste van het rijtje foto's dat tevoorschijn kwam. Een lachende Sem keek hen vanaf het scherm aan. Hij zwaaide naar de man achter de camera.

Loïs wist nog precies wanneer die foto genomen was. Op de dag dat ze haar ouders van Schiphol had gehaald na hun reis. Ze hadden bij haar thuis koffiegedronken, en haar vader had vol trots zijn nieuwe digitale camera geshowd. Ze zag hem nog helemaal voor zich zoals hij er toen uitgezien had.

Loïs zakte op de stoel naast Marcel neer en kreunde. Ze legde haar gezicht in haar handen. 'Pap...' Het gemis viel als een grauwe deken over haar heen. Ze snikte het uit.

Marcel zette de monitor uit en sloeg zijn arm om haar heen. 'Meisje toch...'

'Ik zie hem nog zo voor me,' snikte Loïs. 'Alsof ik hem zo kon aanraken.' Ze keek naar de computer. 'Hoe kan ik daar nu achter gaan zitten zonder steeds aan hem te denken? Zonder er elke keer weer aan herinnerd te worden dat hij datzelfde toetsenbord aangeraakt heeft, dat hij naar datzelfde scherm heeft zitten staren, dat hij diezelfde muis gebruikt heeft?'

Marcel haalde zijn schouders op. 'Dat zul je ook wel hebben als je bij je moeder bent. Daar in huis heeft hij rondgelopen, op die stoelen heeft hij gezeten en zo.'

Loïs schudde haar hoofd. 'Nee, dit is toch anders. Dat huis was van papa en mama samen, maar deze computer was echt iets van hem alleen. Daar bemoeide mam zich nooit mee.'

'Hoe denk je dat hij het zou vinden als jij zijn computer zou gebruiken?'

Loïs bedaarde wat. 'Hij... hij zou het wel goedvinden, denk ik.'

'Dat denk ik ook. Zeker als hij zou weten waarvoor je hem gebruiken zult.'

'Maar dan moet je al die bestanden er toch maar af halen. Anders zou ik steeds het idee hebben dat ik in zijn spullen zit te neuzen.'

'Ik haal maandag wel een externe harde schijf, daar kan ik alles op zetten, zodat het toch niet weg is. Als je eraan toe bent, kun je daar altijd nog naar kijken. Desnoods samen met je moeder en Anouk.'

9

HET WAS WOENSDAGOCHTEND. LOÏS HAD HAAR GEBRUIKELIJKE RONDJE DOOR
de kinderslaapkamers gedaan, had bedden opengeslagen, de ramen opengezet, hier en daar wat vuil wasgoed van de vloer geplukt en in de wasmand
gegooid, en daarna een stofzuiger door de kamers gehaald. Ziezo, dat was
gebeurd. Ze borg de stofzuiger op, schonk een glas melk voor zichzelf in en
liep ermee naar boven, klaar om aan haar schoolwerk te beginnen.
Ze opende de deur van hun eigen slaapkamer en keek vergenoegd de kamer
rond. Wat was het een goed idee geweest om de kast tegen die andere muur
te zetten. De kamer leek daardoor veel lichter. Of kwam dat door dat nieuwe behang?
En ze was nog steeds erg tevreden met haar nieuwe werkhoek. Het had wel
even geduurd voor het af was, maar het zag er erg mooi uit. Een van haar
klasgenoten had een hoop commentaar gehad toen ze blij verteld had van
haar nieuwe werkhoek. 'Da's nooit goed, werken en slapen in dezelfde
kamer, heb ik ergens gelezen. Je slaapkamer dient in principe alleen voor je
nachtrust. Want anders herinnert die kamer je aan activiteiten waardoor je
niet kunt ontspannen. Als je naar bed gaat en je ziet je bureau vol papieren
liggen, zal dat werk de hele nacht door je hoofd blijven spoken.'
Maar ze had zijn bezwaren weggewuifd. 'Onze kinderen hebben ook hun
eigen bureau op hun slaapkamer staan, en de meeste studenten zullen toch
ook niet meer dan één kamer kunnen huren. Ik ben er blij mee. Punt!'
Ze schoof achter haar 'bureautje', zoals ze het noemde. Marcel had zoals
gezegd een L-vormig werkblad gemaakt, had daar drie boekenplanken
boven bevestigd, en had bij een zaak met tweedehandskantoormeubelen een
verrijdbaar ladekastje en een bureaustoel gehaald. Loïs voelde zich de koning
te rijk.
Ze was nu al een week of zes bezig met de opleiding en voelde zich daar
steeds meer op haar plaats. Het contact met haar medestudenten was goed.
Zoals verwacht werd nieuwkomer Jacques bij hun groepje ingedeeld, en hij
bleek een harde werker en een aanwinst voor de groep. Ook op haar stageplek had ze het prima naar haar zin. Ze kende alle kinderen van haar klas al
bij naam en had al enkele opdrachten mogen uitvoeren. Haar stagebegeleid-

ster Hetty bleek een strenge juf, ze had de wind er goed onder bij de kleuters, maar de ouders liepen met haar weg. Gisteren had Loïs een eerste evaluatiegesprek met haar gehad, en dat was positief verlopen. 'Je lijkt mij een type dat de kat eerst wat uit de boom kijkt,' had Hetty gezegd, en Loïs had dat beaamd. Voor volgende week zou ze iets met de poppenkast mogen doen.

Eens kijken, met welke huiswerkopdracht zou ze beginnen? De eindopdracht van Simone of de eerste toets voor André? De opdracht van Simone sprak haar het meest aan, daar had ze al meteen zin in toen ze die opdracht vorige week kreeg. De toets voor pedagogiek van André was moeilijker, daar zat vast veel meer werk aan, dus dat was juist een reden om dáármee te beginnen.

André. Loïs genoot van zijn lessen. Maar waar ze bij de andere docenten haar mondje wel durfde te roeren en vragen durfde te stellen als ze iets niet begreep of als ze het ergens niet mee eens was, deed ze in zijn lessen nauwelijks haar mond open. Ze had bij hem het idee dat haar vragen dom waren, haar opmerkingen nietszeggend. Als hij iemand vroeg om voor de klas te komen om mee te doen in een rollenspel, maakte ze zichzelf zo onzichtbaar mogelijk. Tot nu toe had ze de dans weten te ontspringen, maar ze vreesde het moment waarop zij aan de beurt zou zijn. Afgelopen maandagavond had hij Rika, een van haar vrouwelijke medestudenten, onderworpen aan een spervuur van vragen die Rika bijna in tranen hadden gebracht. Toch was hij daar heel respectvol mee omgegaan, en Rika had achteraf gezegd dat ze er heel veel van geleerd had.

Eerst dus maar beginnen met de toets voor André.

Ze was echter nog maar net begonnen toen de telefoon ging. Ze zuchtte. Zou ze het negeren? Als het belangrijk was, belden ze vanzelf wel weer terug. Misschien was het haar moeder weer. Die belde zo'n beetje om de dag, meestal voor iets onbenulligs, maar soms wilde ze dat Loïs langskwam. Daar had ze nu even geen zin in.

Ze probeerde het dwingende geluid van de telefoon niet te horen door haar vingers in haar oren te stoppen, maar werd overvallen door een gevoel van onrust. Stel dat Marcel iets overkomen was, of dat een van de kinderen ziek was geworden op school?

Ze stond op en liep naar de telefoon op haar nachtkastje. Op de display zag ze dat het Anouk was. Ze had Anouk de laatste weken weinig gezien of gesproken, en ook haar moeder had geklaagd dat ze Anouk nauwelijks zag. Laten bellen of...? Toch maar niet.

'Met Loïs.'

'Hoi, met Anouk.'

'Ja, dat zag ik.'

'Heb je het druk?' De gebruikelijke inleiding. Ze had vast weer oppas nodig.

'Eigenlijk wel. Ik was met m'n schoolwerk bezig.'

'O. Ik hoopte dat je even tijd voor me had.'

'Dan kom je toch vanmiddag met de jongetjes theedrinken? Als Isabel en Sem thuis zijn, doe ik toch niets. Dan kan ik nu nog een poosje doorwerken.'

'Nee, vanmiddag niet, ik had je even alleen willen spreken.'

'O?'

'Nou ja, laat dan maar.'

'Wat is er dan?'

'Het praat niet zo makkelijk door de telefoon.'

Loïs keek naar haar bureautje. Haar schoolwerk wachtte. Maar Anouk wachtte ook.

'Oké, kom dan maar.' Ze had tenslotte maar één zus.

'Ik ben zo bij je.'

Loïs sloeg haar boek dicht en liep naar beneden om koffie te zetten. Wat zou er aan de hand zijn?

Anouk zag er anders uit, bemerkte ze toen ze haar zus uit de auto zag stappen. Het leek wel of ze vermagerd was.

Loïs deed de voordeur open. 'Hoi. Kom binnen. Waar is Jurre?'

'Die had een uitje van het kinderdagverblijf.'

'Koffie?'

'Graag.'

'Wil je er wat bij?'

'Nee, koffie is genoeg.'

Anouk liep alvast naar de kamer. Loïs voelde zich altijd wat gewoontjes in haar trui en spijkerbroek naast de mondaine kleding van Anouk, die er meestal uitzag alsof ze zo uit een modeblad weggelopen was. Ook nu zag

Anouk er weer prachtig uit in een donkerbruin broekpak en hoge laarzen. Haar donkerblonde haren waren opgestoken en werden bijeengehouden door een mooie speld.

'Je bent vermagerd, lijkt het wel,' zei Loïs toen ze binnenkwam met de koffie.

'Ja, dat klopt, ik ben een paar kilo afgevallen.' Anouk streek met een bevallig gebaar langs haar dijen. 'Kun je 't zien?'

'Vond je jezelf te dik dan?'

'Ik niet, Jos.'

'Vond Jos je te dik? Hoe komt hij dáár nou bij!' Loïs ging op de bank tegenover Anouk zitten. Ze snapte er niets van. Anouk had juist zo'n mooi figuur, zelfs na de geboorte van de jongens had ze dat gehouden.

Anouk nam een slokje van haar koffie. 'Mmm, lekker.'

'Wat was er nu dat je niet door de telefoon kon zeggen?'

Anouk zette haar kopje neer. 'Ik... ik wil er een poosje tussenuit.'

'Hoe bedoel je?'

'Het gaat niet zo goed tussen Jos en mij. Al een tijdje niet.'

'Maar dan is ertussenuit gaan toch geen oplossing? Dat is weglopen voor de problemen.'

'Ik loop er niet voor weg. Ik wil alleen een beetje afstand nemen, kijken wat ik wil.'

'Waar wil je dan naartoe?'

Anouk haalde diep adem. 'Ik kan twee weken bij een vriendin in Frankrijk logeren, in de buurt van Parijs.'

'Bij wie dan?'

'Je kent haar niet, iemand van vroeger, van school.'

'En Jos dan, en de jongens?'

'Jos redt zich wel,' zei Anouk vlug. 'En ik had gehoopt dat de jongens dan bij jou mochten logeren. Ze komen graag bij je, dat weet je.'

Veertien dagen de jongens van Anouk over de vloer? O, het waren beste, brave jongens, maar veertien dagen... Nee, dat ging echt niet.

Ze zag hoe Anouk vol verwachting naar haar keek. Verwachtingen, daar had je dat woord weer. Anouk hoopte, nee, verwáchtte natuurlijk dat ze ja zou zeggen. Dat zei ze immers altijd als Anouk haar iets vroeg?

Loïs voelde hoe haar rug zich spande, alsof ze iets zwaars moest tillen. Ze kreeg een wat akelig gevoel in haar buik, maar toch zei ze: 'Nee Anouk, dat zal niet gaan.'

'Nee? Waarom niet?' Anouk leek oprecht verbaasd.

'Omdat... Het gaat gewoon niet. Ik heb m'n handen al vol genoeg aan mijn eigen gezin, en dan die studie er nog bij. Nee Anouk, sorry, maar je zult iets anders moeten verzinnen.'

'Dan laat je die studie toch schieten? Waar heb je dat nou voor nodig? Verdient Marcel niet genoeg?'

'Daar heeft het helemaal niks mee te maken. Ik doe die studie niet om er straks een baan mee te krijgen, maar om... Och, dat begrijp jij toch niet.'

'Nee, ik begrijp het inderdaad niet. Je zegt zelf dat je het al druk genoeg hebt met je gezin, dan ga je er toch niet ook nog eens bij studéren!'

Loïs voelde een vreemde moeheid over zich heen komen. Ze had helemaal geen zin om aan Anouk uit te leggen wat haar trok in de studie. 'Wil je nog koffie?' vroeg ze mat.

'Nee, dank je. Dus de jongens mogen hier niet logeren?' vroeg Anouk nog eens, alsof ze het niet kon geloven dat Loïs zojuist nee had gezegd.

'Nee. Af en toe een nachtje vind ik prima, maar niet veertien dagen achter elkaar.'

Anouk stond op. 'Nou, je wordt bedankt. Als Jos en ik straks uit elkaar gaan, is het jouw schuld.'

Loïs stond ook op. Ze werd boos. 'O nee, zus, dat mag je niet bij mij neerleggen! Jullie zijn zélf verantwoordelijk voor jullie relatie. Nee, nou nog mooier...!'

'Ik heb die veertien dagen hard nodig. Maar daar snap jij natuurlijk niks van.'

Loïs keek haar zus aan, die met felle ogen voor haar stond. 'Nee, daar snap ik niks van. En jij begrijpt mij niet dat ik naar school wil. Blijkbaar zijn wij niet in staat om ons in te leven in de ander.'

Ze voelde haar boosheid weer wegzakken en stak haar hand uit naar haar zus. 'Toe, Anouk... Misschien is er een andere oplossing?'

'Nee, die is er niet,' zei Anouk hard. 'Bij mama hoef ik ze ook niet te brengen. Ik hád een oplossing, dacht ik, maar als jij daar niet aan mee wilt werken...'

'Wat vindt Jos er eigenlijk van dat je veertien dagen naar Frankrijk wilt?' vroeg Loïs. Ze ging weer zitten en hoopte dat Anouk dat ook zou doen.

'Dat doet er nu niet meer toe.' Anouk bleef staan. 'Aangezien het toch niet door kan gaan.'

'Wéét hij het eigenlijk wel, dat je weg wilt?'

'Nee, en hij hoeft het niet te weten ook. Dus als jij je mond erover wilt houden?'

'Anouk!'

'Bespaar me je gepreek, alsjeblieft. Daar zit ik nu helemaal niet op te wachten.' Anouk stapte langs Loïs heen en liep naar de voordeur. 'Je wordt bedankt!' Ze knalde de deur achter zich dicht.

Loïs bleef als verdoofd zitten. Wat was er nu gebeurd? Had ze zojuist echt nee gezegd tegen Anouk? Ze steunde met haar ellebogen op haar knieën en legde haar hoofd in haar handen.

Het ging niet zo goed tussen Anouk en Jos. Waarom verbaasde haar dat niet? Toch sneu voor die twee jongetjes.

Anouk zei dat ze veertien dagen naar Frankrijk wilde. 'Om afstand te nemen.' 'Kijken wat ik wil.' Hoe kon je nu aan je relatie werken als je afstand nam? En hoe kon die vriendin in Frankrijk daar nu haar medewerking aan geven?

Loïs fronste haar wenkbrauwen. Wás er wel een vriendin in Frankrijk? Of was het...? Anouk zou toch niet...? Nee, ze schudde haar hoofd. Anouk zou toch niet zo stom zijn om veertien dagen naar een man 'ergens in de buurt van Parijs' te gaan als ze haar huwelijk wilde redden? Daarmee zette ze haar huwelijk toch alleen maar op het spel? Nee, ze moest zich niet zulke rare dingen in het hoofd halen. Ze kon beter haar aandacht richten op haar schoolwerk.

Maar eenmaal weer achter haar bureautje wilde het niet meer vlotten. Ze moest steeds maar weer aan de vraag van Anouk denken, ging zelfs allerlei mogelijkheden verzinnen om alsnog tegemoet te komen aan Anouks verzoek.

'Je bent gek!' zei Marcel toen hij dat 's avonds hoorde. 'En Anouk heeft ook haar verstand niet, tenminste, als ze haar huwelijk wil redden. Hoe haalt ze het in haar hoofd!'

'Maar misschien als we...'

'Nee, 't gebeurt niet!'

Loïs kon er 's avonds moeilijk door in slaap komen. Aan de ene kant was ze blij dat Marcel dit keer zijn poot stijf hield, aan de andere kant hoorde ze nog steeds de boze stem van Anouk: 'Je wordt bedankt!'

En ze kon er slecht tegen als er iemand boos op haar was.

Afgelopen maandagavond ging de les van André over 'kwaliteiten'. André had verteld dat in onze ogen negatieve karaktertrekken toch een kwaliteit konden zijn, alleen waren de dragers ervan daarin doorgeschoten. Zo was 'behulpzaamheid' een kwaliteit, maar als je té behulpzaam was, werd je bemoeizuchtig. En iemand die doorschoot in accuratesse werd pietluttig. Tot zover leek het logisch.

Hij had hun toen gevraagd welke kwaliteit er achter 'arrogantie' lag. Rika had verontwaardigd gereageerd dat arrogantie nooit een kwaliteit kon zijn, en hij had haar gevraagd waarom ze zo allergisch reageerde op dat woord. Haar antwoord leverde weer een nieuwe vraag van André op, en zijn vragen wisselden elkaar in hoog tempo af. Rika werd steeds meer in het nauw gedreven, en uiteindelijk erkende ze: 'Ik ben denk ik bang om zélf arrogant gevonden te worden.'

Andrés conclusie na het spervuur was: 'Je bent niet bang om arrogant gevonden te worden, je bent bang om niet áárdig gevonden te worden. Maar dat is een heel ander probleem. Neem dat maar mee in je supervisie.'

Loïs had het herkend op het moment dat hij het zei. Ook zij was bang om niet aardig gevonden te worden. Ook zij deed alle mogelijke moeite om van háár kant te zorgen voor een goede relatie met wie dan ook. 'Wees bescheiden en acht de ander belangrijker dan jezelf' was een bijbelse les die ze van haar vader geleerd had. Dat was zo'n beetje zijn levensmotto geweest, en het had zijn leven getekend in de manier waarop hij omging met zijn vrouw, en het verantwoordelijkheidsgevoel dat hij getoond had naar zijn werkgever.

Ze had tot nu toe altijd gedacht dat zichzelf wegcijferen 'christelijk' was. Maar als ze nu eerlijk was tegen zichzelf, was haar drijfveer om mee te gaan in de wens van de ander niet dat Christus dit van haar vroeg, maar de angst dat de ander boos op haar werd als ze dat niet zou doen.

Eigenlijk was het logisch dat ze daarmee zelf de verwachting schiep dat zij alles maar pikte. En logisch dat de ander verwachtte dat ze, áls ze al tegengas gaf, toch overstag zou gaan zodra die ander tekenen van boosheid vertoonde.

Zoals ze nu alsnog overstag wilde gaan omdat Anouk boos weggelopen was. Ja? Was dat zo, dat Anouk alsnog verwachtte dat Loïs haar haar zin zou geven? Op grond van eerdere ervaringen? Ze draaide zich vastberaden op haar zij. Deze keer ging dat dus niet gebeuren. Anouk zou daar vanzelf wel achter komen.

De volgende dag kon ze lekker doorwerken aan haar verslagen, en er kwamen geen telefoontjes. Ze had zelfs nog wat tijd over om een begin te maken met het verhaaltje voor de poppenkastvoorstelling volgende week.

's Avonds hadden ze om te beginnen les van André. Hij kwam eerst terug op de les van de keer daarvoor, en vertelde toen welke boeken ze voor hun eindtoets didactiek moesten kennen. 'Het is een hoop stof,' zei hij, 'maar als jullie er voldoende tijd in steken, moeten jullie allemaal een voldoende kunnen halen. Veel succes.'

In de pauze kwam hij naast haar zitten.

'En, bevalt het tot nu toe?' vroeg hij.

'Het is nog leuker dan ik me voorgesteld had,' zei Loïs enthousiast. 'Ik ben zo blij dat ik doorgezet heb.'

'Ik vind je bij mij altijd een beetje stilletjes in de klas. Ik hoor van mijn collega's dat je daar veel vaker je mond open durft te doen.'

Loïs kleurde.

André zag het. 'Mag ik vragen wat de reden is dat je dat bij mij niet doet?'

'Ja hoor, dat mag je best vragen. Ik weet alleen niet of ik daar antwoord op durf te geven.'

'Durf? Is daar moed voor nodig dan?' Hij lachte ontwapenend.

Loïs lachte nu ook. 'Ik vind jouw lessen steengoed en leer er veel van. Alleen... vergeleken bij jou voel ik me soms zo dom, dat ik niks durf te vragen omdat ik bang ben dat jij me ook dom zult vinden.'

'Daar hoef je bij mij niet bang voor te zijn. Je mag alles vragen, van vragen stellen word je wijs.'

'Maar domme vragen kunnen best irritant zijn.'

'Domme vragen bestaan niet, alleen domme antwoorden.'

'Misschien ben ik dan wel bang om een dom antwoord te geven als je me wat vraagt. Ik had afgelopen maandag gewoon medelijden met Rika...'

'Medelijden? Hoezo?'

'Jouw vragen leken wel kogels die op haar afgevuurd werden.'

'O? Zou Rika dat ook zo ervaren hebben?'

Loïs dacht na. 'Dat weet ik niet, ik heb het haar niet gevraagd,' zei ze. 'Maar ik denk dat ik het wel zo ervaren zou hebben als ik daar gezeten had.'

'Dat zegt iets over jou,' zei André droog. 'Niet over Rika.'

'Je hebt helemaal gelijk.' Ze lachten nu allebei.

De pauze was om, ze stonden op. André gaf haar een schouderklopje. 'Niet bang zijn om je mond open te doen, je hebt best iets te vertellen.'

De volgende les was drama. Ze kregen een opdracht in tweetallen. Ze moesten een scène bedenken waarbij er halverwege een omkering plaatsvond: aan het begin van de scène moest de een de macht in handen hebben, en aan het eind van de scène de ander.

Loïs moest samen met Jacques iets bedenken. Ze dacht aan de komst van Anouk gisteren en hoe zij gereageerd had op Anouks vraag. Dat had wel iets van een omkering in zich gehad.

'Misschien kunnen we iets met boosheid doen,' stelde ze voor.

'Hoezo?' vroeg Jacques.

'Nou, met boosheid kun je toch macht uitoefenen?'

'Dat ligt eraan, of je daar gevoelig voor bent of niet. Noem eens een voorbeeld?'

Loïs had al spijt dat ze die boosheid genoemd had. Tot overmaat van ramp kwam Simone bij hen staan. Hoe redde ze zich hieruit?

'Nou, eh... tja, eh... Bijvoorbeeld, iemand wil iets, en de ander gaat daar niet in mee en zegt nee, en die lijkt dan de macht in handen te hebben. En dan wordt die eerste boos, en daar kan die ander niet tegen en die zegt dan toch ja, en dan heeft die eerste dus de macht in handen.'

'Door boos te worden?'

'Ja.'

'Hm. Interessant.' Dat was alles wat Simone zei. Ze liep naar een volgend groepje.

'Beetje ongeloofwaardig,' zei Jacques. 'Je gaat toch niet overstag alleen omdat die ander boos wordt?'

'Nou, er zijn anders genoeg mensen die daar erg gevoelig voor zijn,' verdedigde Loïs zich.

'Ik kan me daar niets bij voorstellen,' zei Jacques.

Nee, jij niet, dacht Loïs, jij staat duidelijk stevig in je schoenen. Maar ze zei het niet hardop.

'Je geeft je kinderen toch ook niet meteen hun zin als ze boos worden?' vroeg Jacques.

'Nee, natuurlijk niet.' Loïs dacht aan Koen, die als klein kind soms flinke driftbuien had. Ze zette hem dan in een hoek om af te koelen, en dat had geholpen, de buien waren als vanzelf verdwenen.

'Ik ben alleen over te halen als mensen met goede argumenten komen,' zei Jacques. 'Of ze boos worden of niet, dat maakt mij niet uit. Nee, we moeten wel met iets geloofwaardigers komen.'

Uiteindelijk verzonnen ze een scène van een directeur van een middelbare school, die een leerling betrapte op het roken van een stickie. De leerling leek de pineut, hem wachtte een schorsing. Maar toen bleek dat die leerling het stickie had gekregen van de zoon van de directeur. Zodra de directeur dat hoorde, zakte hij als een plumpudding in elkaar, en met opgeheven hoofd verliet de leerling de directeurskamer, zonder schorsing.

De diverse scènes brachten veel hilariteit teweeg. Zo was er een scène met twee hondjes die elkaar achternazaten, een tenniswedstrijd waarbij eerst de een aan de winnende hand was en daarna door de ander werd ingemaakt, en een verliefd stelletje waar hij de verleider leek maar zij het uiteindelijk was. Wat was drama toch een veel leuker vak dan destijds!

Toen Loïs naar huis fietste, dacht ze na over wat Jacques gezegd had over wel of niet reageren op boos worden. Blijkbaar was eraan toegeven niet vanzelfsprekend, en volgens Jacques zelfs 'ongeloofwaardig'.

Achteraf gezien vreemd dat ze zich nooit had laten ringeloren door de driftbuien van Koen, maar wel door de boosheid van Anouk. Misschien omdat ze dat van huis uit gewend was, Anouk kreeg bij haar moeder ook altijd veel voor elkaar. En het was simpeler om mee te geven dan ertegenin te gaan. Wat ze nu dus wel gedaan had. Ze had dit keer nee gezegd en gekozen voor zichzelf. Al was ze bijna weer overstag gegaan. Het was goed dat Marcel dat voorkomen had.

Nee zeggen. Een van haar leerdoelen. Ze had er gisteren een begin mee gemaakt. Niet op de opleiding, niet op haar stageplek, maar in haar eigen huis. Tegen haar eigen zus.

Hoe zou het nu met Anouk gaan? Zou ze al een andere oppas voor de jongens gezocht hebben? Of zou ze zich erbij neergelegd hebben dat de twee weken Frankrijk niet door konden gaan?

Toen ze thuiskwam, zei Marcel: 'Anouk is langs geweest.'

'O? Wat had ze?'

'Niks. Toen ze hoorde dat jij niet thuis was, ging ze meteen weer weg. Ze zou je morgen wel bellen, zei ze.'

Zou Anouk een nieuwe poging wagen om haar zin te krijgen? Loïs voelde dat ze zich bij voorbaat al schrap zette bij die gedachte.

Het was alsof Marcel haar gedachten raadde, want hij zei: 'Je laat je niet alsnog ompraten, hoor!'

'Nee, natuurlijk niet.'

Maar in bed lag ze weer lang wakker. Hoe moest ze reageren als Anouk morgen belde met dezelfde vraag? Was ze sterk genoeg om nee te blijven zeggen?

Toen ze eindelijk in een onrustige slaap viel, droomde ze dat ze in het beklaagdenbankje van een rechtbank zat. De rechtszaal zat vol met klasgenoten van de opleiding en leraren en kinderen van haar stageplek. Op de voorste rij zat Marcel, die steeds maar nee zat te schudden. Naast hem zat Simone, die te pas en te onpas riep: 'Interessant!' Aan de andere kant zat André, die gebaren maakte dat ze haar mond open moest doen. Anouk was de openbare aanklager, zij las de aanklacht voor: 'Loïs is schuldig aan het stranden van ons huwelijk.' Jacques was Loïs' verdediger, en zijn reactie op de aanklacht was: 'Ongeloofwaardig, edelachtbare.'

Toen Loïs opzij keek omdat de rechter met zijn hamer sloeg, schrok ze. De rechter was haar vader. Hij keek haar bedroefd aan en zei: 'Wees bescheiden en acht de ander belangrijker dan jezelf.'

Toen ging iedereen door elkaar roepen. 'Interessant!' riep Simone. 'Ongeloofwaardig!' riep Jacques. 'Schuldig!' riep Anouk. 'Niet op reageren!'

riep Marcel. 'Doe je mond open!' riep André. 'Interessant!' riep Simone weer. Het overige publiek joelde en gilde: 'Zet 'm op, Loïs!'

Loïs zette haar handen tegen haar oren. 'Hou op allemaal!' gilde ze. 'Ik zeg al ja!'

'Niet doen!' riep Marcel. 'Ongeloofwaardig!' riep Jacques. 'Interessant!' riep Simone. Maar Anouk riep niets meer. Ze lachte alleen naar Loïs en zei: 'Zo ken ik je weer.'

10

DE VOLGENDE MORGEN KON LOÏS ZICH ER NIET TOE ZETTEN OM AAN HAAR
schoolwerk te gaan. Ze voelde zich daar te onrustig voor. Nadat ze de ontbijtboel opgeruimd en haar rondje door de slaapkamers gedaan had, ont-
vluchtte ze het huis en reed naar de bibliotheek. Ze snuffelde tussen de
diverse boeken over pedagogiek en psychologie, zonder naar iets specifieks
op zoek te zijn. Daarna zocht ze een boek over poppenkastverhalen en ging
daarmee in een leeshoek zitten. Daar bracht ze de rest van de ochtend door,
terwijl haar gedachten voortdurend afdwaalden.

Zou Anouk al gebeld hebben? Of zou ze langsgekomen zijn als ze geen
gehoor kreeg?

Ineens merkte Loïs dat haar schouders zich gekromd hadden. Ze hadden het
bij drama een keer over lichaamstaal gehad, en Loïs' groeiende bewustzijn
had daar veel van geleerd. Ze hadden een oefening moeten doen die op
video opgenomen werd. Loïs had als opdracht gekregen om aan iemand de
weg te vragen. Toen ze zichzelf terugzag, viel het haar op hoe weinig zelf-
verzekerd ze zich profileerde.

'Het lijkt wel alsof je je bij voorbaat al verontschuldigt dat je iemand lastig-
valt,' had Jacques haar als feedback gegeven. 'Alsof je uit wilt stralen: sorry
dat ik besta.'

Loïs had dat toen als heel heftig ervaren, de tranen waren in haar ogen
gesprongen. Simone had het gezien en had gezegd: 'Dit raakt je heel erg,
hè?' Loïs had alleen maar kunnen knikken. Het verslag dat ze over die ervaring had moeten schrijven, had haar in doen zien dat Jacques gelijk had
gehad. Ze was zich daarna veel bewuster geworden van haar lichaamshouding.

Waarom zat ze nu zo in elkaar gedoken? Als een bang musje? Ze hoefde hier
toch niet bang te zijn? Anouk wist niet eens dat ze hier was.

Nee, maar vanmiddag of morgen of wanneer dan ook kwam ze Anouk weer
tegen. En dan zou ze de strijd aan moeten gaan.

Ze hield niet van strijd. Maar ze kon toch niet steeds haar huis ontvluchten
omdat ze bang was dat Anouk langskwam?

Op school in de kantine hing een cartoon met daarop de woorden: *Ik wil wel voor mezelf opkomen, maar bij wie moet ik dan zijn?* Loïs had eerst niet begrepen wat daar grappig aan was. Pas toen ze de woorden tot zich door liet dringen, besefte ze wat de achterliggende boodschap was.

Ze rechtte haar schouders. Kom op, Loïs, je bent een grote meid. Weet je nog? Je mag er zijn. God houdt van je. Je mág ruimte vragen voor jezelf. Dat is niet egoïstisch.

Dit weten gaf rust. Dit, en het gedicht *Wedergeboorte* dat ze geschreven had en dat haar weer voor de geest kwam. Ze zag het beeld voor zich van het kleine, pasgeboren kind, dat zelf moest leren ademen, dat zelf moest leren voedsel tot zich te nemen, dat tanden kreeg om zich ergens in vast te bijten, dat zijn handen moest leren gebruiken om goede dingen mee te doen, dat zelf moest leren lopen om zich ergens naartoe te kunnen begeven.

Het was alsof het rechten van haar schouders haar meer lucht gaf. Alsof haar longen volstroomden met een nieuwe adem, die haar lijf vervulde.

Ze stond op. Ze was er klaar voor om de confrontatie met Anouk aan te gaan.

Die confrontatie liet niet lang op zich wachten. Toen Loïs Sem uit school had gehaald en bij haar huis aankwam, stond Anouk daar te wachten, met Jelle en Jurre.

Jelle kwam op haar afgerend. 'Tante Loïs, mogen we bij jullie eten?' Jurre holde achter hem aan. 'Ja, tante Lowis, bij jullie eten!'

Loïs keek naar Anouk. Die leek de onschuld zelf.

'Natuurlijk,' zei Sem in haar plaats. Hij keek omhoog. 'Toch, mam?'

'Ja hoor.'

Ze opende de voordeur en liep als eerste naar binnen. Anouk gooide blijkbaar haar kinderen in de strijd. Maar dat zou ze niet laten gebeuren. Geen ruzie waar de kinderen bij waren.

'Gezellig dat jullie mee-eten,' wist ze uit te brengen. Ze haalde de tafel leeg en pakte een tafelkleed. 'Sem, help jij even met tafel dekken?'

'Kan ik iets doen?' vroeg Anouk.

'Nee hoor. Wil je koffie of thee bij je brood?'

'Wat drink jij?'

'Thee.'

'Doe mij dan ook maar thee.'

Tjonge, wat zijn we ineens meegaand, dacht Loïs wat schamper.

Toen Isabel even later thuiskwam, gingen ze aan tafel. De aanwezigheid van de kinderen zorgde voor de vrolijke noot aan tafel en voorkwam dat er stiltes vielen. Sem liet een grappig versje horen dat ze die ochtend op school hadden geleerd. Jelle bleek het versje ook te kennen. Isabel moederde zoals gewoonlijk over Jurre.

'Wat kunnen ze toch goed met elkaar omgaan, hè?' zei Anouk.

'Ja.'

'Zou het nou zo veel extra moeite geven als...' begon Anouk.

'Niet nu!' Het kwam er scherper uit dan Loïs bedoelde.

Sem keek haar verbaasd aan. 'Ik doe toch niks?'

'Nee schat, ik zei het tegen tante Anouk.' Ze keek Anouk aan. 'Zullen we daar een ander keertje over doorgaan?'

Anouks blik sprak boekdelen, maar ze hield zich in en zei: 'Oké.'

'En Isabel, wat heb jij allemaal gedaan op school?' gaf Loïs het gesprek een andere wending.

Terwijl Isabel vertelde over haar wederwaardigheden op school, luisterde Loïs maar met een half oor. Zie je wel dat Anouk geen genoegen nam met haar nee?

Na het eten ging Isabel weer naar school, en de jongens gingen met Lego spelen in een hoek van de kamer.

Loïs dook de keuken in om af te wassen. Ze foeterde op zichzelf. Nu vlucht je alwéér!

Anouk kwam de keuken in gewandeld. 'Zal ik afdrogen?'

'Da's goed.'

Even was het stil, toen vroeg Anouk poeslief: 'Kunnen we er dan nu over doorgaan?'

Loïs boende met de afwasborstel zo hard over het bordje alsof ze erdoorheen wilde. 'Oké.'

'Je hebt gezien hoe makkelijk de kinderen zich aanpassen aan jouw gezin. Zou het nu zo veel extra moeite geven als ze hier een poosje zouden logeren?'

'Ik vind veertien dagen geen 'poosje', Anouk.'

Anouk meende een opening te zien. 'En als het nu maar om een week zou gaan?'

Loïs stopte met haar geboen en keek Anouk aan. 'Waarom neem je geen genoegen met mijn nee?'

'Omdat ik het echt nodig heb om er even tussenuit te gaan. Anders zou ik het niet vragen.'

'Maar ik heb mijn tijd hard nodig om alles goed rond te krijgen. Anders zou ik geen nee zeggen.' Ze ging weer driftig verder met boenen. Het lijkt wel tafeltennis, dacht ze. Zij gooit een balletje op, ik retourneer het met gebruik van haar eigen woorden.

Anouk leek even van haar stuk gebracht. 'Jij hebt Marcel. Hij kan je toch helpen?'

'Jij hebt Jos. Hij kan jou toch helpen?' Ping-pong.

'Je snapt me niet.'

'Jij snapt mij niet.' Ping-pong.

'Wat is er tegenwoordig toch met je? Je doet zo anders.'

'Wat is er toch met jou? Je doet...' Nee, dit werd flauw. Het was geen spelletje. Weer keek ze Anouk aan. 'Ik leer een hoop over mezelf op die opleiding. Ik leer dat ik veel te snel ja zeg. Ik leer dat ik makkelijk over me heen laat lopen. Ik leer dat ik bang ben voor ruzie. En nog heel veel meer over mezelf. En ik leer dat ik daar zelf de hand in heb.'

'En daar word ik dus de dupe van,' mompelde Anouk.

Loïs snoof verontwaardigd. 'Nu leg je het alwéér bij mij neer. Dát is makkelijk!' siste ze.

'Maar het ís toch zeker zo?' Anouk verhief haar stem.

Loïs liep snel naar de keukendeur en sloot die, zodat de kinderen niets zouden horen.

'Het ís toch zeker zo?' zei Anouk weer. 'Omdat jij zo nodig ineens assertief moet worden, kan ik niet naar Frankrijk.'

'Is er wel een vriendin in Frankrijk?' vroeg Loïs. 'Of is het een vriend?'

Anouk kleurde. 'Het is niet wat je denkt.'

'O, wat denk ik dan?'

'Jij denkt dat ik een verhouding heb met een andere man.'

'En heb je dat ook?'

'Nee. Tenminste, nog niet.'

'Maar je bent er dus wel op uit?'

Anouk gooide de theedoek op de keukentafel en liet zich op een stoel zakken. 'Ik weet het niet.' Ze sloeg haar handen voor haar gezicht.

Loïs ging voor haar op haar hurken zitten. 'Anouk, waar ben je mee bezig?' Anouk keek haar met betraande ogen aan. 'Ik... ach, dat begrijp jij toch niet. Jij en Marcel hebben een heel ander soort relatie dan Jos en ik.'

'Dat is anders niet vanzelf gegaan, daar hebben we hard aan gewerkt,' zei Loïs. 'Anouk, jullie hebben samen twee jonge kinderen, dat zou op zichzelf al reden genoeg moeten zijn om aan jullie relatie te blijven werken. Die jongens hebben een veilige basis nodig op deze leeftijd.'

'Zei mevrouw de psychologe,' zei Anouk wat schamper.

'Doe niet zo flauw. Ik meen het, Anouk, toe. Denk nu eens even aan die jongens in plaats van alleen aan jezelf.'

'Wat is het verschil tussen mijn denken aan mezelf en jouw behoefte om naar school te gaan? Jij doet dan toch ook wat je zelf wilt?'

'Dat is heel iets anders.' Maar was dat wel zo, schoot het door Loïs heen. 'Ik doe die opleiding en probeer dat zo goed mogelijk te combineren met mijn gezin. Maar als om de een of andere reden zou blijken dat mijn gezin daaronder zou lijden, zou ik acuut stoppen met de opleiding. Mijn gezin gaat voor. Maar ik krijg bij jou nu niet bepaald de indruk dat je gezin op dit moment voorgaat. Jij zoekt nu alleen je eigen geluk. Nogmaals, Anouk, denk eens een keer niet in de eerste plaats aan jezelf, denk toch aan je jongetjes.'

Anouk keek haar koel aan. 'Je houdt een mooi pleidooi, je zou advocaat moeten worden. Leer je dat ook op school?'

Loïs ging staan. 'Nee, dat leer ik niet op school. Dat heb ik van papa geleerd.' Ze pakte de theedoek en ging verder met afdrogen.

Anouk stond ook op. 'Jelle, Jurre, kom, we gaan naar huis.' Ze liet Loïs met een vervelend gevoel achter.

's Middags belde haar moeder.

'Volgende week zaterdag ben ik jarig. De eerste verjaardag zonder papa erbij. Ik heb geen zin om m'n verjaardag hier thuis te houden, dat is me veel te veel rompslomp. Maar ik zou het wel fijn vinden om op die dag al m'n kinderen en kleinkinderen om me heen te hebben. Wat zou je ervan vinden om met z'n allen ergens te gaan eten?'

'Goed idee,' vond Loïs. 'Maar is dat niet te druk voor u?'

'Als we nu een restaurant uitzoeken waar ze ook een speelhoek hebben voor de jongste kinderen, dan zal het wel gaan. Daarom bel ik jou. Weet jij niet zoiets?'

Loïs dacht na. 'Ik denk dat ik wel iets weet. Ze hebben daar ook een klein zaaltje bij. Dan zitten we helemaal rustig. Zal ik eens bellen of er plek is?'

'Graag. Dan hoor ik het wel. Verder alles goed?'

'Ja hoor. Ik bel zo terug.'

Het zaaltje was nog vrij op die dag. Loïs reserveerde het meteen en belde haar moeder terug. 'Het kan, hoor. Ze hebben het nu vastgelegd op uw naam.'

'Fijn, bedankt. Heb je zin om een kopje thee te komen drinken?'

'Als u het niet erg vindt dat ik Sem meebreng?'

'Nee hoor, één kind is me niet te druk.'

'Ik kom eraan.'

'Heeft u nog een verlanglijstje?' vroeg Loïs toen ze even later bij haar moeder aan de thee zat.

'Ach kind, wat moet ik nou nog vragen? Als ik iets nodig heb, kan ik het zelf kopen. En wat ik wil, is niet met geld te koop.'

'Wat dan?'

'Dat je vader er nog zou zijn. En dat jullie wat meer tijd voor me hadden.'

'Ik bén er nu toch?'

'Ja, maar jij hebt het druk met je studie. Ik snap nog steeds niet wat je daar zoekt. En Anouk komt al helemaal niet meer, die belt alleen af en toe. Wanneer heb jij haar voor het laatst gezien?'

'Vanmiddag nog, toen heeft ze bij me geluncht, samen met de jongetjes.'

'O? Hoe dat zo?'

'Och, ze wilde me wat vragen en toen is ze maar gelijk blijven eten.' Haar moeder hoefde niet te weten wat er aan de hand was.

'Waarom kan ze wel bij jou langs en niet bij mij?' zei haar moeder op klagende toon.

'Dat moet u haar zelf maar vragen,' zei Loïs kortaf. 'Ik bemoei me daar niet mee.'

'Het is net of je jezelf niet meer bent sinds je die opleiding doet,' zei haar moeder. 'Vroeger zou je zoiets niet gezegd hebben. Was je vader er nog maar. Die zou gelijk moeite hebben gedaan om Anouk en mij weer bij elkaar te brengen.'

'Vroeger zou dat niet nodig geweest zijn, want vroeger waren Anouk en u twee handen op één buik,' zei Loïs.

'Ja, wat zou er toch met Anouk zijn? Vroeger waren we zo close.'

Loïs antwoordde niet. Ze zette haar theekopje neer en zei: 'Wilt u nog een kopje?'

'Nee, dank je.'

'Nou, dan gaan wij er weer vandoor, Isabel komt zo thuis.'

'Hoe doen we dat nu volgende week?'

'Hoe bedoelt u? Ik heb toch al besproken?'

'Ja, maar hoe laat spreken we af? En wie haalt mij op?'

'Onze auto zit vol met vier kinderen, en wij hebben maar één auto. Dan vraagt u het toch aan Anouk? Zij hebben maar twee kinderen én twee auto's. Ik heb trouwens afgesproken dat we om vijf uur willen komen. Dan wordt het niet te laat voor de kleintjes.'

'Goed, dan bel ik zelf wel naar Anouk. Nou, dag kind, fijn dat je even langskwam.'

Op de terugweg naar huis ging Loïs even langs de bibliotheek om het boek met poppenkastverhalen op te halen. Dat had ze vanmorgen vergeten mee te nemen.

Ze kwamen gelijk thuis met Isabel. Sanne en haar moeder Irene waren er ook bij.

'Mag Sanne hier spelen?' vroeg Isabel.

'Kan het?' vroeg Irene. 'Ik heb je vanmiddag nog gebeld, maar je nam niet op. Ik moet even bij een klasgenoot langs om wat materiaal op te halen. Ik had Sanne mee willen nemen, maar ze had geen zin en vroeg of ze bij jullie mocht spelen.'

'Ja hoor. Hoe is het trouwens met je? We zien elkaar niet meer nu we geen van beiden leesmoeder meer zijn.'

'Goed! En met jou? Ik hoorde van Isabel dat je ook aan een opleiding bent begonnen. Leuk?'

'Ja, ik doe de deeltijdpabo, en ik geniet er erg van. Nog bedankt.'

'Bedankt? Hoezo?'

'Nou, door jouw opmerking destijds, dat ik niet alleen de vrouw van Marcel en de moeder van mijn kinderen ben, ben ik daarover na gaan denken. Dat heeft er uiteindelijk in geresulteerd dat ik aan die opleiding begonnen ben. Dus mede dankzij jou geniet ik van een heel andere kant van mezelf.'

'Goed om te horen,' zei Irene. 'Zullen we anders een keer afspreken om bij te praten? Ik ben erg benieuwd naar je ervaringen. Het is toch een heel geregel met een gezin, nietwaar? En dan heb ik maar twee kinderen, terwijl jij er vier hebt.'

'Prima, lijkt me gezellig. Wanneer? Ik heb op maandagavond en donderdagavond school, en dinsdags loop ik stage.'

'Volgende week woensdagochtend? Bij jou of bij mij?'

'Maakt mij niet uit.'

'Kom maar naar mij toe dan. Uur of tien?'

'Leuk!'

Ze hadden heel wat te bepraten die woensdag. Beiden waren het erover eens: door zo'n opleiding leerde je heel andere kanten van jezelf kennen.

'Het is alsof ik dieper in mezelf afdaal, en daar dingen tegenkom die ik weggestopt had, of die ik nog niet wist van mezelf,' zei Irene. 'Het lijkt bijna op therapie. We mediteren veel, en daarbij kom ik allerlei stoffige kamertjes tegen in mezelf. Soms lig ik ongemerkt te huilen, maar dat geeft niet. Het werkt reinigend. Als ik yoga aan anderen geef, zal ik toch eerst goed in mijn eigen vel moeten zitten.'

'Ik doe natuurlijk een heel ander soort opleiding,' zei Loïs. 'Maar ook ik kom dingen in mezelf tegen waar ik me nog niet eerder van bewust was, en waar ik wat van leer. Alsof ik steeds meer mezelf word. De dingen die ik bij de vakken drama en pedagogiek en psychologie tegenkom, helpen me daarbij. Ik denk niet dat ik die dingen tegengekomen zou zijn als ik bijvoorbeeld naar de hts of de heao gegaan zou zijn.'

Ze vertelde van haar gedicht *Wedergeboorte*. 'Ik heb dat nog niet eerder aan iemand verteld, zelfs aan Marcel niet.'

'Wat weerhield je daarvan?' vroeg Irene.

Loïs haalde haar schouders op. 'Misschien was ik bang dat hij het gek zou vinden. Of zweverig.' Ze lachte. 'Marcel moet daar niets van hebben, van dat zweverige. Hij zou het denk ik niet prettig gevonden hebben als ik net zo'n opleiding als de jouwe zou doen.'

'Dat zegt iets over hem,' zei Irene droog. Ze lachte. 'Nee hoor. Ieder z'n meug, en als het niet bij je past, moet je het ook niet doen. Ieder mens gaat de weg die bij hem past.'

'Is dat zo?' vroeg Loïs. Ze dacht aan Anouk. 'En mensen die alleen hun eigen genoegens najagen? Is dat ook een weg die bij hen past?'

'Ik heb ooit iemand horen zeggen: 'Ieder mens doet altijd datgene wat hij op dát moment het liefst wil,'' zei Irene. 'En ik denk dat hij gelijk heeft.'

'Dat denk ik niet,' reageerde Loïs direct. Ze dacht aan haar vader.

'Noem eens een voorbeeld?'

'Nou, mijn vader zei altijd: 'Wees bescheiden en acht de ander belangrijker dan jezelf.' Dat heeft hij heel zijn leven uitgedragen. Hij schoof zijn eigen pleziertjes aan de kant, het werk ging altijd voor. Dus hij deed niet wat hij zelf wilde, maar cijferde zichzelf weg voor de zaak.'

'Wat zou zijn drijfveer daarin geweest zijn?'

'Eh... ik denk zijn verantwoordelijkheidsgevoel.'

'En hoe zou hij zich gevoeld hebben als hij voor zijn pleziertjes had gekozen?'

'Niet prettig, denk ik.'

'Waarom niet? Hij koos dan toch voor iets wat hem plezier gaf?'

'Hij zou zich schuldig gevoeld hebben, denk ik, als hij dat zou doen. Omdat hij zichzelf die norm had opgelegd. Een norm trouwens die hij uit de Bijbel had gehaald.'

'Dus klopt het dan als ik zeg dat jouw vader de keuze had tussen zijn plicht doen en daar een goed gevoel over hebben, en kiezen voor zijn pleziertjes en zich daar schuldig over voelen?'

'Eh... ja, dat denk ik wel.'

'Waar haalde jouw vader dus een goed gevoel uit?'

Loïs begreep waar Irene naartoe wilde. 'Door te doen wat hij deed. Iets wat

hij zag als zijn plicht. En hij wilde geen schuldgevoel, maar een goed gevoel.'
Ze ging niet meteen overstag. 'Maar iemand als moeder Teresa? Of Florence
Nightingale? Die cijferden zichzelf toch ook weg om anderen te kunnen
helpen?'
'Wie zegt dat ze dat niet deden omdat dat helpen hun een goed gevoel
gaf?'
'Als je het zo stelt, zou altruïsme dus niet bestaan?'
'Dat zeg ik niet. Maar je weet nooit precies wat de drijfveer is van mensen.
Kijk maar eens naar verslaafden. Die wíllen vaak niet verslaafd zijn, maar er
zijn momenten in hun leven waarop de behoefte om te vluchten van de
soms harde werkelijkheid zwaarder weegt dan de wens om niet verslaafd te
zijn. Daarom is het ook: ieder mens doet altijd datgene wat hij op dát
moment het liefst wil.'
'Nou, misschien zit er wel een kern van waarheid in die opmerking. Weer
iets om over na te denken.' Loïs lachte. 'Weet je, het is alsof die eerdere
opmerking van jou, over dat ik niet alleen de vrouw van Marcel en de moeder van mijn kinderen ben, een soort sleuteltje is geweest dat de deur naar
een nieuwe manier van denken opengezet heeft. Ik denk dat het overlijden
van mijn vader daar ook een rol in gespeeld heeft. In het begin vond ik dat
nieuwe denken, zoals ik het maar noem, best eng. Maar ik merk dat ik het
steeds leuker vind om over allerlei dingen na te denken.'
'Wat vond je er eng aan?'
'Dat weet ik niet precies. Misschien omdat het zo anders was dan wat ik tot
dan toe gewend was.'
'Je had het daarnet over 'wedergeboorte', en je noemde in je gedicht dat daar
ook angst bij kwam kijken. Had het daarmee te maken?'
Loïs knikte. 'Ja, ik denk het wel. Dat zal angst voor het onbekende geweest
zijn.'
'Herkenbaar,' knikte Irene. 'Maar angsten zijn er om te overwinnen. En je
overwint ze niet door ervoor te vluchten, maar door ze van dichtbij te bekij-
ken.'
'Maar dat is eng...'
Ze lachten allebei.
'Angst voor de angst,' zei Irene. 'Een bekend fenomeen.' Ze keek op de klok.

'Ik wil je niet weg hebben, maar het is bijna halftwaalf. Moet jij Sem niet ophalen?'

Loïs schoot overeind. 'O nee, dat is nu al de tweede keer dat ik hem bijna vergeet! Maar 't was ook zo leerzaam.'

'Ontaarde moeder!' zei Irene met een bestraffend vingertje.

De ontaarde moeder pakte snel haar jas van de kapstok en rende naar haar fiets. 'Nog bedankt, hè,' riep ze nog.

Gelukkig was ze dit keer wel bijtijds op school. De klas van Sem kwam net naar buiten. 'Mag ik vanmiddag bij Johan spelen?' riep hij al uit de verte.

Loïs wachtte tot hij naast haar stond en zei toen: 'Mag dat ook van Johans moeder?'

'Ja hoor,' klonk er een stem naast haar, 'dat mag van Johans moeder.'

Loïs draaide zich om. 'Hoi. Hoe laat kan hij komen?'

'Hij mag nu meteen al mee, als hij dat wil. Ja, wil je dat, Sem? We eten poffertjes.'

'Maar die lust hij niet,' plaagde Loïs. 'Toch, Sem?'

'Welles! Die lust ik juist heel graag!'

'Nou, dat is dan geregeld,' zei Johans moeder. 'Johan moet om hafvijf op judo zijn, zal ik Sem dan gelijk thuisbrengen?'

'Graag,' zei Loïs.

Toen ze naar huis fietste, dacht ze: al heb ik vanmorgen niets aan m'n schoolwerk kunnen doen, toch was het een leerzame ochtend. Ze dacht daarbij aan Socrates en zijn 'methode van de vroedvrouw'.

Irene had een hoop vragen gesteld. Ze had weer veel om over na te denken.

11

DE ZATERDAG BRAK AAN WAAROP LOÏS' MOEDER HAAR VERJAARDAG VIERDE. LOÏS was 's morgens even langs geweest om haar moeder alvast te feliciteren en een bos bloemen te brengen, en om te vragen of er nog boodschappen gehaald moesten worden. Nee, dat hoefde niet, die had de buurvrouw al gehaald.

Loïs had niets meer gehoord van Anouk, en zelf had ze ook geen initiatief tot contact meer ondernomen. Ze was wel benieuwd hoe Anouk zich op zou stellen vanavond.

Even voor vijven kwamen ze bij het restaurant aan. De anderen waren er nog niet. Isabel en Sem doken gelijk de speelhoek in, en Anne en Koen zaten wat te bladeren in de tijdschriften die er lagen.

Even later zagen ze de zwarte SUV van Jos het terrein op rijden, met daarachter het rode Peugeotje van Anouk. Jos hielp zijn schoonmoeder uitstappen, terwijl Anouk de kinderen uit hun zitjes haalde. Daarna kwam het gezelschap naar binnen.

Jelle en Jurre deden snel hun jasjes uit en vlogen meteen naar de speelhoek. Marcel hielp zijn schoonmoeder uit haar jas.

'Isabel, Sem, komen jullie oma feliciteren?' riep Loïs. Ze kwamen gehoorzaam oma een kusje geven en renden daarna weer terug naar hun neefjes. Oma Thea werd daarna gefeliciteerd door Marcel, Anne en Koen. Jos en Marcel schudden elkaar de hand. Loïs keek naar Anouk en deed een stap in haar richting. 'Gefeliciteerd met mam,' zei ze.

'Ja, jij ook,' zei Anouk, en ze draaide meteen daarna haar gezicht weg. Blijkbaar werd er vandaag niet gezoend.

'Hebben jullie al wat te drinken besteld?' vroeg Jos.

'Nee, we hebben nog geen ober gezien.'

'Ik roep wel iemand.' Jos beende met grote stappen weg.

De bestellingen werden opgenomen, en tot het eten werd opgediend zaten ze in de gezellige serre die naast het zaaltje lag.

Toen de ober kwam zeggen dat ze aan tafel konden, werden de jongste kinderen geroepen en zocht iedereen een plekje. Oma Thea wilde graag tussen haar twee dochters zitten. 'En als Anne nu naast Loïs gaat zitten, en Isabel naast Anouk, dan zitten alle vrouwen van de familie naast elkaar,' bedisselde ze. Ze keek vergenoegd opzij. 'Hè, gezellig.'

Jurre kwam op het hoofdeind te zitten naast Isabel, voor hem stond een speciale kinderstoel klaar. Aan de overkant van oma Thea zaten Jos, Jelle, Sem, Marcel en Koen.

Jelle vond het geweldig dat hij naast Sem mocht zitten. Hij trok gekke gezichten om Sem aan het lachen te maken, maar Anouk stak een waarschuwende vinger naar hem op: 'Hé, als je net zo doet als gisteravond, staat mama op en gaat ze weg.' En tegen Jurre zei ze: 'Niet zo draaien, anders zet mama je in de hoek.'

Nou, dat begint al goed, dacht Loïs. Gezellig!

Ze keek naar Jos om te zien of hij zich ermee bemoeide, maar die leek meer interesse te hebben in de menukaart.

'Wat doen we?' vroeg Marcel. 'Allemaal een voorgerecht, of beginnen we meteen met het hoofdgerecht?'

'Ze hebben hier ook een driegangen-keuzemenu, daarbij kun je uit zes voorgerechten, zes hoofdgerechten en zes nagerechten kiezen,' zag oma Thea op de kaart. 'Zullen we dat doen?'

'Doe de kinderen maar een kindermenu, zij hebben daar genoeg aan,' besliste Anouk.

'Isabel, wat wil jij? Met de grote mensen mee-eten of wil je een kindermenu?' vroeg Loïs langs oma en Anouk heen.

'Ik wil met de grote mensen mee-eten,' zei Isabel.

'Ik ook!' riep Sem.

'Ik ook!' riep Jelle.

Hij kreeg meteen een duw van zijn vader. 'Helemaal niet, jij krijgt gewoon een kindermenu.'

Loïs keek vragend naar Marcel. Wat doen we, seinde ze met haar ogen.

'Weet je het zeker?' vroeg Marcel aan Sem. 'Een kindermenu is toch ook lekker? En daar zit misschien wel een speeltje bij.'

'Nee, ik wil een grotemensenmenu,' zei Sem.

'Oké, maar dan moet je straks niet mopperen als je geen speeltje krijgt, hoor.'

'Nee, dat doe ik niet,' zei Sem schuddend met zijn hoofd.

Marcel noemde de zes voorgerechten op waaruit Sem zou moeten kiezen.

'En dan moet je straks uit zes hoofdgerechten kiezen, en daarna uit zes toetjes.'

Dat bleek allemaal te ingewikkeld voor Sem. 'Oké. Doe toch maar een kindermenu,' zei hij zuchtend.

Terwijl de groten een keuze maakten uit de diverse gerechten, vroeg de ober aan Sem, Jelle en Jurre: 'Lusten jullie allemaal soep?'

'Ik lust tomatensoep met balletjes,' riep Sem.

'Ik lust geen tomatensoep,' zei Jelle met een vies gezicht. 'Bah, tomaten.'

'We hebben ook groentesoep met lettervermicelli.'

'Doe de jongens maar geen soep, hoor,' zei Anouk. 'Dat wordt zo'n geknoei.'

'Lusten jullie dan wel een klein pizzaatje?' vroeg de ober aan de jongens.

'Ja, pizza lust ik wel,' zei Jelle.

'Ikke ook,' riep Jurre.

'O, maar pizza lust ik ook wel,' zei Sem.

'Pizza of tomatensoep met balletjes?'

'Pizza!'

'Oké, staat genoteerd, drie pizzaatjes voor de heren.'

Jelle en Sem keken gniffelend naar elkaar. En toen de ober ook alvast een schaal stokbrood op tafel zette, werd hun lach nog breder. 'Mmm, lekker!'

De pizzaatjes zorgden ervoor dat het voorgerecht in alle rust genuttigd kon worden. Daarna was het wachten op het hoofdgerecht.

Dat duurde de jongens wat te lang. 'Mogen we nog even in de speelhoek?' vroeg Jelle.

'Nee! Je blijft gewoon zitten tot we klaar zijn met eten,' zei Anouk op snauwende toon. En toen Jelles gezicht betrok zei ze: 'En niet gaan zitten jengelen!'

De ober zorgde weer voor een oplossing. Hij bracht vier papieren placemats en vier doosjes waarin elk zes kleurpotloodjes zaten.

'Kijk eens, dan mogen jullie je eigen placemat kleuren.'

Loïs zond de man een dankbare blik, en de rust was weergekeerd.

Na de hoofdmaaltijd zei oma Thea tegen de ober: 'Wacht nog maar even met het nagerecht, ik zit al zo vol, dan kan het eerst zakken.'

'Mogen wij dan een poosje in de speelhoek?' vroeg Isabel aan oma.

'Van mij wel, als het van jullie papa en mama mag.'

'Ik vind het best,' zei Loïs. 'Anouk, mag het?'

'Eigenlijk mogen ze tijdens het eten niet van tafel, maar ik kan nu moeilijk nee zeggen als het van jullie wel mag,' zei Anouk chagrijnig.

De kinderen hadden niet meer aanmoediging nodig, ze vlogen naar de speelhoek. Ook Koen voelde zich blijkbaar nog niet te groot.

Haar moeder keek opzij. 'Wat is er toch met je? Heb je het niet naar je zin?'

'Och, laat maar,' zei Anouk.

'Ze is al maanden zo,' zei Jos. Hij speelde wat met zijn bestek.

Anne vond dit het moment om zich ook bij de kleintjes te voegen. Ze voelde een spanning in de lucht hangen die erg onaangenaam was.

Loïs had de neiging om met haar mee te gaan, maar ze bleef zitten.

De stilte was om te snijden.

Loïs had te doen met haar moeder. Die zou het al moeilijk genoeg hebben op de eerste verjaardag zonder haar man. Hè, die vervelende Anouk ook!

Ze zocht naar een gespreksonderwerp om de akelige stilte te doorbreken, al was het alleen al voor haar moeder, en vond dat in de dingen waar haar hart de laatste tijd vol van was.

Ze stak haar arm door die van haar moeder en zei: 'Mam, ik heb toch van de week zoiets leuks gehoord op m'n stage. Een van de kleuters krijgt binnenkort een broertje of een zusje. Hij wist echter zeker dat er geen baby'tje in mama's buik zat, maar een trekker. Hij bleef dat stug volhouden. Hij is weg van trekkers en vrachtwagens en hijskranen en zo, dus ik dacht dat de wens bij hem de vader van de gedachte was. Maar toen legde zijn moeder uit: 'Hij is een paar keer mee geweest naar de verloskundige, en dan mag hij ook altijd naar het hartje luisteren. Hij hoort dan: duuk-duuk, duuk-duuk, duuk-duuk. En dat geluid maakt een trekker ook. Dus zit er een trekker in mama's buik.' Kinderen denken altijd zo heerlijk logisch!'

Haar moeder schoot in de lach, en ook de mannen glimlachten. Maar Anouk zei: 'Het feit dat jij zo weg bent van je school en je stage wil niet zeggen dat wij daar ook in geïnteresseerd zijn.'

Opnieuw viel er een stilte. Loïs streed met haar gevoelens. Ze ervaarde de opmerking van Anouk als bewust kwetsend, en had de neiging om zich bezeerd terug te trekken in zichzelf. Anderzijds ging haar hart uit naar haar moeder, die hier toch ook wel last van zou hebben, en die net als zij een hekel had aan ruzie.

Haar moeder zuchtte. 'Op zo'n dag als vandaag mis ik papa nog meer dan anders.'

Loïs drukte haar moeders arm. 'Da's toch logisch? Vorig jaar rond deze tijd zaten jullie in Canada, weet u nog?'

'Ja. Maar dat lijkt alweer zo lang geleden.'

'O ja, dat is waar ook,' bedacht Loïs ineens. 'Op papa's computer stonden de foto's van Canada, en een map Anouk en een map Loïs. Marcel heeft die foto's en alle andere bestanden op een externe harde schijf gezet, met de bedoeling dat we die een keer uitzoeken om te kijken wat weg kan en wat niet. Heeft u die foto's eigenlijk weleens gezien?'

'Een paar. Papa wilde er een album van maken, maar daar is hij niet meer aan toegekomen.'

'Zou u ze willen zien, of roept dat pijnlijke herinneringen op?'

'Misschien wil ik ze door de tijd weleens zien, maar nu nog niet.'

'Heeft Loïs papa's computer dan gekregen?' vroeg Anouk.

'Ja.'

'Jullie hebben toch een goede computer? Is die gecrasht?'

'Nee, maar Marcel heeft boven een werkhoek voor me gemaakt, en ik heb toen aan mama gevraagd of ik papa's computer boven neer mocht zetten, zodat ik niet elke keer heen en weer hoef te lopen als ik iets op moet zoeken op internet.'

'Ik doe er toch niets mee,' zei haar moeder.

'Als ik dat geweten had, had ik hem ook wel willen hebben,' zei Anouk mokkend.

'Waar heb jij nou een computer voor nodig?' vroeg Loïs verbaasd.

'Gewoon, voor hetzelfde als jij, internetten en zo.'

'Jullie hebben toch ook al een computer?'

'Ja, maar die staat in Jos z'n kantoortje.'

'O, sorry hoor, ik wist niet dat jij 'm ook wel wilde hebben,' zei oma Thea. 'Weet je wat, dan koop je er maar eentje op mijn kosten, dan hebben jullie allebei wat.'

Loïs voelde een lichte ergernis opkomen. Ze had al spijt dat ze de computer meegenomen had, en had de neiging om te zeggen: 'Neem jij hem dan maar.

Ik hoef hem al niet meer.'

'Wat staat er in die map Anouk?' vroeg Anouk.

'Dat weet ik niet. Toen ik de eerste foto van de map Loïs aanklikte, zag ik Sem zwaaiend naar zijn opa, en dat was me even te veel, en toen heeft Marcel die foto's allemaal op een externe harde schijf gezet.'

'Ik kan de map op een USB-stick zetten, dan krijg je ze wel een keer,' zei Marcel.

De ober kwam vragen of hij het nagerecht al kon serveren. Loïs keek op haar horloge. Halfzeven. 'Kan het al, mam?'

'Ja, doe maar. Ik ben een beetje moe en wil het niet te laat maken.'

De kinderen werden geroepen, en even later zat iedereen te smullen van zijn of haar toetje.

Toen Jurre een klodder ijs op zijn overhemdje liet vallen, viel Anouk tegen hem uit: 'Pas nou toch eens op, knoeipot!'

'Zal ik hem helpen, tante Anouk?' klonk Isabels stemmetje vanuit de hoek.

'Nee, dat doe ik zelf wel. Ga jij maar naast oma zitten, dan kan ik op jouw stoel.'

Isabel ging echter niet op Anouks stoel zitten, maar kwam tegen Loïs aan hangen. 'Mag ik bij jou op schoot, mam?'

Loïs schoof achteruit. 'Kom maar.'

'Wil je niet naast oma zitten?' vroeg oma Thea.

'Ik wou gewoon bij mama zitten,' zei Isabel. 'Ik zat de hele avond zo alleen.'

Die heeft zich niet prettig gevoeld naast Anouk, dacht Loïs. Zelfs met de kleine Jurre aan de andere kant voelde ze zich blijkbaar toch alleen.

Ze knuffelde Isabel. 'Heb je lekker gegeten van je grotemensenmenu?'

'Jawel, maar ik denk dat ik volgende keer toch maar weer een kindermenu neem.'

'Nemen we nog een bakje koffie of thee of laten we het hierbij?' vroeg Marcel toen iedereen klaar was.

'Mam?'

Oma Thea schudde haar hoofd. 'Ik wil graag naar huis. Jos, wil jij me thuisbrengen?'

Jos schoof zijn stoel naar achteren en stond op. 'Natuurlijk.'

Toen oma en Jos vertrokken waren, riep Anouk haar zoontjes, die weer naar de speelhoek waren gegaan. 'Kom, jongens, we gaan naar huis!' En toen ze niet snel genoeg naar haar zin kwamen, riep ze: 'Anders gaat mama alleen naar huis, hoor!'

Loïs bedwong haar neiging om er iets van te zeggen. Anouk was al prikkelbaar genoeg, ieder woord zou alleen maar olie op het vuur zijn.

Anouk vertrok met de jongens zonder gedag te zeggen.

'Het zit Anouk blijkbaar erg hoog dat je niet op wilt passen,' concludeerde Marcel in de auto op weg naar huis. 'Ze negeerde je gewoon.'

'Tante Anouk was helemaal niet gezellig,' klaagde Isabel vanaf de achterbank. 'Ze zat alleen maar te mopperen op Jelle en Jurre, en ze heeft helemaal niks tegen mij gezegd. Anders vindt ze het altijd zo leuk als ik bij haar kom zitten.'

'Alleen omdat ze zelf geen dochters heeft,' zei Anne wat schamper.

'Ik denk dat tante Anouk een beetje moe was,' zei Loïs in een poging haar zus te verontschuldigen, en om van het heikele onderwerp af te stappen keek ze achterom en lachte. 'Net als Sem.' Sem zat met slaperige ogen voor zich uit te kijken.

'Ik ben helemaal niet moe!' liet hij zich horen, en hij sperde zijn ogen wijd open.

De rest van de weg legden ze zwijgend af.

Loïs dacht na over het gedrag van Anouk. Toen Anouk nog een kind was, ging ze ook altijd zitten mokken als ze haar zin niet kreeg. Haar moeder had daar slecht tegen gekund. Ze keek Anouk, haar oogappel, voortdurend naar de ogen en gaf haar dan vaak alsnog haar zin.

Wat dat betrof leken Jelle en Jurre helemaal niet op hun moeder. Nee, zij leken eerder op hun oma: zodra Anouk tekenen van ongeduld of boosheid vertoonde, vlogen ze voor haar.

En Jos? Loïs had nooit zo veel hoogte gekregen van haar zwager, maar voor zover ze hem kende was hij een wat stille, hardwerkende man, die destijds dolverliefd was op Anouk en haar op handen droeg. Hij had het erg druk met zijn bedrijf, misschien dat hij daardoor de laatste tijd wat minder van de kinderen kon hebben.

'Jij en Marcel hebben een heel ander soort relatie dan Jos en ik,' had Anouk gezegd. Logisch, ze waren allemaal andere mensen. Anouk en zij leken helemaal niet op elkaar, en Marcel en Jos ook niet. Dat was appels met peren vergelijken.

'Ze is al maanden zo,' had Jos gezegd over Anouk. Zou het overlijden van hun vader ook bij Anouk een reactie van onrust teweeggebracht hebben, net als bij haarzelf? Dat zou natuurlijk goed kunnen. De dood van een dierbare bracht niet alleen een gevoel van gemis met zich mee, maar ook de confrontatie met de eindigheid van het eigen leven.

'Zo, we zijn weer thuis,' hoorde ze Marcel naast zich zeggen. Hij keek in de achteruitkijkspiegel. 'Sem slaapt.'

Loïs keek achterom. Sem lag met zijn hoofd tegen het raam geleund.

'Ssst, zachtjes doen,' maande ze de anderen. Maar toen ze Sem voorzichtig van de stoel wilde tillen, werd hij weer wakker. Hij sloeg zijn armen om haar nek en legde zijn hoofd op haar schouder. Zo droeg ze hem naar boven. Zijn warme lijfje zo vertrouwd tegen haar aan, deed haar weer denken aan de jongetjes van Anouk. Haar hart ging naar hen uit.

Het bleef maar hameren in haar hoofd: o, Anouk, wat doe je hun aan...

De laatste zondag van het kerkelijk jaar brak aan, de zondag waarop de gemeenteleden herdacht werden die het afgelopen jaar overleden waren. Anouk en Jos waren lid van een andere deelgemeente van Arnhem, maar haar moeder had hen dringend verzocht om bij deze dienst aanwezig te zijn.

Loïs had drie witte rozen gekocht, zodat hun moeder, Anouk en zijzelf elk een roos in de vaas voor in de kerk konden zetten.

Vlak voor aanvang van de dienst schoven Anouk en Jos naast hun moeder in de bank. Loïs boog voor haar moeder langs en overhandigde Anouk haar roos, waaraan een klein kaartje hing. 'Daar kun je zelf nog iets op schrijven als je wilt,' fluisterde ze.

Anouk gaf alleen een knikje, maar maakte geen aanstalten om iets op te schrijven.

'Wil je een pen hebben?' fluisterde Loïs.

Anouk schudde haar hoofd.

Toen de naam van hun man en vader genoemd werd, liepen Loïs, Anouk en hun moeder gedrieën naar voren en zetten de rozen in de grote vaas, waar al vele rozen in stonden. Nadat alle namen genoemd waren, liep Loïs weer naar voren. De predikant had haar gevraagd een gedicht voor te lezen. Ze was wel wat zenuwachtig, maar slaagde erin haar stem rustig te laten klinken.

Toen ze terugliep naar haar plaats, knikte Marcel haar geruststellend toe: goed gedaan! Haar moeder gaf haar een kneepje in haar hand.

Na afloop van de dienst vroeg Loïs aan Anouk en Jos: 'Gaan jullie nog mee koffiedrinken?' Maar Anouk schudde haar hoofd. 'Nee.' Ze stak haar arm door die van Jos en wilde weglopen.

'We gaan bij mijn ouders koffiedrinken, daar hebben we de kinderen vanmorgen naartoe gebracht,' legde Jos nog uit, waarna ze naar hun auto liepen.

Het zat Loïs dwars dat zij en Anouk elkaar blijkbaar steeds meer uit de weg gingen. Tenslotte had ze maar één zus. Zou het nog goed komen tussen hen?

Het was woensdagochtend. Loïs had twee uur aan één stuk door kunnen werken aan een opdracht, en met een voldaan gevoel sloot ze de computer af. Zo! Dat werd vast een dikke voldoende.

Ze rekte zich uit. Morgenavond nog één avond naar school, en dan had ze twee weken kerstvakantie. Tenminste, dan had ze geen school, maar ze zou wel af en toe aan haar toetsen voor de tweede toetsweek moeten werken. Het eerste deel van het schooljaar zat erop. Als ze erop terugkeek, was het omgevlogen. *Time flies when you're having fun.* Dat gold zeker voor haar. Ze had van tevoren niet kunnen bedenken dat ze zo zou genieten van de opleiding. Natuurlijk kostte het haar energie, zeker om het nieuwe ritme op te pakken, maar toen ze daar eenmaal in zat, leverde het ook energie op. Ook de kinderen schikten zich makkelijk in de nieuwe situatie, en zelfs Koen leek zijn aanvankelijke weerstand opgegeven te hebben. Hij vond het in elk geval niet meer 'gek' wat ze deed, en had vorige week zelfs geïnformeerd of ze al een beoordeling had voor een taalopdracht die ze had moeten maken en waar ze de kinderen bij betrokken had.

De les op school was gegaan over hoe wonderlijk het was dat kinderen al zo snel allerlei verschillende dieren van elkaar konden onderscheiden, terwijl die allemaal een kop, een lijf met een vacht, vier poten en een staart hadden. Koe, hond, paard, varken, alles kreeg meteen de juiste naam. Wat maakt een hond tot een hond, en wat een poes tot een poes? Ze hadden de thuisopdracht gekregen om het concept 'stoel' te beschrijven. Loïs had tijdens het avondeten aan Marcel en de kinderen gevraagd wat volgens hen nu precies een stoel was.

'Een houten ding met vier poten,' had Anne gezegd.

'Dus mijn bureaustoel is geen stoel, want die is niet van hout en heeft maar één poot en vijf wieltjes.'

O nee.

'Iets om op te zitten?' probeerde Isabel.

Loïs wees naar de bank. 'Dus dat is ook een stoel?'

O nee.

'Maar dát is wel een stoel,' zei Isabel en ze wees naar een brede fauteuil.

'Ja, dat klopt, dat is wel een stoel. Waarom is dat wel een stoel en de bank niet?'

'Een stoel is iets voor één iemand om op te zitten,' dacht Koen hardop.

'Dat komt al meer in de buurt, denk ik,' zei Loïs. Ze wees naar de keukenkruk. 'Dus dat is ook een stoel?'

'Wat is dat moeilijk, zeg!' vond Marcel. 'Daar denk je eigenlijk helemaal niet bij na, maar het is waar: of kinderen nu een grote sint-bernard zien of een klein keffertje, ze weten meteen dat het een hond is en geen poes.'

'Omdat ze allebei blaffen,' mengde Sem zich in het gesprek. 'Poezen blaffen niet, die zeggen miauw.'

'Je bent een slimmerd,' zei Loïs en ze gaf hem een aai over zijn bol. 'Maar wat maakt nu een stoel tot een stoel, wat hebben alle stoelen met elkaar gemeen?'

'Een stoel heeft een rugleuning, een kruk niet,' zei Koen.

Uiteindelijk kwamen ze gezamenlijk tot de definitie: een stoel is een ding met een zitvlak voor één persoon, met een rugleuning, en met één of meer poten.

Dergelijke opdrachten lagen Loïs wel. Ze dwongen haar om zich te verdiepen, en al had ze in het begin het idee gehad dat haar hersens kraakten, toch ging het haar steeds gemakkelijker af.

Ook in het huishouden had ze haar ritme gevonden. Ze had voor zichzelf een schema opgesteld wat ze per dag moest doen, zodat aan het eind van de week alles een beurt gehad had. Op de avonden dat ze naar school ging aten ze meestal lasagne of pasta, dat was én snel klaar én snel opgegeten, want de kinderen waren daar allemaal dol op.

Bianca kwam dinsdagmiddag naar hun huis, dat vond ze achteraf toch prettiger dan dat ze Isabel en Sem naar haar toe haalde. 'Ze hebben thuis hun eigen speelgoed, en als ze een vriendje of vriendinnetje mee willen nemen, kan dat ook gemakkelijker bij jullie,' had ze gezegd. 'En als je dan een briefje neerlegt wat jullie 's avonds eten, kan ik alvast aardappels schillen en groente schoonmaken.'

'Joh, dat hoeft toch niet!' had Loïs gezegd. 'Ik ben al veel te blij dat je elke week op wilt passen.'

Maar Bianca had volgehouden dat ze het graag wilde doen, en dus hoefde Loïs het eten dinsdags alleen maar op te zetten als ze thuiskwam. Sem en Isabel waren dol op hun tante, en Anne en Koen vonden het ook wel gezellig als er iemand thuis was als ze onverwachts vroeger naar huis kwamen. Ja, iedereen leek tevreden. Behalve haar moeder en Anouk.

Ze had Anouk niet meer gesproken na de verjaardag van hun moeder. Die keer in de kerk telde niet mee, toen had Anouk maar één woord gezegd: 'Nee.' Nu overliepen ze elkaar voor die tijd ook niet, maar ze zagen elkaar toch geregeld, was het niet bij elkaar thuis, dan toch bij hun moeder. En af en toe belde de een naar de ander. Nu gebeurde dat niet meer. Loïs merkte bij zichzelf ook een drempel om Anouk te bellen, ze was veel te bang voor weer een afwijzende reactie van Anouk.

Van haar moeder hoorde Loïs dat Anouk tegenwoordig weer wat vaker langskwam, nadat ze samen met Anouk een nieuwe computer was wezen kopen. Blijkbaar was Frankrijk van de baan, want daar hoorde Loïs niets over.

Een van de voordelen dat Anouk haar moeder weer vaker bezocht, was dat haar moeder nu niet meer zo vaak naar Loïs belde. Loïs belde nu zelf elke woensdagavond naar haar moeder, en de ene zondagochtend ging zij met haar gezin na kerktijd bij haar moeder koffiedrinken, en de andere zondagochtend namen ze haar na kerktijd mee naar hun huis en bracht Marcel haar na het middageten weer naar haar eigen huis.

Haar moeder vroeg nooit naar haar studie, en Loïs vertelde er uit zichzelf zelden over. De opmerking van Anouk op hun moeders verjaardag: 'Het feit dat jij zo weg bent van je school en je stage wil niet zeggen dat wij daar ook in geïnteresseerd zijn', was daar debet aan. Af en toe vertelde ze iets over een grappig voorval op haar stageschool, maar verder ging het gesprek meestal over koetjes en kalfjes.

Marcel en zij hadden samen met haar moeder de foto's van Canada bekeken en Loïs had aangeboden daar zelf een album van te maken, maar dat hoefde niet voor haar moeder. Ze had een paar foto's uitgezocht om een afdruk van te laten maken, en dat was voor haar voldoende. Loïs had inmiddels wel de foto's uit de map met haar naam kunnen bekijken, en ze was getroffen door de liefde die uit de foto's sprak. Haar vader had haar kinderen op een voor elk van hen kenmerkende manier geportretteerd: Anne met haar gulle lach, Koen met zijn bedachtzame blik, Isabel met haar dromerige koppie, en Sem met zijn stoere grijns van 'Kom maar op!'

Marcel had de foto's van de map Anouk op een USB-stick gezet en die meegegeven aan zijn schoonmoeder. 'Wilt u dat aan Anouk geven?' Maar Anouk had ook daar niet eens op gereageerd, er kon zelfs geen bedankje af.

De kookwekker haalde haar uit haar overpeinzingen. Die zette ze tegenwoordig als ze intensief met haar huiswerk bezig was, om te voorkomen dat ze nog een keer te laat bij school stond. Ze zette de computer uit en stond op.

Beneden gekomen snoof ze de dennengeur van de kerstboom op. Hè, toch wel gezellig, die donkere dagen voor kerst. En straks was het vakantie, dan kon ze daar uitgebreid van genieten!

12

DE KERSTVAKANTIE VLOOG VOORBIJ NAAR LOÏS' IDEE. ZE GENOOT VAN DE TIJD die ze met haar gezin doorbracht, maar ze verlangde ook weer naar school en naar het contact met haar studiegenoten.

'Andere jaren vond je het altijd jammer dat de vakantie voorbij was,' merkte Marcel op. 'Daar hoor ik je nu helemaal niet meer over.'

'Maar ik heb nu iets om naar uit te kijken,' zei Loïs. 'Weet je, straks hebben we weer toetsweek en daar zie ik best wel een beetje tegen op, maar ik voel ook een positieve spanning, zo van: ik ben er klaar voor.'

'Je hebt er ook hard genoeg voor gewerkt,' vond Marcel.

Dat was waar. Marcel had de dagen tussen kerst en oud en nieuw vrij genomen, en Loïs had die dagen veel aan haar toetsen kunnen leren. Vooral pedagogiek was dit keer veel werk. Ze had een uittreksel van de boeken gemaakt en had aan de hand daarvan vragen geformuleerd die mogelijk gesteld zouden kunnen worden. Het was een voordeel dat ze nog veel herkende van haar eerste pabojaren, en ook was ze blij dat ze nog steeds geen moeite had met het opnemen van de leerstof. Dat was ook gebleken na de eerste toetsweek, waarin ze allemaal zevens gehaald had. Dat werd vast weer een ruim voldoende!

Het werd zelfs meer dan dat. Toen Loïs haar toets terugkreeg, staarde ze ongelovig naar het cijfer. Ze had een negen! *Prima werk!* had André ernaast geschreven. Ze voelde een aangename kriebel in haar hartstreek, blij met het compliment van iemand die ze erg hoog had zitten. Ook de andere toetsen van de tweede periode had ze goed afgerond.

'Ik heb een negen voor pedagogiek!' juichte ze zodra ze thuiskwam.

'Wauw!' reageerde Marcel. 'Gefeliciteerd!'

'Wauw!' reageerden ook de kinderen de volgende ochtend toen ze het hoorden. 'Goed, mam!'

Haar moeder reageerde er echter nauwelijks op toen Loïs haar diezelfde ochtend verheugd belde. 'Zo zo. Nou, fijn voor je. En ben je nu klaar?'

Klaar? 'Nee, mam, die opleiding duurt vier jaar. Dit is nog maar de tweede periode van het eerste jaar.'

'Vier jaar? Waar heb je zin in. O ja, tante Leny heeft gisteren gebeld.' Leny was de zus van haar moeder, die in Brussel woonde. 'Je moet de groeten hebben.'

'Hoe gaat het met haar en oom Bram?'

Daarop volgde een uitgebreid verslag van de maagklachten waar tante Leny zo'n last van had, en was het hele onderwerp school van de baan.

Loïs hield een katterig gevoel over van het telefoongesprek. Waarom kon mam niet gewoon blij voor haar zijn? Waarom waren die maagklachten van tante Leny belangrijker dan haar negen?

Wat had je dan verwacht, zei een stemmetje in haar hoofd. Je moeder is het er al vanaf het begin niet mee eens geweest dat je weer naar school ging. Ze had liever gehad dat je die tijd aan haar besteedde. Misschien zou ze wel blij geweest zijn met een onvoldoende, want dat zou dan voor jou een reden geweest zijn om te stoppen met de opleiding.

Anouk bellen zou ook geen zin hebben. Anouk was ook helemaal niet geïnteresseerd in wat voor cijfers ze haalde. Die was de laatste tijd überhaupt niet in haar zus geïnteresseerd.

Toen Loïs en haar gezin op nieuwjaarsdag bij haar moeder langsgingen, waren Anouk, Jos en de kinderen daar al aanwezig. Loïs had zich wat terughoudend opgesteld, in afwachting van hoe Anouk op haar zou reageren. Jos was opgestaan en had Loïs gekust, maar Anouk was blijven zitten, had haar hand opgestoken en alleen gezegd: 'Hoi, de beste wensen.' Daarbij had ze nauwelijks opgekeken.

'Ja, jij ook,' had Loïs verbouwereerd gezegd. Om zich een houding te geven had ze de beide jongetjes geknuffeld, maar haar hart had gehuild. Waarom doe je zo koel, Anouk? Ben je nog steeds boos omdat ik niet op wilde passen? Ze was daarna een eind bij Anouk vandaan gaan zitten, en kort daarop waren Anouk en haar man en kinderen vertrokken.

De afwijzende houding van Anouk deed Loïs meer pijn dan ze wilde toegeven. Ze hield zichzelf voor dat ze Anouk helemaal niet nodig had, dat ze genoeg had aan haar eigen gezin, haar vriendinnen en haar studie. Maar er bleef wel een vervelend gevoel knagen, dat ze zo veel mogelijk probeerde te negeren. Dat was niet moeilijk, haar gezin en haar studie eisten alle aandacht op.

Op haar laatste stagedag had ze een afrondend gesprek met Hetty. Ze kreeg een voldoende beoordeling, maar ook de tip om zich wat meer te profileren. 'Voor een eerste stage is dit net voldoende, maar ik heb de indruk dat je nog te veel wacht op wat ik je aangeef. Je mag best wel wat meer eigen initiatief tonen op je volgende stages,' was Hetty van mening.

Die opmerking zat Loïs dwars. Natuurlijk was ze blij met haar voldoende, maar als Hetty had gewild dat ze meer eigen initiatief toonde, had ze dat toch wel eerder kunnen aangeven?

Toen ze de donderdagavond daarna tijdens de pauze aan Jacques vroeg of hij zijn beoordeling al gehad had op zijn stageadres, antwoordde hij bevestigend. 'Ja, ik had een goed, het was een leuk gesprek. En jij?'

'Ik had nog net een voldoende.' Ze vertelde wat Hetty daarbij had gezegd.

'Zo te zien aan je gezicht ben je daar niet blij mee,' zei Jacques.

'Nou, ze mag dat best vinden, maar dat had ze dan toch ook wel eerder kunnen aangeven?' zei Loïs. 'Dan had ik er nog wat mee kunnen doen, en had ik misschien een hogere beoordeling gekregen.'

Jacques begon te lachen. 'Hoor je nu wat je zegt?'

Loïs keek hem verbaasd aan. 'Wat bedoel je?'

'Nou, Hetty zegt tegen jou dat je wacht tot zij je wat aangeeft, en dat je wat meer eigen initiatief moet tonen, en dan is jouw reactie dat je best wel initiatief had willen tonen als Hetty dat maar aangegeven had. Je bevestigt daarmee alleen maar haar conclusie: je wacht tot zij zegt wat je moet doen.'

Loïs keek hem verbluft aan. 'Je hebt helemaal gelijk! Hè, stom van me.'

'Nou, stom... Soms zit je zo in je eigen patronen dat je niet ziet wat er gebeurt.'

Loïs lachte nu ook. 'Bedankt! Hier kan ik wat mee.'

Haar volgende stageadres was een basisschool in een heel andere wijk. Deze stage moest ze in de bovenbouw doorbrengen. Ook daar gingen ze ermee akkoord dat ze alleen op de dinsdagen stage liep. Ze kwam terecht bij groep 6, haar stagebegeleider daar heette Tom. Tom was een joviale meester, veel minder streng dan Hetty, maar de kinderen leken daar geen misbruik van te maken. Het was echter wel een grote, rumoerige klas, en Loïs merkte dat ze daar wat onzeker door werd, en dat ze de neiging kreeg om zich terug te trekken.

Al direct na de eerste keer dat ze een les had moeten geven, nam Tom haar in de pauze apart. 'Je mag jezelf best wat meer profileren,' zei hij. 'Je beheerst de stof, daar ligt het niet aan, maar als je op deze manier voor de klas staat, lopen de kinderen binnen de kortste keren over je heen.'

'Maar ze zijn wel erg rumoerig,' verdedigde Loïs zich. 'Hoe doe jij dat? Jij lijkt daar geen last van te hebben.'

'Ik kom uit een groot gezin,' lachte Tom. 'Ik denk dat ik daar geleerd heb met allerlei bijgeluiden om te gaan.'

'Ik heb maar één zus en ik was zelf nogal stil als kind, dus bij ons was het inderdaad een stuk rustiger thuis.'

'Maar je hebt toch zelf ook vier kinderen? Daarmee zal het ook niet altijd even rustig zijn.'

'Nee, maar of je nu vier of eenendertig kinderen hebt die door elkaar praten, dat is nogal een verschil.'

'Als jij daar slecht tegen kunt, is het aan jou om aan te geven dat je het anders wilt. Kinderen zijn heel flexibel, ze hebben heel snel door bij wie ze iets wel kunnen maken en bij wie niet.'

'Dat lijkt makkelijker gezegd dan gedaan, tegen eenendertig kinderen zeggen dat ze stil moeten zijn. Als ik thuis mijn stem verhef is dat voldoende, maar ik zal hier moeten schreeuwen om erbovenuit te komen, en dat wil ik liever niet.'

'Schreeuwen hoeft niet, soms is stil zijn zelfs voldoende.'

'Hè?'

'Maar dat kun je alleen doen als je stevig in je schoenen staat. Als je gezag uitstraalt. Let maar eens op mij straks.'

Na het speelkwartier kwamen de kinderen erg luidruchtig binnen. Loïs zat achter in de klas en keek wat Tom deed.

Hij wachtte bij de deur tot alle kinderen binnen waren, sloot de deur en liep naar zijn tafel. Daar ging hij zitten en keek rustig de klas rond, zijn blik ging heen en weer, waarbij hij oogcontact zocht met de kinderen. Sommige kinderen zagen hem kijken en werden gelijk stil, maar er waren er ook die omgedraaid zaten en het te druk hadden met hun achterbuurman of -vrouw om zijn blik te zien.

Loïs zat bewonderend naar hem te kijken. Op zijn gezicht was geen spoor van onzekerheid te zien. Hij zat rechtop, zijn kin opgeheven, zijn lichaamstaal straalde gezag uit.

Al snel kregen de druktemakers allerlei signalen van hun klasgenoten dat ze geacht werden stil te zijn. Dat werkte blijkbaar, want de een na de ander draaide zich om, ging recht zitten en wachtte af tot de meester wat ging zeggen.

Tom wachtte tot het doodstil was en je een speld kon horen vallen. Pas toen begon hij heel rustig met de les.

In de lunchpauze bespraken Tom en Loïs wat er gebeurd was.

'Jij valt nu halverwege het jaar binnen,' vertelde Tom, 'dus je hebt niet gezien hoe ik begonnen ben met deze klas. De eerste twee weken van het nieuwe schooljaar zit ik er altijd helemaal bovenop, ze vinden me dan erg streng. Ik maak hun duidelijk hoe ik het hebben wil: respectvol met elkaar omgaan, er wordt niet gepest, huiswerk niet gemaakt is een onvoldoende, dat soort regels. Daarna laat ik de touwtjes van lieverlee vieren, en dat kan, want die regels blijven gelden, maar daarbuiten kunnen ze wel een potje breken bij me. Bij jou weten ze nog niet wat ze aan je hebben en wat jouw regels zijn.' Hij lachte. 'Ken je dat verhaal van die apen en die banaan?'

Loïs schudde haar hoofd. 'Nee, vertel eens.'

'In een kooi met apen wordt een trapje neergezet, met daarbovenop een banaan. Elke aap heeft wel trek in die banaan, maar zodra een van de apen de trap op gaat, worden alle apen natgespoten. Dat gaat diverse malen zo door, tot geen van de apen de neiging meer heeft om die banaan te pakken. Zodra een van de apen een poging in die richting waagt, wordt hij door de andere apen tegengehouden. De spuit hoeft er niet eens meer aan te pas te komen.

Dan wordt een van de apen vervangen, en de nieuwe aap heeft wel trek in die banaan, die daar zo open en bloot ligt. De andere apen weerhouden hem daar echter hardhandig van. Na enkele pogingen leert de nieuwe aap: die banaan is taboe!

Dan wordt een volgende aap vervangen, en ook die wordt er hardhandig van weerhouden om het trapje op te gaan en de banaan te pakken. De eerste nieuweling doet daar net zo enthousiast aan mee. Van lieverlee worden alle apen uit de eerste groep vervangen, tot er een groep is die geen ervaring heeft met het natspuiten, maar die wel elkaar weerhouden van het pakken van de banaan. Blijkbaar is de ingesleten norm: die banaan is taboe. Daarna nieuw ingebrachte apen geven niet eens meer toe aan hun neiging om de banaan te pakken. De groep lijkt in staat om non-verbaal door te geven: hier doe je zoiets niet.

Wat ik aan het begin van het schooljaar doe, is te vergelijken met het natspuiten van die apen: als de kinderen gedrag vertonen dat ik niet wil zien in de klas, zet ik daar een duidelijke sanctie tegenover: een standje, strafwerk, op de gang staan, en zo nodig laat ik zelfs de hele klas nablijven. De kinderen weten daardoor: bij meester Tom doe je zoiets niet.'

Loïs knikte. 'Ik zie dat ook bij die tv-programma's waarin een nanny ontspoorde gezinnen weer op de rails zet, door duidelijke regels te stellen en zich daar consequent aan te houden.'

'Precies,' zei Tom. 'Net zo lang tot zo'n regel ingesleten is en iedereen zich daaraan houdt zonder erbij na te denken.'

'Ik hoorde laatst een vrouwelijke dominee die een leuk voorbeeld had van dingen nadoen zonder erbij na te denken,' herinnerde Loïs zich ineens. 'Als zij een braadstuk braadde in de vleespan, sneed ze dat altijd eerst in twee even grote stukken. Tot haar man vroeg: waarom doe je dat eigenlijk? Haar antwoord was dat ze dat zo van haar moeder had geleerd. Dus vroeg ze aan haar moeder: waarom snijd je het braadstuk altijd eerst in twee stukken? Het antwoord van haar moeder was: zo deed mijn moeder het ook altijd. Dus werd aan oma gevraagd: oma, waarom snijdt u het braadstuk altijd in twee stukken voor u het braadt? Wel kind, dat zal ik je vertellen, zei oma. Mijn eerste braadpan was niet zo groot, dus daar paste dat hele braadstuk nooit in, ik moest het wel in twee stukken snijden. Toen ik een grotere braadpan kreeg, heb ik die gewoonte aangehouden zonder erbij na te denken.'

Tom lachte. 'Ik denk dat hele culturen zo zijn ontstaan. Maar om terug te komen op de klas: durf regels te stellen. Jij bent de leerkracht, van jou verwachten ze dat.'

Toen Loïs 's middags naar huis fietste, dacht ze na over de woorden van Tom: 'Van jou verwachten ze dat.'

Daar had je het weer: verwachtingen. Lastig hoor, al die uitgesproken of onuitgesproken verwachtingen die mensen van je hadden. Haar moeder had verwacht dat Loïs meer tijd voor haar zou krijgen als de kinderen allemaal naar school waren. Anouk had verwacht dat Loïs altijd klaar bleef staan als zij en Jos oppas nodig hadden. De kinderen uit haar klas verwachtten dat zij zich als een leerkracht gedroeg, terwijl ze die rol nog helemaal niet beheerste.

Als ze zo verder dacht, vond ze het toch wel bijzonder dat Marcel en de kinderen zich vrij snel en gemakkelijk aangepast hadden aan de nieuwe situatie. Maar ja, zij vonden het 'stoer' wat ze deed, terwijl haar moeder en Anouk het maar onzin vonden. Blijkbaar speelde dat ook een rol in hoe dwingend verwachtingen konden zijn.

Thuis wachtte Bianca haar op. 'Je moeder heeft een halfuur geleden gebeld, ze vroeg of je meteen wilde bellen zodra je thuiskwam. Ze klonk nogal paniekerig.'

Loïs belde meteen, met haar jas nog aan. 'Hoi mam, met mij, wat is er?'

'Fijn dat je belt, kind. Tante Leny is vanmiddag plotseling in het ziekenhuis opgenomen. Iets met haar maag, ik weet niet precies wat. Ze wordt op dit moment geopereerd. Kun je naar me toe komen?'

'Ik ben nog maar net thuis, mam, ik kan niet zomaar ineens weglopen.'

'Ik ben zo zenuwachtig! Mijn enige zus, en dan zo ver weg...'

'Ik kijk wel of ik iets kan regelen. Blijf even aan de lijn.'

Loïs legde haar hand op de hoorn en draaide zich naar Bianca. Ze legde de situatie uit en vroeg toen: 'Zou jij hier willen blijven tot Marcel thuiskomt? Dan kan ik naar m'n moeder. Zo te horen is ze inderdaad in paniek.'

Bianca knikte. 'Ja hoor, ga maar. Ik ga wel verder met het eten klaarmaken.'

Loïs keerde zich weer naar de telefoon. 'Mam, Bianca past wel op tot Marcel thuiskomt, ik kom eraan.'

'Fijn!' hoorde ze nog voordat de verbinding verbroken werd.

'Je bent een schat, dat weet je toch, hè?' zei Loïs tegen Bianca, en daarna rende ze weer naar buiten en pakte haar fiets.

'Doe je wel rustig aan?' vroeg Bianca, die haar achternagelopen was. 'Niemand heeft er iets aan als jij door de haast zelf een ongeluk krijgt.'

Zoiets zou Marcel ook gezegd hebben, schoot het door Loïs heen. Marcel bleef altijd de rust zelf als er zoiets gebeurde. 'Helpt het als je in paniek

raakt?' vroeg hij dan. Nee, integendeel, maar soms kwam de paniek vanzelf.
Haar moeder zag haar aankomen en deed meteen de deur open. 'Fijn dat je
er bent!' Ze ging haar voor naar de woonkamer en wrong haar handen in
elkaar. 'M'n enige zus, en dan zo ver weg...' zei ze weer.
Ik heb ook maar één zus, en ze woont in dezelfde stad als ik, maar zij lijkt
op dit moment nog verder weg dan Brussel, dacht Loïs wrang.
'Heeft u al wat gehoord?' vroeg ze.
Haar moeder schudde haar hoofd. 'Nee. Bram heeft me een uur geleden
gebeld vanuit het ziekenhuis. Leny had ineens enorme pijn gekregen, en
toen de huisarts kwam heeft die meteen een ambulance gebeld. Ze is met
gillende sirenes naar het ziekenhuis gebracht, en daar hebben ze na een kort
onderzoek de operatiekamer klaargemaakt, ze moest meteen onder het mes.
Ze had al een tijdje last van haar maag, het zal daar wel mee te maken hebben. Meer wist Bram ook niet. Hij zou me bellen zodra er meer nieuws was.'
'Ga nou eerst maar eens zitten,' zei Loïs en ze pakte haar moeder bij de arm
en dwong haar op de bank. 'U maakt me helemaal zenuwachtig met dat
gedrentel. Zal ik koffie of thee zetten?'
'Nee, dank je, ik zou nu niets door m'n keel kunnen krijgen. Maar als je zelf
iets wilt?'
'Nou, ik heb wel trek in een bakje thee.' Loïs liep naar de keuken en maak-
te een kopje thee voor zichzelf klaar.
'Weet Anouk het al?' vroeg ze toen ze weer binnenkwam.
'Ik heb haar wel gebeld, maar ik kreeg geen gehoor,' zei haar moeder.
'Volgens mij heeft Jelle dinsdags zwemles.'
'Laten we maar wachten met bellen tot we wat meer weten,' besloot Loïs.
Het wachten duurde lang. Rond kwart voor zes belde Loïs Marcel met de
mededeling dat ze maar zonder haar moesten eten. 'Ik pak hier wel een
boterham of zoiets, ik wil mam nu niet in de steek laten.'
Loïs dwong haar moeder om toch iets te eten, en deze at met lange tanden
een boterham met kaas en dronk een kopje thee.
Om kwart voor zeven kwam het verlossende telefoontje van Bram. 'Leny is
geopereerd, het was een maagperforatie, ze waren er net op tijd bij. Ze ligt
nog aan allerlei slangen en apparaten, maar de dokter zegt dat ze de opera-
tie goed doorstaan heeft. De eerste dagen blijven nog wel spannend, maar ik

hoef vannacht hier niet te blijven, ze is redelijk stabiel.'

'Hè, gelukkig! Is ze al bij?'

'Ze is nog suf van de narcose, maar ze heeft in m'n hand geknepen en heel flauw naar me geglimlacht.'

'Bel je me morgen weer?'

'Ja hoor, ik hou je op de hoogte.'

'Sterkte! En de groeten van Loïs, die is hier.'

'Doe de groeten maar terug. Dag Thea.'

Loïs had het gesprek redelijk kunnen volgen. 'Gelukkig dat ze op tijd waren,' zei ze.

'Nou!' zei haar moeder. 'Ik moet er niet aan denken om Leny ook nog kwijt te raken.'

'Kan ik dan nu weer naar huis?' vroeg Loïs toen. 'Ik kan nu toch niets meer doen.'

'Wil jij Anouk bellen? Jij kunt veel beter uitleggen wat er aan de hand is dan ik.'

Loïs had eigenlijk helemaal geen zin om Anouk te bellen, maar ze pakte toch de telefoon. Anouk nam zelf op.

'Hoi, met Loïs.' Loïs wachtte niet op antwoord maar vervolgde meteen: 'Ik bel bij mama vandaan, tante Leny is vanmiddag onverwacht in het ziekenhuis opgenomen. Ze bleek een maagperforatie te hebben en is met spoed geopereerd. Oom Bram heeft net gebeld, ze is weer terug van de operatiekamer en maakt het naar omstandigheden redelijk.'

'O? Kon mama me zelf niet bellen?' vroeg Anouk op kille toon.

'Nee, ze vroeg of ik het wilde doen.' Loïs fronste haar wenkbrauwen. Bleven ze zo met elkaar omgaan? Konden ze niet eens een normaal telefoongesprek voeren?

'O. Nou, bedankt voor de boodschap. Doei.' Anouk verbrak de verbinding.

'Wat zei ze?' vroeg haar moeder.

'Eh... ze wenste u sterkte.' Ze kon toch moeilijk vertellen wat Anouk in werkelijkheid gezegd had. Haar moeder zou daar alleen maar nog meer verdriet van hebben. 'Nou, dan ga ik maar. Belt u me morgen als u iets meer weet?'

'Dat is goed, kind. Bedankt dat je me gezelschap hebt gehouden.'

'Het is al goed, hoor. Ik ben blij dat ik iets voor u kon doen.'

Langzaam fietste Loïs naar huis. Het gesprek met Anouk zat haar danig dwars.

Toen ze thuiskwam, lag de hele keuken overhoop. De vaatwasser was stukgegaan, en Marcel had hem naar voren gehaald om erachter te komen of hij hem zelf nog kon repareren. Hij had Koen en Anne aan de afwas gezet, en Isabel en Sem moesten de droge vaat opruimen. Anne en Koen hadden ruzie, hoorde Loïs al in de gang. Koen waste blijkbaar niet goed genoeg af, want elke keer liet Anne een bord of een mes terug in de afwasteil zakken met de opmerking: 'Niet goed schoon.'

'Mam, zeg eens dat ze daarmee ophoudt!' riep Koen zodra hij Loïs ontwaarde.

'Ook goedenavond,' zei Loïs.

'Dan moet je het meteen goed doen,' zei Anne onverstoorbaar, en hup, daar ging weer een mes.

'Als je het zo goed weet, doe het dan zelf,' zei Koen en hij wilde weglopen, maar Marcel riep hem terug. 'Helemaal niet! Jij moest afwassen, heb ik gezegd.'

'Ja, maar Anne...'

'Niks ja maar Anne, afwassen.'

Koen keerde zich mokkend terug naar de gootsteen. Het ontging Loïs niet dat Anne een triomfantelijk lachje liet zien.

Ze gaf Anne een por in haar zij. 'Nest!'

'Wat? Ik doe niks!' riep Anne verontwaardigd.

Marcel kwam overeind en gaf Loïs een kus. 'Hoi. Hoe was jouw dag?'

Loïs moest even terugdenken. Hoe was haar dag? Dat leek alweer zo lang geleden. 'Druk. Hoe ging het hier?'

'Bianca had het eten klaar toen ik thuiskwam, dus we konden zo aanschuiven. Het was lekker. Hoe is het met tante Leny?'

Loïs deed kort verslag terwijl ze Sem naar zich toe trok, die in zijn ogen liep te wrijven. Ze besloot met: 'Het blijft dus nog wel even spannend. Zal ik nu eerst dit jongetje maar eens naar bed brengen?'

'Ik bén helemaal niet moe!' riep Sem, terwijl hij met moeite een gaap onderdrukte.

Loïs knuffelde hem even. 'Nee, natuurlijk ben je niet moe. Maar je moet

toch naar bed. Kleed je maar snel uit, dan kom ik je straks een extra lang verhaaltje voorlezen.'

'Voor mij ook!' riep Isabel.

'Ja, voor jou ook,' lachte Loïs. 'En nu gauw naar boven.'

Toen ze 's avonds zelf op bed lag, gingen haar gedachten nog even terug naar
het telefoongesprek met Anouk. Zou ze Marcel erover vertellen? Toch maar
niet, die kon er toch ook niks mee.

Maar de kille stem van Anouk bleef nog lang in haar hoofd zitten.

13

'Hoi Loïs, lang niet gezien! Hoe is het met je?'
Loïs stond in de rij voor de kassa bij de supermarkt, toen Irene haar aansprak.
'Goed, en hoe is het met jou?'
'Ook goed. Zin en tijd om weer eens langs te komen?'
'Zin altijd, maar de tijd ontbreekt me nogal eens.'
'Herkenbaar!' lachte Irene. 'Maar je moet wel tijd vrij blijven maken voor leuke dingen.'
'Zoals met jou koffiedrinken. Wanneer? Woensdagochtend? Oké, bij jou of bij mij thuis?'
'Zal ik naar jou toe komen? Ik heb je nieuwe werkplek nog steeds niet gezien.'
'Prima! Gezellig, tot dan. Ik ga nu gauw door, want m'n moeder zit op me te wachten.'
Zodra ze afgerekend had, haastte Loïs zich naar haar fiets. Ze propte de boodschappen in haar fietstassen, vond na veel gezoek haar fietssleuteltje, dat zich zoals gewoonlijk tussen de andere dingen in haar jaszak verstopt had, en fietste daarna naar haar moeder. Die had het zich in haar hoofd gehaald om een appeltaart te bakken voor de volgende zondagmorgen, maar ze had daarvoor niet voldoende spullen in huis. 'Ach toe, Loïs, wil jij even...'
Wanneer leer je nou eindelijk eens nee zeggen! foeterde Loïs op zichzelf. Ze kan toch ook zelf naar de winkel? Oké, ze loopt de laatste tijd wat moeilijk, maar ze kan het toch op haar gemakje doen? Ze heeft meer tijd dan ik.
'Zullen we eens kijken of we een rollator voor u te pakken kunnen krijgen?' stelde ze voor zodra ze de boodschappen binnengebracht had.
'Een rollator? Waarvoor?' vroeg haar moeder verbaasd.
'Nou, dan kunt u zelf ook weer eens naar de winkel lopen, en bent u niet afhankelijk van een ander.'
'Is het je te veel moeite om een paar boodschappen te doen voor je oude moeder?' vroeg haar moeder scherp.
'Helemaal niet, maar u zit altijd maar binnen. Het wordt voorjaar, er bloeien al sneeuwklokjes en ik heb zelfs al een paar krokusjes gezien, maar u ziet er hierbinnen niks van. Toen papa nog leefde, gingen jullie op zondagmid-

dag altijd een lange wandeling maken om in beweging te blijven, maar dat doet u nu nooit meer.'

'Nee. Omdat het helemaal niet leuk is om in m'n eentje te wandelen.'

Loïs zuchtte. 'U lijkt soms net als die man uit dat liedje 'Er zit een gat in m'n emmer', die zei ook op alles 'Ja maar...''

'Ik zei niet eens 'Ja maar...''

Laat ik er maar over ophouden, dacht Loïs, ik kom blijkbaar niet over. 'Heeft u verder nog iets nodig?'

'Heb je een kaart meegebracht voor tante Leny?'

'Ja, die ligt bij het geld op tafel. Er zit ook een postzegel bij.'

'Als je even wacht, schrijf ik hem meteen, dan kun je hem meenemen naar de brievenbus.'

Loïs liet zich op een keukenstoel zakken en zei maar niet dat die brievenbus dichtbij genoeg was om zelf naartoe te lopen. 'Heeft u nog wat van oom Bram gehoord?' vroeg ze, terwijl haar moeder de kaart schreef.

'Ja, het gaat steeds beter. De katheter is verwijderd, alleen moet ze nog wel een paar dagen het infuus houden omdat ze zo misselijk blijft.' Ze deed de kaart in de envelop, plakte hem dicht en deed de postzegel erop. Daarna gaf ze hem aan Loïs. 'Alsjeblieft. Eh... heb je het erg druk?'

'Hoezo?'

'Ik zou wel een keer bij Leny op ziekenbezoek willen gaan. Zomaar een uur-tje, gewoon, om even zelf te zien dat het goed met haar gaat.'

'Zomaar een uurtje? Om heen en weer naar Brussel te gaan mag u wel een hele dag uittrekken.'

'Nou ja, het gaat wel om m'n enige zus...'

'En wanneer wilde u dat dan doen?'

'Nou, dinsdag lijkt mij de beste dag. Maandagochtend komt de werkster, woensdag kun jij maar een halve dag omdat de kinderen 's middags thuis zijn, donderdag komt de schilder, en vrijdagmiddag kun jij ook weer niet omdat Sem dan thuis is.'

'Maar dinsdag kan ik ook niet, want dan moet ik naar school.'

'Je hebt toch alleen 's avonds school?'

'Jawel, voor de opleiding. Maar ik moet ook één dag per week stage lopen, weet u nog? Daarom komt Bianca elke dinsdagmiddag oppassen.'

'Kun je die dag niet verzetten?'

'Nee, dat gaat niet.'

'Hoe weet je dat nu als je het niet gevraagd hebt? Als je uitlegt waar het voor is, kunnen ze daar toch wel rekening mee houden? Die schoolmeesters en -juffen zijn toch zelf ook weleens vrij?'

Loïs voelde de irritatie omhoog borrelen. Haar moeder ging er blijkbaar bij voorbaat al van uit dat zij haar wel naar Brussel zou rijden. 'Kunt u het niet aan Anouk vragen?'

'Anouk zit dinsdags met Jurre, hij gaat alleen maandag en donderdag naar het kinderdagverblijf.'

'Nou, dan neemt ze Jurre toch gezellig mee? Dat vindt tante Leny misschien wel een leuke afleiding.'

'Natuurlijk niet, dat is veel te druk voor haar, zo'n klein kind!'

'Nou mam, sorry, maar ik kan dinsdag ook niet. Kunt u niet vragen of de schilder op een andere dag komt? Dan kunt u donderdag samen met Anouk gaan, als Jurre naar het kinderdagverblijf is.'

'Nee, dat kan niet, die schilder heeft een volle agenda en is al maanden geleden besproken.'

'Nou, mijn agenda is ook vol, en mijn dinsdagen zijn allemaal al bezet,' zei Loïs. Ze probeerde rustig te blijven en de ergernis niet toe te laten.

'Wat ben je toch weer koppig! Dat was je als kind ook altijd al!' mopperde haar moeder.

Loïs wist niet wat ze hoorde. Zij, koppig? Anouk was altijd veel lastiger geweest als ze haar zin niet kreeg.

Niet op reageren, hield ze zichzelf voor.

'Heeft u het al gevraagd aan Anouk? Misschien vindt zij het juist wel gezellig om met u een dagje naar Brussel te gaan. Dan is ze er even uit.' Ze dacht even na en zei toen: 'Als jullie nu eens woensdag gaan, dan kan Anouk Jurre woensdagochtend bij mij brengen en haal ik Jelle om halftwaalf uit school.'

'Zou je dat willen? Anouk zei...'

'Wat zei Anouk?'

'O, niks.'

'Wat zei Anouk, mam?'

'Ze... ze zei dat je geen zin meer had om op haar kinderen te passen. Dat je de school belangrijker vond en dat die voorging.'

Loïs hapte naar adem. 'Dat heb ik helemaal niet gezegd! Maar Anouk wilde...' Ze slikte in wat ze had willen zeggen. Dat voelde als klikken, en het zou haar moeder alleen maar ongerust maken als ze zou horen wat Anouk destijds van plan was geweest.

'Nou ja, ze heeft wel gelijk. Je laat de school nu toch ook voorgaan?' zei haar moeder. 'Waardoor ik niet naar mijn zieke zus toe kan.'

Loïs stond op. 'Vraagt u nu maar aan Anouk of zij woensdag met u naar Brussel wil, dan hoor ik wel of ze wil dat de jongetjes bij mij komen. Ik wil met alle liefde op ze passen.'

'Dat is goed. Je bent toch niet boos?'

Loïs zuchtte. 'Nee mam, ik ben niet boos.'

Pas op weg naar huis bedacht ze dat ze woensdag met Irene had afgesproken. Zou ze het verzetten? Toch maar niet, het was niet eens zeker dat Jurre woensdagochtend zou komen.

Dat gebeurde ook niet. Loïs hoorde die zondag tijdens de koffie van haar moeder dat ze dinsdag met Anouk naar Brussel ging en dat ze Jurre toch meenamen. 'Anouk vertelde dat ze in een ziekenhuis meestal wel een soort kinderhoek hebben waar je tijdens het bezoek je kind kunt brengen. En misschien is tante Leny dinsdag al thuis. Anouk zou vragen of Jelle dan dinsdagmiddag bij een vriendje kan spelen.'

Zoveel te beter, dacht Loïs. Anouk had blijkbaar toch meer adressen achter de hand dan ze vroeger deed voorkomen, toen ze om de haverklap Loïs nodig had.

Hoe was Anouk er toch bij gekomen dat Loïs nooit meer op wilde passen? Na die ene keer dat ze gevraagd had of de jongens veertien dagen mochten komen omdat zij naar Frankrijk wilde, was het blijkbaar niet eens meer nodig geweest, want Anouk had het geen enkele keer meer gevraagd. Waarom zei ze dan zoiets tegen hun moeder? En die geloofde dat zo te horen nog ook! Vervelend dat ze zich niet eens kon verdedigen zonder uit te leggen hoe het werkelijk gegaan was.

'Wat ben je stil?' vroeg haar moeder. 'Smaakt de appeltaart niet lekker?'

'O, jawel, die smaakt prima. Hij is goed gelukt, mam. Maar ik zat even in gedachten.'

'Mag ik nog een stukje appeltaart, oma?' vroeg Isabel. 'Hij is zóóó lekker!'

'Vraag maar aan papa en mama.'

'Mag het, mam?'

Loïs schudde haar hoofd. 'Nee, doe maar niet. Anders lust je straks geen middageten.'

'Er is nog een halve appeltaart over,' zei haar moeder. 'Dat eet ik toch niet in mijn eentje op. Neem dat straks maar mee, dan hebben jullie vanavond allemaal nog een stukje.'

'Ja, lekker!' riepen Isabel en Sem.

'Moet u niet een stukje bewaren voor Anouk en Jos en de jongens?' vroeg Loïs.

'Nee, die komen vandaag niet. Anouk is een weekendje naar Disneyland met de jongens.'

'O? Leuk voor de jongens.' Dan zit Anouk alsnog in de buurt van Parijs, dacht Loïs. 'Was dat al gepland, of zomaar ineens?' Ze wilde het toch weten.

'Vlak nadat jij zaterdagochtend vertrokken was, belde ze. Toen heb ik haar meteen gevraagd of ze dinsdag met me naar tante Leny wilde. Dat vond ze direct goed. Ze vertelde dat ze al vlak bij Parijs waren, ze had behoefte om er even tussenuit te gaan. Jos had geen tijd om mee te gaan, die is bezig met een groot project in Limburg en zat het weekend daar. Dus is ze maar alleen gegaan met de jongens. Ze zijn vanavond laat pas thuis.'

Waarom voelt dat nu niet goed? dacht Loïs. Het was wel heel erg toevallig dat Anouk zonder Jos naar Parijs wilde. Zou die Fransman dan toch nog niet van de baan zijn? Och kom, ze moest niet meteen het ergste denken. Anouk zou haar verstand toch wel gebruiken?

Isabel trok aan haar arm. 'Mam, gaan wij ook een keertje naar Disneyland?'

'Hè, wat?' Loïs zat nog met haar gedachten bij Anouk.

'Of wij ook een keertje naar Disneyland gaan.'

Sem viel haar bij. 'Ja mam? Please, please, please!' Hij keek haar smekend aan.

Loïs schudde de nare gedachten van zich af. 'Dat weet ik nog niet, hoor, dat is hartstikke duur.'

'Ah, toe? Dan mogen jullie het geld uit mijn spaarpot ook gebruiken,' zei Sem enthousiast.

Loïs aaide hem over zijn bol. 'Dat is heel lief van je, maar dat gaan we niet doen. Misschien over een jaartje of zo.'

Isabel en Sem bleven nog even aanhouden, en ook Koen zou wel naar Disneyland willen. Tot ook Marcel zei dat het veel te duur was. Daarna was het onderwerp van de baan.

Maar het beeld van Anouk in Parijs in de armen van een wildvreemde man bleef de hele dag door Loïs' hoofd spoken.

Woensdagochtend kwam Irene. Ze was vol lof over het werk van Marcel aan de studiehoek van Loïs, al had ze ook haar bedenkingen. 'Joh, werken en slapen in dezelfde kamer? In je studiehoek ben je altijd met je hoofd bezig, en als je wilt slapen zul je juist je hoofd leeg moeten maken. Heb je daar geen last van?'

'Nee hoor, ik slaap gelukkig meestal prima.'

Irene streek met haar hand over het werkblad. 'Mooi, die houtnerf. Dat is toch veel prettiger materiaal dan al dat kunststof van tegenwoordig.'

Op het werkblad lag een papier met allerlei berekeningen. Irene pakte het op. 'Dat ziet er ingewikkeld uit! Wat staat daar nou? 'Vijftokvier'? 'Bordtweetokzeven'? Is dat geheimtaal of zoiets?'

'Nee, dat is een rekenmethode, het Land van Okt.'

'Land van Okt? Moet dat niet Land van Ooit zijn?'

'Nee, het is echt Land van Okt,' legde Loïs uit. 'Okt staat voor acht. De negen en de tien bestaan niet in dat rekenstelsel. Wij hebben een tientallig stelsel, en het Land van Okt gaat over een achttallig stelsel.'

'Klinkt ingewikkeld. Bestaat dat echt? Ik weet wel dat er ook een twaalftallig stelsel bestaat, zoals in Engeland, maar een achttallig stelsel?'

'We krijgen dat bij didactiek. Voor zover ik weet heeft een wiskundige het verzonnen. Wij vinden ons tientallig stelsel zo logisch, maar voor kinderen met rekenproblemen is het dat helemaal niet. Door nu zelf met een nieuwe en voor ons onlogische methode aan de slag te moeten, kunnen we aan den lijve ondervinden hoe ingewikkeld dat is en leren we ons een beetje inleven in hun problemen. Als we beseffen hoe moeilijk het voor hen is, kunnen we het misschien beter uitleggen en hen goed begeleiden. In elk geval leren we hen wel beter begrijpen.'

'Nou, zo te zien snap ik er niks van. Maar ik heb ook niet zo veel met getallen.'

'Ik wel. En ik heb het achttien jaar geleden ook al gehad, dus is het voor mij alleen maar herhalen. M'n klasgenoten zijn jaloers op me, want er zijn er bij die er niets van snappen, laat staan dat ze er sommen mee kunnen maken.'

Toen ze later aan de koffie zaten, vertelde Irene het een en ander over haar opleiding. Ze had het er nog steeds prima naar haar zin, en de hoeveelheid thuisopdrachten viel haar ook mee. 'Hoe zit dat bij jou?'

'Nou, als er niks tussen komt, is het goed te doen,' zei Loïs. 'Bovendien kosten die opdrachten me niet alleen energie, ze géven ook energie. Vooral als ik een goed cijfer haal. Dat vind ik echt kicken. En van een mager resultaat loop ik te bálen.'

Ze vertelde over de krappe voldoende voor haar eerste stage, en over de opmerking die Hetty daarbij gemaakt had. Ook de opmerking van Jacques kwam daarbij ter sprake.

Irene lachte. 'Goeie feedback van die Jacques!' zei ze. 'En heb je daar wat mee gedaan op je tweede stage?'

'Dat is een heel ander soort groep, veel groter, veel lawaaieriger. De kinderen zijn daar al veel sterkere persoonlijkheden, minder...'

'Minder kneedbaar?' vroeg Irene.

'Ja, dat wilde ik eerst zeggen, maar toen bedacht ik dat dat zo'n vervelend woord is. Dat riekt naar manipulatie.'

'Maar dat doe je uiteindelijk toch ook?'

'Wat? Manipuleren?'

Irene knikte. 'Je kunt niet níét beïnvloeden. Bij alles wat je doet, oefen je invloed uit. En anderen oefenen weer invloed op jou uit. Dat geeft niet, dat hoort bij relaties. Het is alleen belangrijk dat je je daarvan bewust bent, zodat je daar zorgvuldig mee omgaat, en zodat je geen misbruik van jezelf laat maken.'

Loïs was nog niet overtuigd. 'Maar invloed uitoefenen is toch niet hetzelfde als manipuleren?'

'Wat is dan volgens jou het verschil?'

'Invloed uitoefenen is in mijn ogen iets positiefs. Bijvoorbeeld iemand stimuleren, de goede richting uit duwen. Bij manipulatie denk ik aan misleiden, aan iemand door allerlei trucjes in een richting duwen die hij zelf niet wil. Aan iets negatiefs dus.'

'En wat is opvoeden dan volgens jou?'

Loïs dacht na. 'Opvoeden is je kinderen leren goede mensen te zijn.'

'En wat is 'goed' in jouw ogen?'

'Nou, eh... dat ze normen en waarden hebben.'

'Normen en waarden heeft ieder mens, zelfs de grootste criminelen.'

'Nou ja, goede normen en waarden dan.'

'Nogmaals: wat is 'goed' in jouw ogen?'

'Tja... fatsoenlijk? Zoals het hoort?'

'Mijn overbuurvrouw zeemt twee keer in de week haar ramen vanbinnen én vanbuiten. Dat is volgens haar zoals het hoort. En ik ken iemand die drie keer per zondag naar de kerk gaat, omdat dat volgens hem zo hoort. Ik doe dat geen van beide. Ben ik dan niet fatsoenlijk?'

'Nee, natuurlijk niet, maar...' Loïs zocht naar woorden, maar vond ze niet.

Irene lachte. 'Zie je nu dat het niet zo eenvoudig is? Ik zei net dat zelfs de zwaarste criminelen hun normen en waarden hebben. Stel je bent de zoon van een maffiabaas, welke waarden zou je dan meekrijgen?'

'Eh... geen?'

'Natuurlijk wel.'

Loïs fronste haar wenkbrauwen. 'Moeilijk, hoor. Eh... loyaal aan de organisatie?'

'Ongetwijfeld. Nog meer?'

'Geen verklikker zijn?'

'Je gaat goed.'

Loïs kreeg er plezier in. 'Geen watje zijn maar een koele kikker?'

'Dat moet je wel zijn als je geregeld mensen om moet leggen.'

'Oké, je hebt een punt. Ieder mens heeft normen en waarden, en geeft die via de opvoeding door aan het nageslacht.'

'Precies. Maar welke normen en waarden dat zijn, bepaalt de ouder zelf. En ook bepaal je als ouder wat de 'goede' richting is waarin je je kinderen wilt duwen. Alleen is dat misschien wel een richting die helemaal niet bij het kind past. Dus wanneer wordt dat dan manipuleren om toch je eigen zin te krijgen?'

Loïs dacht aan haar vader, die graag had gezien dat ze naar de hts ging. Hij had haar echter niet gemanipuleerd, ze had zelf mogen kiezen.

'Bovendien,' ging Irene verder, 'kinderen manipuleren zelf ook. Ze weten precies wat ze moeten doen om hun zin te krijgen. De een gaat huilen, de ander houdt zijn adem in totdat pa of ma toegeeft, de derde gaat lopen flemen, noem maar op. Dat doen jouw kinderen ongetwijfeld ook.'

Loïs dacht aan Isabel, die af en toe een echte 'drama queen' was geweest. Daarin leek ze op Anouk, die dat tot in de puntjes beheerst had. Loïs was dan geneigd om Isabel haar zin te geven, zoals Anouk altijd haar zin kreeg als ze zo deed. Maar Marcel had daar snel korte metten mee gemaakt door haar bij zo'n bui zonder een woord te zeggen op de gang te zetten, en haar pas weer binnen te laten komen als ze aanspreekbaar was. De buien kwamen nu nog maar sporadisch voor. En Sem was een meester in vleien, waarmee hij haar hart altijd deed smelten.

'Ja, je hebt gelijk, dat doen mijn kinderen ook. En ik ben daar ook gevoelig voor.'

Ze aarzelde. Zou ze vertellen over haar zus, en dat ze zich door haar ook liet manipuleren? Nee, toch maar niet. Daar had Irene niks mee nodig.

'En jijzelf, manipuleer jij ook?'

Loïs glimlachte. 'Als jij zegt dat je niet níét kunt beïnvloeden, doe ik het dus ook. Eens even denken. Hm... Ja, ik weet wel een voorbeeld. Als Koen verloren heeft met hockey, baalt hij ontzettend en is hij de eerste uren na de wedstrijd niet te genieten. Iedereen die te dicht in zijn buurt komt, moet het dan ontgelden. Marcel haalt hem uit zo'n bui door de hele wedstrijd met hem te analyseren, zodat hij hem dwingt wat afstand te nemen. In het begin probeerde ik hem af te leiden door grapjes te maken, maar dat werkte averechts. Daarna had ik een ander trucje bedacht: ik stelde voor om zijn favoriete toetje klaar te maken, chocolademousse. Daar kunnen we hem 's nachts voor wakker maken. Dat werkte wel, maar ik realiseerde me dat ik zo een troosteter van hem maakte. Bovendien vond ik dat hij moest leren om met teleurstellingen om te gaan, die horen nu eenmaal bij het leven. Wat ik nu doe, is hem met rust laten en hem de tijd geven om te balen. Dus eigenlijk doe ik niets.'

'Maar daarmee heb je toch invloed, misschien wel juist door hem bewust met rust te laten.'

'Maar is dat ook manipuleren?'

'Ik denk het wel. Want je wilt niet dat hij zijn boze bui ongebreideld uitleeft op de rest van het gezin, terwijl hij dat misschien wel het liefst zou doen. Dus stuur je hem een richting uit die voor jou acceptabel is. Jij door hem de ruimte te geven om te balen, en Marcel door hem wat afstand te laten nemen. Dat heet opvoeden. Zolang ze nog in een kneedbare fase zijn.'

Ze moesten allebei lachen.

'De kinderen van groep 6, waar ik stage loop, zijn allemaal jonger dan Koen. Dus ook zij zijn nog kneedbaar. Maar het is zo'n grote groep, het zijn er eenendertig! En allemaal erg rumoerig. Het advies om me meer te profileren vind ik juist in zo'n groep moeilijk.'

'Wat vind je er moeilijk aan?'

'Nou, ik heb geen zin om hen te overschreeuwen om mezelf verstaanbaar te maken, maar dat zal ik toch moeten doen.'

'Je kunt toch ook op andere manieren dan door te schreeuwen hun aandacht vangen?'

'Zoals?'

'In je handen klappen, op het bord tikken, straf uitdelen, of iets heel geks doen wat ze van jou niet verwachten. Ineens een gek hoedje opzetten of zo.'

'Maak ik ze dan juist niet nóg drukker?'

'Dat kan, maar voor hetzelfde geld werkt het wel. Maar je kunt zoiets alleen doen als je letterlijk stevig in je schoenen staat. Je houding daarbij is heel belangrijk. Blijf niet zitten achter de tafel, daarmee verstop je jezelf. Ga stevig staan, 'aarden' heet dat, met je voeten iets uit elkaar, borst vooruit, hoofd omhoog. Je stem moet krachtig zijn. Zo straal je uit dat jij de baas bent. Als je met hangende schouders en een zachte stem voor de klas staat, kom je niet over. Kinderen verwachten dat ook niet van een leerkracht, ze worden daar onzeker van. En dan worden ze juist rumoerig.'

'Ja, mijn stagebegeleider zei ook al dat kinderen verwachten dat ik als leerkracht duidelijk ben en regels moet durven stellen. Maar als ik me nu onzeker voel, dan merken zij dat toch ook?'

'Die onzekerheid zal best wel verdwijnen als je wat meer ervaring hebt.

Nogmaals: let op je houding. Daarmee maak je jezelf krachtig, en dat werkt ook naar binnen toe. En blijf rustig ademhalen. Maar blijf jezelf. Alleen dán kom je over.'

Toen Irene naar huis was, dacht Loïs na over wat ze allemaal gezegd had. Het leek wel alsof Irene alle antwoorden had. Toch kwam ze helemaal niet betweterig over, Loïs was juist blij met haar doorvragen en haar tips. En de hele discussie over manipulatie en dat ze daar zelf ook aan meedeed, was een eyeopener geweest.

Ze wist ineens nog een voorbeeld. De moeite die ze deed om ervoor te zorgen dat anderen niet boos op haar werden, was in feite ook een vorm van manipuleren. Omdat ze zelf niet om kon gaan met die boosheid.

Wat een leerzame ochtend. En fijn dat ze haar enthousiasme over de opleiding en haar ervaringen kon delen met Irene. Ze zou willen dat haar moeder of Anouk daar zo veel aandacht voor op kon brengen.

Nu eerst maar eens kijken of ze wat kon doen met de tips van Irene. Dat werd nog een heel karwei...

14

DIE AVOND BELDE LOÏS ZOALS GEWOONLIJK NAAR HAAR MOEDER.
'Hoe was het bij tante Leny?'
'Kind, ik ben zo blij dat ik geweest ben! Ze mocht dinsdagochtend naar huis, ze was net thuis toen wij aankwamen. Maar ze zag er nog slecht uit. Het eten smaakt haar nog helemaal niet, volgens Bram eet ze maar mondjesmaat. Maar ze was erg blij met ons bezoek.'
'Was het niet te druk, met Jurre erbij?'
'Nee hoor. Bram is met hem naar de speeltuin geweest, zodat Anouk en ik rustig met Leny konden praten. We hebben er ook nog geluncht, en daarna zijn we weer naar huis gereden. Het was gelukkig niet zo druk onderweg, we konden zo doorrijden en waren voor de spits weer thuis.'
'Fijn dat het zo kon,' zei Loïs. 'En had Anouk het nog leuk gehad in Parijs?'
'Dat weet ik niet, daar zei ze niet zo veel over. Ze was zondagavond al redelijk vroeg thuis, begreep ik.'
'Volgende week zaterdag is Anouk jarig, doet ze er nog iets aan?'
'Dat heb ik ook gevraagd. Ze wordt dertig, dus het is een kroonjaar. Ze wilde een soort vrouwenparty houden met haar vriendinnen, begreep ik.'
'O? En zijn u en ik daar ook welkom bij?'
'Daar heeft ze niets over gezegd. Maar ik hoef daar niet zo nodig bij te zijn, dat is me toch veel te druk. Ik ga zondag wel bij haar op de koffie na kerktijd.'
Toen Loïs opgehangen had, bleef ze even stilzitten met de telefoon in haar handen. Zou ze Anouk bellen om te vragen of dat feestje ook voor haar gold en of ze die dag vrij moest houden? Maar dat stond zo raar, net alsof ze zichzelf uitnodigde. Ze besloot toch maar af te wachten of Anouk haar zelf zou bellen.
De volgende ochtend belde de lerares van Sem rond kwart voor tien dat hij overgegeven had en of ze hem op kwam halen. Hij zag erg wit, maar had zo te voelen gelukkig geen koorts. Ze maakte een bedje voor hem op de bank, gaf hem zijn knuffel en zette een emmer naast de bank voor als hij weer moest spugen.
'Mag de tv aan?' vroeg Sem.

'Vooruit dan maar.' Loïs zette de televisie aan op het kindernet. 'Wil je iets drinken?'

Sem schudde met een vies gezicht zijn hoofd. 'Nee, ik wil niks.'

Loïs dacht aan het schoolwerk dat wachtte. Het was nog maar een uurtje werk, maar dat wilde ze wel klaar hebben voor vanavond. Ze voelde zich schuldig, maar vroeg toch: 'Kan ik nog even boven zitten werken, of wil je dat ik bij je blijf zitten?'

'Dat je bij me blijft zitten.'

'Oké.' Dat moest dan maar. Om toch wat te doen te hebben pakte Loïs de naaidoos en wat verstelwerk uit de kast en ging in de stoel tegenover hem zitten. Haar gedachten gingen alle kanten op. Zou hij iets verkeerds gegeten hebben? Maar hij had hetzelfde op als zij allemaal. Misschien was het wel een buikgriepje. Hopelijk bleef het beperkt tot Sem en bleven zij en de rest van het gezin ervan verschoond.

Anne kwam om één uur al thuis, en zij was bereid om een uurtje bij Sem te blijven zitten zodat Loïs haar schoolwerk af kon maken.

Aan het eind van de middag kwam Isabel met een wit gezichtje binnen, en ze had nog maar net haar jas uitgetrokken of ze moest overgeven. Loïs verschoonde haar, schoof twee fauteuils tegen elkaar en maakte ook voor Isabel een bedje beneden.

Toen Marcel thuiskwam, legde Loïs de situatie uit. 'Ik heb maar niet zo veel lasagne klaargemaakt, Isabel en Sem eten toch niet mee. Probeer je ze nog wel wat te drinken te geven voor je ze naar bed brengt?'

Terwijl ze 's avonds naar school fietste, voelde ze zich verscheurd. De school trok, maar haar gezin ook. Kon ze zich maar in tweeën delen, zodat haar ene helft bij haar gezin kon blijven en de andere helft naar school kon. Ook tijdens de lessen dwaalden haar gedachten nu en dan naar thuis. Hoe zou het daar zijn?

'Je ziet er moe uit,' zei André toen hij in de pauze weer naast haar kwam zitten.

Ze legde de situatie uit en vertelde hem dat ze met haar gedachten bij haar gezin zat. 'Ik wilde dat ik me in tweeën kon delen, zodat ik én hier én thuis kon zijn.'

'Wees maar blij dat je dat niet kunt, want dan kwamen er ongetwijfeld dingen bij die je ook wilde doen, waardoor je je in drieën of in vieren zou willen delen.'

Loïs dacht aan haar moeder en aan Anouk. André had gelijk, ze zou dan een derde afsplitsing willen om haar moeder gezelschap te houden, en een vierde die op de jongetjes van Anouk kon passen.

'Het heeft allemaal met keuzes te maken,' zei André.

'Jawel, maar dat is soms lastig,' zuchtte Loïs.

'Ik zal eens een voorbeeld geven. Stel dat je honderd euro te verdelen had, en er zouden twintig mensen zijn die jou duidelijk maakten dat ze tien euro van je nodig hadden. Ze zijn je allemaal even dierbaar. Wat zou je dan doen?'

Loïs dacht even na. Ten slotte zei ze: 'Ik denk dat ik zou kijken of ze allemaal genoegen namen met vijf euro, zodat ik ze allemaal tevreden kon stellen.'

'Terwijl je daarmee het risico loopt dat ze geen van allen tevreden zijn, want ze vinden allemaal dat ze tien euro nodig hebben, en jij geeft er maar vijf.'

'Eh... misschien kan ik ergens anders geld vandaan halen, zodat ik ze toch allemaal tien euro kan geven.'

André begon te lachen. 'Nee, zo simpel is het niet. Je hebt maar honderd euro. Net als dat er maar vierentwintig uur in een dag gaan. Je kunt niet ergens tijd vandaan halen. En je hebt maar één lijf.'

Loïs snapte waar hij naartoe wilde. 'Maar dat betekent dat ik mensen moet teleurstellen.'

'Je kunt ook het accent leggen op de dingen die je wél doet.'

'Maar als sommige mensen nu juist het accent leggen op wat ik niet doe?' Ze dacht aan haar moeder en Anouk.

'Is dat dan jouw probleem of het hunne?'

Was het maar zo eenvoudig, dacht Loïs. Twee lijven hebben leek toch een simpeler oplossing...

Toen ze thuiskwam, lag Marcel ook al op bed en was beneden alles donker. Ze ging eerst bij de kinderen kijken. Koen, Sem en Isabel sliepen rustig. Anne was nog wakker, er stond een emmer naast haar bed. Ze zag erg wit en voelde warm aan. 'Ik ben zo misselijk, mam. Maar ik heb ook zo'n dorst.'

'Wil je een slokje water?'

'Nee, dat heb ik net al geprobeerd, maar dat kwam er meteen weer uit.'

'Zal ik een nat washandje voor je pakken? Dan kun je daar je mond mee natmaken.'

'Ja, doe maar.'

Loïs haalde een nat washandje en gaf het aan Anne. 'Probeer maar een beetje te slapen, morgen is het misschien weer over.'

Ze wilde Anne toedekken, maar die gooide het dekbed van zich af. 'Zo warm!'

Marcel lag diep onder het dekbed weggedoken. Toen Loïs het nachtlampje aanknipte, zag ze dat ook hij een emmer naast het bed had staan. Zeker ook misselijk.

Ze kleedde zich uit, poetste haar tanden en stapte in bed. Hè, wat was Marcel al lekker warm. Ze kroop voorzichtig tegen hem aan om hem niet wakker te maken, maar hij merkte het toch en draaide zich naar haar toe. 'Hoi, ben je er weer. Hoe was het?' Hij stonk een beetje uit zijn mond.

'Gaat wel. Ik zat met mijn gedachten steeds hier. Wat lig jij er vroeg in, ben je ook ziek?'

Hij knikte. 'Anne ook. We hebben de lasagne nauwelijks aangeraakt, alleen Koen heeft er lekker van zitten smikkelen. Zodra ik Isabel en Sem naar bed gebracht had, ben ik er zelf ook in gekropen. Ik had het zo koud.'

'Nou, je bent nu anders lekker warm.' Loïs voelde aan zijn voorhoofd. 'Je hebt vast koorts.'

'Ben je al bij de kinderen wezen kijken?'

Loïs knikte. 'Anne was nog wakker, maar de rest sliep lekker.'

'Heb jij nergens last van?'

Loïs knipte het nachtlampje uit. 'Nee, en hopelijk blijft dat zo.' Ze gaf hem een kus op zijn wang. 'Welterusten, schat.'

De volgende morgen werd ook zij wakker met een vreselijke kramp in haar maag, ze kon net op tijd het toilet halen. Nadat ze overgegeven had, bleef ze een poosje rillend boven de pot hangen. Bah, wat voelde ze zich akelig!

Toen ze terugliep naar de slaapkamer, zei Marcel: 'Jij toch ook? Ik meld me maar ziek vandaag, ik voel me nog steeds beroerd. Ik kan niet spugen, maar het zit me wel dwars.'

Om kwart over acht kwam Koen melden dat hij naar school ging. Hij bleek nergens last van te hebben. Loïs sleepte zich naar de telefoon beneden om de andere kinderen ziek te melden op de diverse scholen, en dook daarna weer rillend terug in bed. Sem was alweer wat opgeknapt en kwam vragen wanneer ze gingen ontbijten.

'Mama moet even niet aan eten denken, jochie,' kreunde Loïs. 'Ben jij niet meer misselijk?'

'Nog een klein beetje, maar ik heb ook een beetje honger.'

'Doe voorlopig nog maar even voorzichtig, anders moet je weer spugen,' zei Loïs.

'Mag ik weer beneden op de bank televisiekijken?'

Loïs knikte vermoeid. 'Ja, doe maar. En drink eerst maar een slokje water om te zien of dat erin blijft, daarna zullen we wel kijken wanneer je weer kunt eten.'

Sem vertrok naar beneden, en Loïs hoorde kort daarna dat Isabel hem gezelschap kwam houden. Daarna dommelde ze weer in.

Even later voelde ze een zacht kusje op haar wang. Ze deed met moeite haar ogen open, en zag toen dat Sem naast het bed stond met een dienblad stevig in zijn handjes geklemd. 'Wat... wat is dat?'

'Een kopje thee. Dat vind je toch altijd zo lekker?'

Loïs ging overeind zitten en zag dat er een beker op het dienblad stond. Hoe kwam Sem nu aan thee?

Maar toen ze het kopje pakte, zag ze de donkere kleur en voelde het kopje koud aan, en ze begreep dat Sem de thee van gisteren voor haar ingeschonken had. Ze glimlachte. 'Wat lief van je!'

Hij stond met een brede glimlach op zijn gezicht te wachten tot ze een slokje nam. Ze wilde hem niet teleurstellen en nipte aan het kopje. Het was vreselijk bitter, en ze kon nog maar net de neiging om te kokhalzen binnen houden, maar ze lachte naar hem. 'Mmm, heerlijk. Dank je wel, hoor!'

'Kom je dan zo naar beneden? Ik heb een beetje honger.'

'Heb je niet hoeven spugen na je slokje water?'

Sem schudde zijn hoofd.

Loïs keek opzij. Marcel lag nog steeds diep onder het dekbed gedoken. Ze zette het kopje op het nachtkastje, sloeg haar kant van het dekbed opzij en stapte uit bed. 'Ga jij maar vast, ik kom zo.'

Zodra Sem naar beneden was, gooide ze de koude thee in het toilet en spoelde het door. Daarna nam ze een slokje water en gorgelde ermee om de vieze smaak weg te krijgen. Ze was nog steeds een beetje rillerig en deed haar badjas aan.

Toen ze beneden kwam, lagen Isabel en Sem naast elkaar op de bank televisie te kijken.

'Hoe is het met jou, Isabel?'

'Ik heb dorst.'

'Heb je al een slokje water genomen?'

'Nee, ik durf niet, ik ben bang dat ik weer moet spugen.'

'Heb je nog pijn in je buik?'

'Nee, niet meer.'

Loïs zette thee en smeerde intussen een beschuitje voor Sem. Ze zette het bij hem neer en gaf beide kinderen een beetje slappe thee aangelengd met koud water. 'Hier, probeer dit maar eens. Kleine slokjes nemen, hoor.'

'Mag ik ook een beschuitje?' vroeg Isabel, toen ze een paar slokjes van de thee had genomen.

'Heb je daar al trek in?'

Isabel knikte, met haar aandacht weer bij kabouter Plop.

Loïs maakte een beschuitje klaar voor Isabel, en ging daarna boven kijken hoe het met Anne ging. Die bleek die nacht een paar keer gespuugd te hebben. Loïs voelde zich schuldig omdat ze daar niets van gemerkt had. 'Hoe is het nu met je?'

'Beroerd. Heb je me al ziek gemeld op school?'

Loïs knikte. 'Kan ik nog iets voor je doen?'

'Wil je het washandje nog een keer natmaken? En mijn mp3-speler geven, dan heb ik tenminste een beetje afleiding.'

Loïs kwam net de badkamer uit met het natte washandje toen Marcel haar voorbijsnelde en boven de wc-pot dook. Zo te horen kwam het er bij hem ook eindelijk uit.

Sem en Isabel knapten snel op, en Koen bleef nergens last van hebben, maar Marcel, Loïs en Anne bleven de hele dag en de dag erna kwakkelen. Loïs stuurde Koen zaterdagmorgen om boodschappen en belde naar haar moeder dat ze zondagochtend niet op de koffie kwamen. 'We zijn allemaal ziek, mam.'

'O, dat is jammer. Ik had willen vragen of je vanmiddag met me naar de stad wilde. Nou ja, beterschap.'

In de loop van de zondag knapte iedereen weer wat op. Het voorjaarszonnetje scheen zo uitnodigend dat Loïs behoefte had om naar buiten te gaan. 'Even een frisse neus halen.'

Isabel wilde wel met haar mee. 'Gaan we dan naar De Kroon?'

De Kroon was een zorgboerderij waar doordeweeks gehandicapten werkzaam waren, en waar een kinderboerderij bij was die zondags vrij toegankelijk was voor publiek. 'Goed idee. Kijk maar of we nog oud brood hebben.'

Het was heerlijk buiten, zelfs de temperatuur was aangenaam voor de tijd van het jaar. Het was een wandeling van een kwartier naar de kinderboerderij. Er kwamen al dikke knoppen in bomen en struiken, en Loïs zag dat in sommige tuinen de narcissen zelfs al bloeiden. Ze vroeg zich af hoe het met de bollen in hun eigen tuin ging, en realiseerde zich dat ze de laatste weken nauwelijks in de tuin gekeken had. Hoe anders was dat andere jaren geweest. Dan was ze regelmatig in de tuin te vinden geweest, en had ze bij wijze van spreken de bollen wel omhoog willen kijken. Nu was haar aandacht veel meer gericht op haar schoolwerk, en zat ze veel meer binnen.

Ze snoof begerig de frisse voorjaarslucht in. Hè, heerlijk! Ze moest naast haar drukke werkzaamheden toch niet vergeten van de natuur te genieten.

Na het bezoek aan de kinderboerderij wandelden ze via een andere route terug. Isabel huppelde naast haar voort, helemaal vol van de schattige konijntjes die ze op de kinderboerderij gezien had en waarvan ze er eentje vast had mogen houden. 'Mag ik ook een konijntje, mam?'

Loïs schudde haar hoofd. 'Nee, wij kunnen geen konijntjes houden. Je weet toch dat papa daar allergisch voor is?'

'Ik dacht alleen voor poezen.'

'Nee, ook voor konijntjes, en voor honden, en voor parkieten en kanaries en zo.'

'Jammer. Bijna alle kinderen in de klas hebben een huisdier, alleen Mark en ik niet. Mark is ook allergisch.'

'Je zou een goudvis kunnen hebben. Papa is niet allergisch voor vissen.'

Isabel trok haar neus op. 'Nee, geen goudvis. Die kun je toch niet aaien?'
Loïs lachte. 'O, is het je daarom te doen? Nee, dan zul je het bij je knuffels moeten houden.'
Ze waren weer thuis. Isabel wilde naar de voordeur lopen, maar Loïs zei: 'Kom, dan lopen we achterom, dan kunnen we zien of bij ons ook al bollen bovenkomen.'
Zodra ze de achterpoort geopend had, viel Loïs' blik op de winterjasmijn die tegen de garagemuur stond. Hij stond in volle bloei! Ze staarde verbaasd naar de heldergele bloemen. Dat ze dat nog niet eens gezien had! De struik was weliswaar vanuit huis niet te zien, en 's winters hing ze de was altijd binnen en kwam ze dus nauwelijks in de tuin, maar ze schaamde zich nu bijna dat ze haast gemist had dat de struik op z'n mooist was. Ze keek de tuin rond. De narcissen bloeiden nog niet, maar er waren al wel knoppen te zien. De winterakonietjes en sneeuwklokjes bloeiden volop, en ook de tulpen en hyacinten stonden al een eind boven de grond.
Haar vingers jeukten ineens om in de tuin aan de slag te gaan, oud blad op te ruimen, lekker met haar vingers in de aarde wroeten. Maar daar was de grond nog veel te hard voor.
Isabel trok aan haar mouw. 'Ga je mee naar binnen? Ik krijg het koud, maar de achterdeur is nog op slot.'
Loïs wierp nog een laatste verlangende blik op de winterjasmijn en snoof nog één keer diep de voorjaarslucht in. Toen diepte ze de sleutel op uit haar jaszak. 'Ik kom.'

Loïs was maandagochtend net begonnen aan haar schoolwerk toen haar moeder belde.
'Ben je weer opgeknapt? Fijn. Heb je zin om vanmiddag met me naar de stad te gaan?'
'Nee mam, ik heb daar geen tijd voor. Ik heb zowat het hele weekend in bed gelegen, en heb nog niks aan m'n schoolwerk of aan mijn stageopdracht kunnen doen.'
'Maar ik heb je gisteren ook al niet gezien. Morgen dan?'
'Nee, morgen moet ik naar mijn stageschool.'
'Zie je nu wel dat Anouk gelijk heeft.'

'Hoe bedoelt u?'

'Nou, dat je school belangrijker is dan wij.'

Loïs zuchtte. 'Ik heb nu eenmaal de keuze gemaakt om weer te gaan leren, mam. Daar hoort ook huiswerk bij.'

'Heb je dan woensdagochtend tijd voor je moeder?'

Eigenlijk niet, dacht Loïs, maar ze voelde zich daar meteen schuldig over.

'Da's goed. Halftien bij u?' Dan moest ze dinsdagavond maar wat langer doorwerken.

'Fijn! Tot woensdag.'

'Hoe is het met tante Leny?'

'O, dat gaat gelukkig een stukje beter, ik heb haar gisteren zelf aan de lijn gehad, ze was zelfs al een keer buiten geweest.'

'Goed om te horen. Nou, tot woensdag dan. Dag mam.'

Ze pakte haar pen weer op. Waar was ze gebleven? Ze probeerde zich te concentreren, maar haar gedachten bleven afdwalen. Ze legde de pen weer neer, leunde achterover en strekte haar rug. Toen stond ze abrupt op. Eerst maar eens een kopje koffie, daar werd ze misschien helderder van.

In de keuken viel haar blik op de kalender. Dat was waar, Anouk was zaterdag jarig. Ze had nog steeds niet gebeld om haar uit te nodigen voor die vrouwenparty. Zou ze geen uitnodiging krijgen? Dat zou ze toch erg vervelend vinden.

Terwijl het koffiezetapparaat pruttelde, leunde ze tegen het aanrecht en staarde voor zich uit. Had ze dit niet zelf in de hand gewerkt? Ze wilde toch haar eigen weg gaan? Waarom stak het haar dan dat Anouk blijkbaar ook haar eigen weg ging, en dat zij daar geen deel van uitmaakte?

Zou Anouk datzelfde gevoel hebben gehad toen ze hoorde dat zij, Loïs, weer naar school ging? En zou ze daarom zo kribbig gereageerd hebben?

De koffie was klaar. Ze schonk een kopje vol, nam het mee naar de woonkamer en ging voor het raam staan. Starend naar de tuin zonder iets te zien nam ze een slokje van de gloeiend hete koffie. Misschien moest ze maar gewoon accepteren dat Anouk en zij uit elkaar groeiden. Misschien hoorde dat ook wel bij volwassen worden en het ouderlijk nest verlaten.

Zouden vogels die het nest uit vlogen elkaar ook af en toe blijven opzoeken? dacht ze. Ze grijnsde bij het idee van spreeuwen die afspraken om elkaar elke woensdagochtend te treffen bij de grote eik op het marktplein, 'om eens bij te kwetteren', of duiven die elkaar troffen op de rand van de schutting en daar al koerend de laatste nieuwtjes uitwisselden. Misschien zaten daarom die zwaluwen 's zomers wel allemaal op een rijtje op de telefoondraden, en was dat gewoon een familiereünie.

Mensen waren toch een soort kuddedieren, door allemaal zo dicht bij elkaar te blijven en de familiebanden aan te houden. Al zaten ook daar wel veel onderlinge verschillen in. Dat zag ze alleen al bij haar klasgenoten. Ilse had verteld dat haar moeder meer als een vriendin dan als een moeder voelde. 'M'n moeder en ik bellen elkaar elke dag, soms wel twee of drie keer, en we doen heel veel samen.' Loïs had zich in stilte afgevraagd wat die twee elkaar dan allemaal te vertellen hadden. Met haar eigen moeder zou ze zo uitgepraat zijn. Ze vroeg zich af hoe het zou zijn als Anne zou gaan studeren. Zouden zij en Anne elkaar dan ook drie keer per dag bellen? Ze kon het zich niet voorstellen. Daarvoor ging Anne nu al te veel haar eigen gang.

Een andere klasgenoot, Bert, die niet getrouwd was – 'Geen tijd voor gehad, ik zat altijd in het buitenland' – belde iedere avond om zes uur met zijn moeder. 'Dat deed ik ook altijd als ik op de vrachtwagen zat, en nu zit ze daar iedere avond op te wachten. Gewoon even vragen hoe haar dag geweest is, en zij wil horen dat het goed met me gaat. Het zijn maar korte gesprekjes, maar we zouden ze allebei missen als ik het over zou slaan.'

Wat kwam haar moeder er dan bekaaid van af, in vergelijking met die twee. Maar het kon ook anders. Rika had helemaal geen contact meer met haar moeder. 'We begrepen elkaar niet, hadden elke dag ruzie. Mijn vader heb ik amper gekend, hij heeft de benen genomen toen ik drie was. Ik ben op m'n zeventiende weggelopen van huis, en m'n moeder heeft geen enkele moeite gedaan om me te zoeken. Ik heb haar daarna nog twee keer gezien, maar het deed me helemaal niets. Ik vind het wel lekker rustig zo. Alleen vind ik het jammer dat ik geen broer of zus heb, dat mis ik wel.'

Nou, ze kon Rika vertellen dat een zus hebben ook niet alles was als je daar weinig raakvlakken mee had. Toch, als ze naar haar eigen gezin keek, zou ze het jammer vinden als de kinderen elkaar zouden ontgroeien. Wat dat betreft was ze een echte kloek, die het meest genoot als alle kinderen dicht in de buurt waren.

Ook inconsequent, als ze daar goed over nadacht. Ze wilde wel dat haar kinderen een goed onderling contact zouden houden, maar liet het zelf gebeuren dat zij en Anouk elkaar ontgroeiden.

Daar zou ze nu verandering in brengen. Ze zette het kopje neer, pakte de telefoon en toetste het nummer van Anouk in. Geen reactie. Ze toetste het nummer nog eens in. Nu kreeg ze meteen de voicemail. 'Hallo, we zijn er even niet, probeer het later nog eens of spreek je nummer in.'

Anouk was zeker niet thuis. Straks nog maar eens proberen. O ja, Jurre zat 's maandags op het kinderdagverblijf, misschien was ze wel bij een vriendin op de koffie.

Ze ging weer aan het werk. Dat wilde nu gelukkig iets beter vlotten, en ze kon aan één stuk doorwerken tot ze Sem uit school ging halen.

Tussen de middag belde ze Anouk weer. Die zou nu toch wel thuis zijn met Jelle.

Weer kreeg ze meteen de voicemail. 'Hallo, we zijn er even niet...' Misschien bleef Jelle 's maandags wel over op school, zodat Anouk de hele dag voor zichzelf had.

's Middags probeerde ze het nog een paar keer, maar steeds kreeg ze de voicemail. Nou ja, dan probeerde ze het morgen wel.

Aan het eind van de middag legde ze met een voldaan gevoel haar pen neer. Al had ze het hele weekend niets aan haar schoolwerk kunnen doen, ze was nu klaar en had zelfs nog aan haar stageopdracht kunnen werken. Ze had op internet zelfs een leuk ideetje gelezen voor de les die ze morgen moest geven!

15

DE VOLGENDE DAG BESPRAK ZE HAAR IDEE MET TOM.

'Probeer maar,' zei Tom. 'Als ze het niks vinden, laten ze je dat vanzelf wel
weten. Je leert jouw manier alleen maar door het te doen.'

Tom begon de dag op zijn gebruikelijke manier. Na de rekenles zei hij de
kinderen hun boeken op te bergen en wenkte hij Loïs, die achter in de klas
gewacht had tot ze aan de beurt was. De klas keek nieuwsgierig achterom.
Loïs liep rustig en met rechte schouders naar voren, ze zorgde ervoor dat ze
rustig bleef ademen. Ze pakte een stapel papieren van de tafel en liep langs
de rijen, waarbij ze ieder kind een papier gaf. Haar hart klopte in haar keel.
Rustig ademhalen, bleef ze tegen zichzelf zeggen.

Toen ieder kind een papier had gekregen, ging ze voor de klas staan op de
manier die Irene haar verteld had: stevig op de grond, benen iets uit elkaar,
borst vooruit, hoofd omhoog. Ze merkte dat het werkte, ze voelde zich
ineens wat zekerder.

'Pak nu allemaal je papier, en maak er een grote prop van. Wel oppassen dat
je het papier niet scheurt.'

De kinderen deden wat hun gezegd was. Ze roezemoesden er wel bij, maar
dat stoorde Loïs niet.

'Leg de prop voor je op je tafeltje en stomp erop zo hard je kunt. En nog
eens, en nog eens.'

De kinderen keken haar verbaasd aan, maar ze gehoorzaamden toch en al
giechelend gaven ze stompen op de prop papier.

'Pak nu de prop, leg hem onder je schoen, en wiebel je schoen een paar keer
heen en weer met de prop eronder.' Ze deden het.

'Pak nu de prop weer op en leg hem voor je op je tafeltje.'

De klas werd al wat rumoeriger, een paar kinderen gooiden de prop in de
lucht en vingen hem weer op. Een van de jongens gooide hem door de klas.
Ze rechtte haar rug, keek hem streng aan, verhief haar stem en zei: 'Bart, pak
snel jouw prop en ga weer zitten.'

Tot haar verbazing gehoorzaamde hij meteen, en het had als neveneffect dat
de andere kinderen ook rustiger werden. Dat gaf haar meer zekerheid, en ze
vervolgde: 'Vouw nu de prop weer open en strijk het papier zo glad en zo

schoon mogelijk. Nee, nóg gladder, goed wrijven.'

Toen ze dat gedaan hadden, zei ze: 'Kijk nu naar je papier en let er eens op hoeveel kreukels er nog in zitten, en hoe vuil het is.'

Sommige kinderen deden grote moeite om het papier nog gladder te strijken, of veegden met hun mouw over het papier om de vlekken te verwijderen.

'Zeg nu: het spijt me.'

Ze keken alweer verbaasd, en enkele kinderen begonnen te giechelen.

Ze rechtte haar rug nog meer en zei nog een keer, iets luider nu: 'Zeg allemaal: het spijt me.'

'Het spijt me,' murmelde de hele klas.

'Kijk nu weer naar je papier. Ondanks dat je 'Het spijt me' hebt gezegd, zitten er nog steeds heel veel kreukels in het papier, en is het nog steeds smoezelig. Die kreukels gaan nooit meer weg, hoe hard je ook strijkt. En het vuil verdwijnt niet, hoeveel je er ook overheen wrijft. Zo is het ook met kinderen die gepest worden. Die kinderen raken beschadigd door dat gepest. En ook al zeg je later dat het je spijt, die beschadigingen gaan nooit meer weg. Die blijven altijd bestaan.'

De klas was ineens muisstil. Haar boodschap kwam duidelijk binnen.

'De volgende keer dat je van plan bent om iemand te pesten, denk dan aan deze les. En als je ziet dat er iemand anders gepest wordt, kom dan voor hem op.'

Ze wenkte Bart. 'Kom eens met jouw papier.'

Hij liep naar voren en overhandigde haar zijn papier. Hij had goed zijn best gedaan, er zaten zelfs kleine scheurtjes in het papier.

Ze hield het omhoog. 'Dit papier hang ik op een hoekje van het bord, en we laten het daar de rest van het jaar hangen. Zodat we elke keer als we het zien, eraan denken dat we niet moeten pesten.' Ze voegde de daad bij het woord, pakte een stukje plakband en hing het papier in de uiterste hoek van het bord.

Ineens voelde ze alle fut uit zich wegstromen. Ze keek wat hulpeloos naar Tom en zei: 'Dat was het.' Daarna liep ze weer naar haar plekje achter in de klas.

Tom begreep de boodschap. Hij stond meteen op en nam de les over: 'Wie heeft daar nog iets over te zeggen?'

Niemand reageerde, ze waren allemaal blijkbaar nog erg onder de indruk.

'Wie pest er weleens?'

Aarzelend gingen er een paar vingers omhoog.

Tom keek vragend de klas rond. 'Wie nog meer?'

Weer gingen er een paar vingers omhoog.

'Oké, doe je vingers maar weer naar beneden. Wie wordt er weleens gepest?'

Drie kinderen staken langzaam hun vinger op. Tot Loïs' verbazing was Bart een van de drie, terwijl hij ook zijn vinger had opgestoken bij degenen die pestten.

Tom keek de klas weer rond. 'Ik verwacht van jullie dat deze kinderen vanaf nu niet meer gepest worden door een van jullie. Begrepen?'

Ze knikten allemaal. 'Ja meester.'

Tom keek op zijn horloge. 'Over tien minuten begint het speelkwartier, dus het is niet de moeite om nu nog aan iets nieuws te beginnen. Ga even zachtjes iets voor jezelf doen tot de bel gaat.'

Het geroezemoes nam weer toe, maar Loïs begreep nu dat dit gewoon bij de klas hoorde, dat het geen bewuste ordeverstoring was. Ze werd er in elk geval niet meer onrustig door.

Bij de nabespreking kreeg ze een compliment van Tom. 'Goed gedaan! Je had ze helemaal mee, merkte je dat? En je lichaamshouding is heel anders dan de vorige keer.'

'Tip van een vriendin,' zei Loïs eerlijk.

'Hou dat vast, dan kom je er wel. Hoe vond je het zelf gaan?'

'Ja, eigenlijk wel goed. Alleen zakte ik op het laatst ineens helemaal in.'

Tom lachte. 'Dat merkte ik. Het was alsof ineens de spanning wegvloeide. Goed dat je dat zelf merkte en dat je me een signaal gaf.'

'En jij bedankt dat je het direct overnam. Het was fijn dat jij er nog op terugkwam door te vragen wie er pestte en wie er gepest werd, en wat je van hen verwachtte. Dat had ik achteraf gezien zelf moeten doen, maar ik heb daar helemaal niet aan gedacht.'

'Goeie leer voor de volgende keer,' zei Tom. 'Je loopt hier stage om het vak te leren, niemand verwacht van jou dat je het meteen perfect doet.'

'Fijn om te horen!'

Onderweg naar huis bedacht Loïs dat ze geboft had met een stagebegeleider als Tom. Niet dat ze het met Hetty niet goed had kunnen vinden, maar bij haar had ze steeds het idee gehad dat ze op haar tenen moest lopen. Alsof Hetty meer van haar verwachtte dan ze kon geven. Misschien had Hetty wel hogere verwachtingen van haar gehad toen ze hoorde dat ze al twee jaar pabo achter de rug had. Misschien was haar beoordeling daarom wel lager uitgevallen dan Loïs gehoopt had. Omdat ze die verwachtingen niet waar had gemaakt.

Verwachtingen. Dat thema bleef elke keer terugkomen in haar leven, leek het wel. Tom had het ook al een paar keer gebruikt. 'De leerlingen verwachten van jou als leerkracht dat je duidelijke regels stelt', 'Niemand verwacht van jou dat je het in je stageperiode meteen perfect doet' en 'Ik verwacht van jullie dat jullie je klasgenoten vanaf nu niet meer pesten.'

Die laatste verwachting was uitgesproken alsof hij het van hen eiste. Dat was dus niet: ik hoop het, maar: ik reken erop. Verwachtingen deden dus een groter appèl op mensen dan hoop. Eigenlijk wel logisch. Als haar moeder zei: 'Ik had gehóópt dat je nog langs zou komen,' gaf dat haar een minder vervelend gevoel dan wanneer ze zei: 'Ik had verwácht dat je nog langs zou komen.' In het laatste geval zag ze haar moeder bij wijze van spreken al klaarzitten voor het raam, met de theekopjes op tafel. Zo'n uitspraak zou haar meteen een gevoel van tekortschieten bezorgen.

Blijkbaar was ze daar gevoelig voor. En haar moeder wist dat. En Anouk ook. Anouk! Dat was waar, ze moest haar nog bellen. Ze trapte meteen iets sneller door.

'Ik ga meteen naar huis,' zei Bianca zodra ze thuiskwam. 'Huub heeft gebeld, hij is ziek naar huis gekomen.'

'Dat zal ook wel buikgriep zijn, dat heerst, wij hebben dat van 't weekend ook bijna allemaal gehad.'

'Laten we maar hopen dat hij net zo snel weer opknapt als jullie. Ik heb niets gemerkt aan Sem en Isabel. Nou, ik ga, hoor. Dag!' En weg was ze.

Isabel en Sem zaten met de Lego te spelen. 'Hoi mam, wat eten we?'

'Bloemkool met een saucijsje.'

'En het toetje?'

'We hebben nog een pak hopjesvla, en er is vruchtenyoghurt.'

'Hopjesvla!' riepen Sem en Isabel tegelijk.

Loïs lachte. 'Oké, jullie je zin, hopjesvla.'

Ze keek in de pannen die al op de kookplaat stonden. Fijn, Bianca had de aardappels al geschild en de bloemkool schoongemaakt, zelfs de saucijsjes waren al gebraden. Ze keek op haar horloge. Halfvijf, nog iets te vroeg om het eten op te zetten. Misschien kon ze Anouk nu wel bellen? O nee, Jelle had dinsdags zwemles rond deze tijd. Na het eten maar even proberen.

Maar ook 's avonds nam Anouk niet op, Loïs kreeg steeds de voicemail. Vreemd. De jongetjes van Anouk moesten toch ook bijtijds naar bed. Morgen maar weer proberen.

Maar ook woensdag nam Anouk niet op. Dus stuurde Loïs haar een mail: *Hoi zus, zaterdag ben je jarig. Wanneer vier je het, en heb je nog wensen? Groetjes, Loïs.*

's Avonds kwam er een korte reactie: *Hoi, ik vier m'n verjaardag niet. Anouk.* Loïs staarde verbaasd naar het bericht. Anouk vierde haar verjaardag niet? En die vrouwenparty dan? Nou, het was wel duidelijk dat zij daar niet voor uitgenodigd was.

Ze waagde nog een poging: *Hoi Anouk, je viert het niet? Je wordt dertig, een kroonjaar! We willen dat graag met je vieren. Loïs.*

Pas vrijdagochtend kwam er een reactie: *Mam komt zondagochtend koffiedrinken, kom dan maar.*

Loïs was enerzijds blij dat ze toch op verjaardagsvisite mocht komen, anderzijds zag ze op tegen dat bezoek door de stugge toon in de mails van Anouk.

Die zondag na de kerkdienst reed Loïs met haar moeder naar de bungalow van Anouk en Jos. Marcel en de kinderen volgden hen op de fiets.

Bij de bungalow aangekomen haalde Loïs uit de achterbak een grote bos bloemen, die ze daar voor kerktijd al neergelegd had. Haar moeder had inmiddels aangebeld, en Jos deed open.

'Hallo. Anouk staat nog te douchen, het was nogal laat geworden gisteren. Ze komt zo.'

Binnen zaten Jelle en Jurre te tekenen. Oma en Loïs werden wat lauwtjes begroet. Loïs was blij dat Marcel en de kinderen al snel kwamen, zodat zij het ijs wat konden breken.

'Hé, er hangen geen slingers,' was het eerste wat Sem opviel.
'Dat wilde mama niet,' zei Jelle.
'Dat hoort toch op een verjaardag?' vroeg Sem verbaasd.
'En ballonnen!' zei Isabel.
Jos reageerde er niet op. 'Koffie?' vroeg hij aan de volwassenen.
'Graag.'
'En jullie allemaal limonade?' was de vraag aan de kinderen.
'Zal ik het inschenken?' bood Anne aan.
'Dat is goed.'
'Kan ik nog ergens mee helpen?' vroeg Loïs.
'Je mag de taart aansnijden als je wilt.'
'Dat is eigenlijk de taak van de jarige, toch?'
'Het duurt nog wel even voor die beneden is, dus doe jij het maar.'
Loïs sneed de taart aan, en zette daarna de bloemen in een vaas die Jos haar aanreikte.
Anouk liet zich pas zien toen ze allemaal al aan de taart zaten. Ze was gekleed in een modieus blauwfluwelen huispak. 'Goeiemorgen.'
Loïs zette in: 'Er is er één jarig, hoera...'
Maar Anouk onderbrak haar meteen: 'Alsjeblieft, zeg! Het is geen kinderfeestje!'
Iedereen hield even verschrikt zijn mond door de uitval van Anouk. Jos doorbrak als eerste de stilte: 'Koffie?'
'Graag! Daar ben ik aan toe.' Anouk liep sloffend op de bank af, legde wat kussens op elkaar in een hoek van de bank en nestelde zich erin.
'Die bloemen zijn voor je verjaardag,' wees Loïs naar de vaas.
Anouk bekeek ze amper. 'O, bedankt.'
'Het is laat geworden gisteren, hoorde ik,' zei haar moeder. 'Was het gezellig?'
'Ja, het was hartstikke leuk.'
'Wat heb je gedaan gisteren?' hield Loïs zich van den domme.
'Naar Amsterdam geweest met m'n vriendinnen.'
'Dus je vierde je verjaardag toch?'
'Ja, alleen niet thuis.'
Jos kwam binnen met de koffie voor Anouk. 'Ze vindt het heel erg dat ze al

dertig is geworden.'

'Ja, wrijf het er nog even in!' Anouk snauwde het bijna.

'Nou, het is toch zeker zo?'

Loïs keek naar haar moeder. Die roerde met een starende blik in haar koffie en zag er ongelukkig uit.

Mam trekt zich ook terug in zichzelf als ze ongelukkig is, herkende ze ineens. Dat heb ik blijkbaar met haar gemeen.

'Het was een mooie dienst vanmorgen, hè mam?' zei ze om het gesprek een andere wending te geven.

'Ja,' viel Marcel haar bij. 'Goeie gastpredikant.'

'Ik vond het leuk dat hij de jeugd er zo bij betrok,' zei Anne. 'Dat mis ik weleens bij onze eigen dominee als hij preekt. Op catechisatie is hij heel anders, dan hebben we altijd hele discussies.'

Het gesprek kabbelde voort, terwijl Anouk haar koffie dronk en het geheel aan zich voorbij leek te laten gaan. Loïs deed af en toe moeite om Anouk vriendelijk bij het gesprek te betrekken, maar Anouk gaf alleen maar eenlettergrepige antwoorden.

Na de koffie stond Loïs op. 'Zal ik u thuisbrengen, mam, of blijft u hier eten?'

Haar moeder stond ook op. 'Breng me maar naar huis, ik ben moe.'

Anouk bleef zitten en wuifde wat. 'Bedankt voor jullie bezoek.'

Jos liet hen uit. Hij verontschuldigde zich voor het gedrag van Anouk. 'Ze zit de laatste tijd niet zo lekker in haar vel. Hopelijk gaat dat weer over.'

In de auto zuchtte haar moeder: 'Tjonge, Anouk ook alweer dertig. Het lijkt nog maar zo kortgeleden dat ze met haar poppen speelde en ik haar haren invlocht. M'n kleine meisje is groot geworden. En ze verandert, net als jij. Nu raak ik haar ook al kwijt.'

Loïs schrok. 'Kwijt? Ook al? U bent míj toch niet kwijt?'

Haar moeder zuchtte weer. 'Dat gevoel heb ik anders wel.' Het klonk als een verwijt.

Loïs voelde hoe ze haar stekels opzette. 'Als u me kwijt was, zou u nu toch niet bij me in de auto kunnen zitten?' zei ze feller dan ze bedoelde. 'En ik ben woensdag nog met u naar de stad geweest.'

Haar moeder keek opzij naar buiten en haalde haar schouders op. De rest van de weg werd zwijgend afgelegd.

Bij het ouderlijk huis gekomen liet Loïs haar moeder uit. 'Woensdag bel ik weer,' zei ze iets vriendelijker.

'Dat is goed. Bedankt voor de lift.'

Communiceren is niet echt onze sterkste kant, dacht Loïs terwijl ze naar huis reed. We zijn beter in zwijgen. Vooral de laatste tijd. Hoe kwam dat toch? Kwam dat nu alleen maar doordat zij weer was gaan studeren? Misschien speelde dat mee, maar dat was niet de enige reden, wist ze ineens. Ze misten hun vader allemaal. Omdat hij de verbindende schakel tussen hen was. De lijm die hen bijeenhield. 'De haan in het kippenhok', zoals hij zichzelf weleens lachend omschreven had.

Papa was degene die ons altijd weer bij elkaar bracht als er mot was, dacht ze. Hun moeder kon dat niet. Die was bij een conflict tussen Loïs en Anouk altijd op de hand van Anouk, tenminste, dat gevoel kreeg Loïs altijd. En doordat Loïs zich op zo'n moment onheus door haar moeder bejegend voelde, trok ze zich terug in zichzelf en werd heel stilletjes. Hun vader had dat meestal onmiddellijk in de gaten en nam daar geen genoegen mee. Hij kon veel beter afstand nemen. Ook al waren hij en Loïs maatjes, toch koos hij nooit zonder meer partij voor haar. Hij vroeg door wat er aan de hand was, luisterde naar beide kanten van het verhaal, en zorgde ervoor dat ze weer naar elkaar luisterden.

Pap, kreunde ze inwendig. Ik mis je zo!

's Avonds op bed kwam ze nog even terug op de ochtend bij Anouk en Jos, en de opmerking daarna van haar moeder. 'Ik voelde gewoon al m'n stekels opzetten toen ze dat zei,' mopperde ze.

'Als een egeltje,' constateerde Marcel.

'Hè? O, ja, als een egeltje.'

Het was even stil.

'Wanneer zet een egeltje zijn stekels op?' vroeg Marcel toen.

Loïs keek opzij. 'Hoe bedoel je?'

'Nou, gewoon. Een egeltje doet dat niet voor niets.'

Loïs zag het voor zich. Ze hadden vorig jaar een egeltje in de tuin gehad, en zodra ze maar in zijn buurt kwamen, rolde het zich op tot een stekelig bolletje.

'Zo'n egeltje doet dat omdat het bang is. Maar ik ben toch niet bang voor m'n moeder?'

'Zo'n egeltje rolt zich op om zichzelf te beschermen. Om die ander niet bij zijn kwetsbare plekjes te laten komen. Misschien doe je dát wel bij je moeder.'

'Maar waarom? Nogmaals: ik ben toch niet bang voor m'n moeder?'

'Ik neem aan dat je ook niet bang bent voor mij, maar je komt op mij ook weleens over als een egeltje. Of als een slak die zich terugtrekt in zijn huisje.'

'Hè bah! Lekker complimenteus ben jij, door me te vergelijken met een slak.' Ze griezelde. 'Weet je nog, die gekraakte slak die Jurre in zijn broekzak had?'

'Nou, oké, geen slak. Feit is dat jij je ook bij mij weleens in jezelf terugtrekt.'

'Doe ik dat?'

Hij knikte. 'Niet zo vaak meer als in het begin van ons trouwen, maar af en toe komt het nog voor.'

'Noem eens een voorbeeld?'

'Nou, vanmorgen nog.'

'Wat was er dan?'

'Jij kwam vanmorgen naar me toe met de vraag of ik die paarse blouse mooi vond staan bij die zwarte rok.'

Loïs herinnerde het zich. 'En jij vond het maar niks.'

'Ja. En jij leek daar heel beledigd door.'

Ze fronste haar wenkbrauwen. 'Nou, beledigd... Ik was meer geïrriteerd. We waren al vrij laat, en toen moest ik weer iets anders verzinnen om aan te trekken.'

'Maar je had toch gewoon die rok en blouse aan kunnen houden?'

'Nee, want dat vond jij niet mooi staan.'

'Hoe vond jij het dan staan?'

'Ik vond het wel goed bij elkaar kleuren.'

'Nou, dan hoef je je er toch niets van aan te trekken wat ík ervan vond? Waarom vroeg je het eigenlijk?'

Loïs haalde haar schouders op. 'Misschien omdat ik er zelf toch wat onzeker over was of het wel goed stond.'

'En dus had je mijn bevestiging nodig.'

'Ja. Want ik wil niet voor gek lopen.'

Marcel hief in een bezwerend gebaar zijn handen omhoog. 'Hoho. Misschien is mijn smaak wel helemaal verkeerd, en was het juist een hartstikke modieuze combinatie.'

Loïs zuchtte. 'Lastig voorbeeld, hoor.'

'Het ging erom dat je je dan terugtrekt in jezelf. Je bent er dan wel, maar toch ook weer niet. Soms doe je dat ook als je bang bent dat ik je uit zal lachen. Wat overigens geheel onterecht is, want dat heb ik nog nooit gedaan.'

Loïs vouwde haar handen onder haar hoofd en staarde naar het plafond. Die filosofen hadden makkelijk praten met hun 'Ken uzelf'. Blijkbaar kon je jezelf nooit helemaal goed leren kennen zonder anderen die je een spiegel voorhielden.

'Het klinkt alsof ik dan bevestiging nodig heb.' Ze ging in gedachten de diverse situaties na waarin ze geneigd was zich terug te trekken. 'Misschien heb je daar wel gelijk in.'

'Alleen is je terugtrekken in jezelf, uit angst om gekwetst te worden, dan niet zo'n handige methode om die bevestiging te krijgen,' zei Marcel.

'Wat moet ik dan doen? Erom vragen?'

Marcel lachte. 'Dat zou wel het eenvoudigst zijn, dan weet die ander wat je van hem wilt.'

'Maar dat werkt toch niet? Als ik vanmorgen had gezegd: 'Marcel, zeg alsjeblieft dat jij die paarse blouse bij die zwarte rok mooi vindt staan', en je had ja gezegd, dan had ik je nooit geloofd.'

'Mysterie, uw naam is vrouw,' zei Marcel op plechtige toon als variant op een andere uitspraak.

'Oké,' ging hij verder. Hij leek steeds meer plezier te krijgen in het gesprek. 'Stel dat jij je vanmorgen niks aan had getrokken van wat ik zei, en je had gewoon die paarse blouse en die zwarte rok aangehouden, wat dan?'

'Dan hadden de mensen in de kerk misschien wel gedacht wat jij vanmorgen zei: dat het niet mooi stond.'

'En dan?'

'Dan had ik dus voor gek gelopen.'

'Voor hetzelfde geld dachten die mensen: wauw, wat ziet Loïs er vandaag schitterend uit, goede combinatie! Dat had toch ook gekund? Mijn smaak is toch niet maatgevend?'

'Voor mij blijkbaar wel.'

'Dat vind ik een eng idee.'

'Waarom?' vroeg Loïs verbaasd.

'Nou, dat je je zo door mij laat bepalen.'

'Ik dacht dat je daardoor juist gevleid zou zijn.'

'Nee, helemaal niet! Ik wil juist dat je jezelf bent!'

Er schoten tranen in Loïs' ogen. 'Maar hoe doe ik dat dan? Ik wíl ook graag mezelf zijn, en ik heb ook het idee dat ik de laatste tijd steeds meer mezelf word, maar volgens mama en Anouk ben ik juist mezelf niet meer.'

'Dat komt omdat je verandert, en dat vinden zij niet fijn. Je bent niet meer de makkelijk te beïnvloeden Loïs die zij kenden, de Loïs die zij voor hun karretje konden spannen en die altijd voor hen vloog. Maar wil je die Loïs nog wel zijn?'

'Ik weet het niet. Ik vind het vervelend dat Anouk zo afstandelijk tegen me doet, en dat mama het idee heeft dat ze me kwijtraakt. Maar aan de andere kant ben ik juist blij met de Loïs die ik word, de Loïs die veel meer zelfvertrouwen krijgt.'

Ze zuchtte. 'Weet je, het voelt alsof ik in een spagaat zit. Alsof mama en Anouk aan de ene kant aan me trekken en roepen dat ik de oude Loïs moet blijven, en aan de andere kant trekt de school, m'n stage, gesprekken met Irene, allerlei situaties waarin ik veel leer, niet alleen over mezelf, maar ook over relaties en zo. Alsof zij de nieuwe Loïs al in me zien.'

'En de kinderen en ik, waar bevinden wij ons?' vroeg Marcel gespannen.

Ze sloeg haar armen om hem heen en keek hem recht aan. 'Jij en de kinderen zitten in mijn hart. Vergeet dat nooit.'

16

Loïs kreeg het steeds meer naar haar zin op haar stageadres. Ze kon nu veel beter omgaan met de rumoerige sfeer in de klas en voelde zich steeds zelfverzekerder. Tom had gevraagd of ze ook af en toe op vrijdagochtend kon komen, dan werkte de klas vooral in groepjes en dat gaf weer een andere groepsdynamiek. Dus ging Loïs om de veertien dagen ook op vrijdagmorgen van negen tot elf naar haar stageplek. Ze bracht dan eerst Sem naar school, fietste daarna meteen door, en op de terugweg haalde ze Sem weer op. Het was een heel geregel, omdat ze dan ook die vrijdagochtend niet aan haar huiswerk kon besteden. Maar het gaf haar veel voldoening.

Ze zag haar moeder nog steeds elke zondag in de kerk, maar het elke zondag koffiedrinken na afloop had haar moeder teruggebracht naar één keer per veertien dagen, de ene keer bij haar thuis, de andere keer bij Loïs thuis. De tussenliggende weken ging Loïs op zaterdagochtend bij haar moeder langs, en ze deed dan meteen wat boodschappen voor haar als dat nodig was. Een enkele keer zag ze Anouk bij haar moeder, verder hadden ze geen contact. Loïs bleef er last van houden, maar de weinige keren dat ze Anouk zag hield ze zich wat afstandelijk, en Anouk deed net zo. Ogenschijnlijk was er niets aan de hand, ze praatten over koetjes en kalfjes, maar de vertrouwelijkheid ontbrak.

De meivakantie brak aan. Loïs en Marcel hadden een midweek gepland in een bungalowpark in Duitsland, net over de grens. Ze hadden Bianca en Huub ook uitgenodigd, als dank voor het oppassen van Bianca. Bianca had eerst wat tegengesputterd. 'Joh, dat hoeft toch niet, ik doe het graag.' Maar ze vond het wel erg leuk en zij en Huub gingen graag mee. Loïs was jarig in die week. 'Ik vier het in Duitsland,' zei ze tegen haar moeder. 'Komt u dan de zondag erna op de koffie?' Naar Anouk stuurde ze een mailtje: *Hoi zus, ben niet thuis op mijn verjaardag, zit dan een midweek in Duitsland met Marcel en de kids. Mam komt de zondag erna op de koffie, komen jullie dan ook? Groetjes, Loïs.* Ze had nog geen reactie teruggekregen.

Toen ze op maandagmiddag in het bungalowpark aankwamen, keken ze hun ogen uit. Dat waren geen bungalows, dat waren villa's! Bianca en Huub mochten in de slaapkamer beneden, waar een eigen badkamer bij was, en de drie slaapkamers boven waren voor Marcel, Loïs en de kinderen. Boven bevonden zich nog twee badkamers, eentje met een sauna en een douche erin, en eentje met een bad. Ook was er boven een apart toilet.

Nadat alle spullen uitgepakt en de bedden opgemaakt waren, gingen de kinderen het park verkennen. Loïs en Bianca zetten de tuinstoelen buiten klaar. Het was zulk heerlijk weer!

'Wie heeft er trek in koffie?' riep Marcel.

'Ikke,' riepen Loïs en Bianca tegelijkertijd.

'Wij hebben wat lekkers meegebracht voor bij de koffie,' zei Huub, en hij haalde uit de auto een platte doos met daarin een vruchtenvlaai.

'Slecht voor de lijn, maar wel erg lekker,' vond Loïs.

Even later kwamen de kinderen terug. 'Daarbinnen is van alles te doen als het regent,' vertelde Anne. 'En het zwembad is aan de overkant van de weg.'

'Ze hebben er ook een bowlingbaan. Gaan we een keertje bowlen?' vroeg Koen.

'Is er ook een winkel?' vroeg Loïs.

'Ja, maar niet zo groot.'

'We hebben ook niet zo veel nodig. We hebben al van alles bij ons, maar elke dag vers brood is wel lekker.'

Isabel trok aan Loïs' arm. 'In het winkeltje hebben ze ook speelgoed. Mogen we wat uitkiezen?'

'Heb je nog geen speelgoed genoeg dan?' zei Loïs lachend.

'Ze hebben van die paardjes met lange haren...'

'Dat heten manen,' onderbrak Anne haar.

'... en er zit een borsteltje bij,' ging Isabel onverstoorbaar verder. 'Ah mam, alsjeblieft?'

'Ik zal weleens zien,' hield Loïs zich op de vlakte. 'Willen jullie wat drinken, en een stukje vlaai? Die hebben tante Bianca en oom Huub meegebracht.'

'Mmm, lekker!'

Loïs had thuis al een beenham gebraden, en met een paar potten groente en flink wat gebakken aardappels maakte ze 's avonds een eenvoudige maar smakelijke maaltijd klaar, die door iedereen eer werd aangedaan. Daarna liepen ze met z'n allen een rondje over het terrein.

'Je kunt hier ook fietsen huren, heb ik op de site gelezen,' zei Loïs. 'Misschien kunnen we dat woensdag wel doen, ze geven in elk geval het begin van de week goed weer af. Er is hier dichtbij een oud middeleeuws kasteel dat we zouden kunnen bezoeken. Verder zijn er in de omgeving een dierentuin en een apenbos, en je kunt hier in de buurt ook karten of kanoën. Genoeg te doen dus.'

'Gaan we morgen naar het zwembad?' vroeg Anne.

'Misschien kunnen we morgen beter iets doen waar we het mooie weer bij nodig hebben, en kunnen we het zwemmen bewaren tot het eind van de week, als ze wat minder weer afgeven.'

'Gaan we dan morgen karten?' riep Koen.

'Nee, kanoën,' riep Anne.

'Nee, naar het apenbos,' riep Isabel.

'We zullen morgen eerst maar eens bij de receptie kijken wat dat allemaal kost,' zei Marcel.

Hij zag Sem geeuwen. 'Maar volgens mij moet er nu eerst iemand naar bed.'

Sem protesteerde niet eens. Hij liet zich gewillig naar bed brengen.

Er bleken wat spelletjes te liggen in een van de kasten, en ze vermaakten zich 's avonds met de Berlijnse versie van Monopoly. Daarop kwamen bekende namen voor als Checkpoint Charlie, Brandenburger Tor, Reichstag, Kürfürstendamm en Unter den Linden. In plaats van vier stations waren er twee stations en twee luchthavens, op de plaats van het elektriciteitsbedrijf stond nu het Sony-Center, en op de plaats van de waterleiding stond de Fernsehturm.

'Zo haal je je Duits nog eens op,' zei Huub.

'Nou, ik vind het maar een moeilijke taal, hoor,' zei Anne. 'Met al die naamvallen.'

Ze sliepen allemaal heerlijk op de werkelijk prima bedden. De volgende morgen scheen het zonnetje weer.

'Zullen we lekker buiten ontbijten?' stelde Loïs voor. Ze voegde de daad bij het woord en legde de kussens op de tuinstoelen.

'Zal ik om verse broodjes gaan?' vroeg Marcel.

'Lekker!'

'Wat gaan we vandaag doen?' vroeg Koen toen ze aan het ontbijt zaten.

'We hebben gisteravond nog even naar de weersverwachting gekeken, en ik denk dat we het best vandaag de fietsen kunnen huren,' zei Loïs. 'Vandaag staat er weinig wind.'

Huub, Marcel, Anne en Koen gingen na het ontbijt bij de fietsverhuur kijken. Ze kwamen terug met vier damesfietsen, twee herenfietsen en twee kinderfietsjes.

'Er waren meer mensen die op hetzelfde idee waren gekomen, dit waren de laatste twee herenfietsen,' zei Huub.

'Ik ga wel op een damesfiets, die herenfietsen zijn net iets te hoog voor mij,' zei Koen.

Marcel hield een kaart omhoog. 'Van de omgeving, hier staat op hoe we naar het kasteel moeten fietsen.'

Bianca en Loïs hadden in de tussentijd lunchpakketten klaargemaakt, en even later waren ze vertrokken.

Het laatste stukje naar het kasteel ging zo steil omhoog dat ze moesten afstappen. Maar de tocht was alleszins de moeite waard. Een gedeelte van het kasteel was nog bewoond, maar de vestingwerken en enkele historische ontvangstruimtes waren opengesteld voor publiek. Vanaf de dertig meter hoge middeleeuwse kruittoren hadden ze een prachtig uitzicht over Westfalen en Twente.

'Tjonge, je zult toch zo'n uitzicht hebben vanuit je woonkamer,' zuchtte Bianca. 'Om jaloers op te worden.'

'Maar ik zou niet hele dagen vreemde mensen op m'n terrein willen hebben,' zei Loïs.

'Nee, dat lijkt mij ook niks, maar dat zullen ze wel doen om de kosten van het onderhoud te kunnen betalen,' dacht Bianca hardop.

De lunchpakketten werden verorberd op een mooi plekje in het nabijgelegen park, en daarna fietsten ze via een andere route door het bos weer terug naar het bungalowpark.

'Gaan we vanavond bowlen, mam?' vroeg Koen.

Loïs keek op haar horloge. Het was nog maar halfvijf. Ze keek naar Marcel.

'Als we nu vroeg eten, kunnen Sem en Isabel ook mee bowlen,' zei ze.

'Prima,' zei Marcel. 'Tenminste, als de banen nog niet allemaal verhuurd zijn. Ik ga wel meteen kijken.'

Terwijl Loïs twee schalen lasagne klaarmaakte, maakte Bianca een frisse salade. De kinderen waren buiten met Huub aan het voetballen.

Marcel kwam weer terug. 'Het kon nog, ik heb twee banen gehuurd, van halfzeven tot acht uur.'

Ze konden deze keer weer buiten eten. Ook nu ging alles schoon op. 'Buitenlucht maakt hongerig, zeggen ze, maar het is waar,' lachte Loïs. 'We hebben geen toetje, maar we nemen straks bij de bowlingbaan wel een ijsje.'

Daarna hadden ze veel plezier op de bowlingbaan. Isabel verbaasde iedereen door tot twee keer toe een strike te gooien, terwijl de bal tergend langzaam over de baan rolde. En Sem gooide de bal af en toe omhoog in plaats van naar voren, waarna Loïs stiekem keek of er geen put in de vloer gekomen was.

Ook die avond werd er weer gemonopolied, de tv bleef uit.

Woensdag was het weer wat frisser. Die dag gingen ze op verzoek van Isabel naar het apenbos, dat veel meer dan een apenbos bleek te zijn. Het was een natuurlijk ingerichte dierentuin, waar ze tussen de dieren door konden lopen. In het apenbos liepen berberaapjes vrij rond, en in de volière konden ze tussen de pinguïns door lopen, er waren neusbeertjes, prairiehondjes, en zelfs was er een zeehondenshow. Verder waren er schapen, lama's en geitjes in de kinderboerderij. Ze mochten ze niet alleen aaien, maar ook voeren. Ook was er een grote speeltuin bij, met allerlei klim-, klauter-, balanceer- en glijtoestellen.

's Middags liepen ze met z'n allen de avontuurroute door het bos, waar ze allerlei educatieve spelletjes konden doen. Vooral Isabel en Sem kregen er geen genoeg van.

Op de terugweg aten ze bij McDonald's, en ze kwamen pas tegen negen uur thuis. 'Dat was een superdag!' zei Sem toen hij naar bed werd gebracht.

Iedereen was moe, dus ze dronken alleen nog wat en gingen toen ook naar bed.

De volgende morgen werd Loïs vroeg wakker. Ze keek naast zich. Marcels plek was al leeg. Zeker even naar het toilet. Buiten was het minder zonnig dan de eerste dagen. Ze keek op haar horloge. Nog maar zes uur, te vroeg om eruit te gaan. Ze draaide zich nog eens om en sliep direct weer in.

Toen ze weer wakker werd, was het al kwart voor acht. Beneden hoorde ze geroezemoes, de kinderen waren blijkbaar ook al wakker. Ze stapte uit bed en pakte haar kleren. Zo, nu eerst eens lekker douchen. Die sauna kon wat haar betreft gestolen worden, zij was niet zo'n saunamens, net zomin als Marcel, maar Bianca en Huub hadden er al een keer gebruik van gemaakt. Even later liep ze opgefrist de trap af. Beneden werd het ineens doodstil.

Voorzichtig opende ze de kamerdeur en keek om het hoekje. Zeven stralende gezichten grijnsden haar toe. De hele kamer was versierd met slingers en ballonnen, en de tafel was feestelijk gedekt. Een van de stoelen was ook versierd.

Ze stapte de kamer binnen. Sem begon: 'Er is er één jarig, hoera, hoera,' waarna iedereen hem bijviel: 'Dat kun je wel zien, dat is zij!'

Loïs dacht aan de verjaardag van Anouk, die niet gewild had dat er voor haar gezongen werd, omdat het 'geen kinderfeestje' was. Ze keek de kring rond. Iedereen zong uit volle borst mee, allemaal voor haar. Het ontroerde haar, en ze schoot even vol.

Sem zag het. Hij snelde op haar af en pakte haar hand. 'Wat is er, mam? Ben je niet blij?'

Ze knuffelde hem. 'Ik ben hartstikke blij! Wát een leuke verrassing, en wat is de kamer mooi versierd! Wanneer hebben jullie dat gedaan?'

'Vanmorgen,' glunderde Sem. 'Toen jij sliep. We hebben héél zachtjes gedaan.'

Marcel gaf haar een zoen. 'Fijne verjaardag, schat.' Daarna werd Loïs door de anderen gefeliciteerd.

Sem vond het allemaal te lang duren. Hij trok haar naar de versierde stoel. 'Kijk eens, die heb ik versierd.'

Op de rugleuning hing een tekening met veel plakband vastgeplakt. Er stonden allemaal ballonnen en hartjes op, en daarboven: *Mam is jarug. Gefilsietirt. Van Sem.*

'En deze is van mij,' zei Isabel. Zij gaf Loïs een feesthoedje met allemaal prinsessenstickers erop. 'Die moet je de hele dag ophouden.'

Loïs zette gehoorzaam het hoedje op haar natte haren. Ze keek naar de tafel. Verse broodjes en croissants, een schaal rozijnenbrood, gekookte eieren, diverse kleine potjes jam, glazen jus d'orange. Ze kreeg nu al trek.

Ze draaide zich om. 'Het ziet er allemaal heerlijk uit. Dank jullie wel!'

'En nu eten!' riep Sem. 'Mijn buik knorde al van de honger.'

Marcel kietelde hem. 'Misschien zit er wel een klein varkentje in je buik.'

Sem schaterde het uit.

'Bij mij ook!' riep Isabel. Het ontaardde in een gezellige stoeipartij, waar ook Huub aan meedeed.

Loïs keek naar Bianca, die met een wat weemoedige blik het tafereel bekeek. Bianca had dit ook zo graag gewild, wist ze. Ze was altijd dol op kinderen geweest, maar om onduidelijke redenen was ze nooit zwanger geworden. Er waren allerlei onderzoeken geweest, maar geen ervan gaf uitsluitsel wat de reden van het uitblijven van een zwangerschap was. Huub en zij leken zich er inmiddels bij neergelegd te hebben dat er geen kinderen zouden komen, maar het bleef overduidelijk pijn doen.

Ze liep op haar schoonzus af en sloeg een arm om haar heen. 'Fijn dat jullie erbij zijn,' zei ze zacht.

Bianca leunde even tegen haar aan. 'Fijn dat we erbij mochten zijn,' zei ze. 'Ook al doet het pijn om jullie kinderen te zien, ik geniet er toch ook veel van.'

Ze keek naar Huub. 'Hij zou zo'n geweldige vader geweest zijn...'

Na het ontbijt overlegden ze wat ze vandaag zouden doen.

'Ik heb voor vanavond gereserveerd in het restaurant hier,' zei Marcel. 'We kunnen om halfzes aan tafel.'

'Zullen we vandaag dan gaan zwemmen?' stelde Anne voor.

'Ik kan niet mee, ik ben gisteren ongesteld geworden,' zei Loïs.

Bianca stak haar arm door die van Loïs. 'Als jullie nu vanmorgen allemaal gaan zwemmen, dan gaan Loïs en ik samen een eind wandelen in het bos. Vanmiddag kunnen we dan wel weer iets samen doen. Is dat een goed idee?'

Het voorstel werd met algemene stemmen aangenomen. 'Dan gaan we vanmiddag midgetgolfen,' zei Marcel. 'Daarvoor hoeven we het terrein niet af, en dan zijn we in elk geval op tijd in het restaurant.'

Even later liepen Loïs en Bianca door het bos. Loïs had haar feesthoedje toch maar even afgedaan.

'Wat hebben jullie toch een gezellig gezin,' zei Bianca. 'Om jaloers op te zijn. Maar ik ben niet afgunstig, hoor,' liet ze er meteen op volgen.

'We hadden het jullie ook zo gegund,' zei Loïs. Toen stelde ze de vraag die ze al heel lang had willen stellen maar tot nu toe nooit gedurfd had: 'Hebben jullie weleens aan adoptie gedacht? Jullie zouden zulke leuke ouders zijn!'

Bianca schudde haar hoofd. 'We hebben het weleens overwogen, maar dat is zo'n lange en ingewikkelde procedure. Weet je... we hopen stiekem nog steeds dat ik ooit zwanger word. Ik bedoel... er is nooit iets uit die onderzoeken gekomen. De doktoren staan voor een raadsel. Ik ben nu achtendertig, dus nog steeds jong genoeg om een kind te krijgen. Wie weet gebeurt het toch nog. Daar houden we ons maar aan vast. Huubs broers hebben ook alle drie kinderen, waarom zou Huub ze dan niet kunnen krijgen?'

Loïs' hart ging naar haar schoonzus uit. 'Maar is dat niet slopend, om elke maand opnieuw de spanning mee te maken of je nu wel of niet ongesteld wordt?'

'Ja, dat is het ook. Maar hoop doet leven, zeggen ze toch?'

Even viel er een stilte tussen hen, die alleen onderbroken werd door het gezang van vele vogels in het bos.

'Hoe is het toch met je zus, met Anouk?' vroeg Bianca toen. 'Ik zie haar nooit meer.'

'Anouk zit niet zo lekker in haar vel op dit moment,' zei Loïs. 'Ik zie haar zelf ook nauwelijks.'

'O?'

'We eh... we lijken elkaar de laatste tijd te ontlopen,' zei Loïs toen. Ze had ineens de behoefte om er met Bianca over te praten. Bianca kon altijd goed luisteren.

'Hoe is dat zo gekomen?'

'Het is naar mijn idee begonnen toen ik een keer niet op haar kinderen wilde passen.'

'O? En je paste al zo vaak op ze.'

'Ja, maar nu vroeg ze of ze veertien dagen mochten komen, en dat wilde ik niet. Ik was net begonnen met m'n studie, en...'

'Veertien dagen? Gingen zij en Jos een verre reis maken of zo?'

Ai. Had ze nu maar niets gezegd!

'Nee, dat niet. Dat doet er ook verder niet toe. Ik zei dat ik dat niet wilde, en toen werd ze boos.'

'En toen ging jij allerlei manieren bedenken of je niet alsnog aan haar wens tegemoet kon komen.'

'Hoe weet jij dat?' vroeg Loïs stomverbaasd.

Bianca lachte. 'Leer mij m'n schoonzus kennen. Ik ken je al langer dan vandaag, toch? En toen?'

'Nou, ik vond het best lastig. Ik zeg nee tegen m'n zus als ze vraagt of ik op haar kinderen wil passen, maar ik maak zelf wel graag gebruik van jouw diensten.'

'Het is wel even iets anders of je om één middag per week vraagt of om veertien dagen achter elkaar.'

'Ja, maar toch...'

'Als ik nou nee gezegd had toen jij me vroeg of ik oppas wilde zijn, was jij dan boos geworden?' vroeg Bianca toen.

'Nee, natuurlijk niet! Al was ik wel erg blij dat je ja zei.'

'Wat had je gedaan als ik nee gezegd had?'

'Dan had ik een andere oplossing gezocht. Buitenschoolse opvang of zo.'

'Je had niet overwogen om dan maar niet te gaan studeren?'

Loïs schudde haar hoofd. 'Nee, die beslissing had ik al genomen. Dus of jij nu ja of nee gezegd had, dat had niet uitgemaakt.'

'En je zus? Heeft zij een andere oplossing gezocht en gevonden?'

Loïs schudde haar hoofd. 'Nee. Toen ik nee zei, ging haar geplande uitstapje niet door.'

'Dat was voor jou dan vast een extra reden om na te gaan of je het alsnog door kon laten gaan.'

Loïs lachte. Bianca kende haar wel erg goed. 'Je hebt helemaal gelijk. Maar Marcel zei dat ik voet bij stuk moest houden. Dat vond ik wel moeilijk, maar...' Ze lachte weer. 'Een van mijn leerdoelen op school is nee leren zeggen. Dat kon ik dus meteen in praktijk brengen.'

'En sindsdien is Anouk boos op je?'

Loïs knikte. 'Ik denk het. Ze doet amper haar mond tegen me open als ze me ziet. Ze snauwt me af aan de telefoon, of ze neemt helemaal niet eens op als ik bel. En toen ze dertig werd, nam ze al haar vriendinnen mee op een soort vrouwenparty in Amsterdam, maar mij vroeg ze niet. Mij, haar enige zus. Dat zou ze daarvóór wel gedaan hebben.'

'Vond je dat jammer?'

'Niet zozeer dat ik niet mee mocht, ik ken die vriendinnen amper, maar wel dat ze me niet eens vróég of ik mee wilde.'

'Als ze het gevraagd had, was je dan meegegaan?'

Loïs dacht even na. Toen keek ze met een bedenkelijke blik naar Bianca. 'Daar vraag je me wat. Nee, ik denk niet dat ik meegegaan zou zijn. Ik ben niet zo'n partynummer.' Ze schudde haar hoofd. 'Wat ben ik toch een gek mens. Ik ben beledigd als ze me niet vraagt, maar als ze me wel gevraagd zou hebben, zou ik bedankt hebben voor de eer.' Ze hoorde zelf hoe tegenstrijdig het klonk, dus om zichzelf te verdedigen zei ze: 'Maar dan hoeft ze toch niet zo stug tegen me te doen?'

'Hoe doe jij tegen haar?'

'Eh...' Stilte. Toen: 'Ik doe niet stug, ik stel me afwachtend op, ik heb namelijk geen zin om gekwetst te worden.'

'Misschien heeft je zus daar ook geen zin in.'

Loïs begon zich op te winden. 'Zeg, voor wie ben jij nou eigenlijk, voor Anouk of voor mij?'

Bianca deed verschrikt een stapje opzij. 'Hoho, ik wist niet dat je boos zou worden!'

Loïs zuchtte. 'Ik ben niet boos. Ik ben verontwaardigd.'

'Wat is het verschil?'

'Ach, laat maar.'

'Nee dame, nou niet jezelf terugtrekken omdat ik niet meteen partij voor jou kies!' zei Bianca.

Loïs schrok van dat 'jezelf terugtrekken'. Daar had Marcel haar onlangs op gewezen. Deed ze dat nu weer? 'Eh... sorry. Wat vroeg je?'

'Wat volgens jou het verschil was tussen je boosheid en je verontwaardiging.'

'Eh...'

'Want volgens mij is dat ongeveer hetzelfde.'

'Ja, dat denk ik eerlijk gezegd ook.' Loïs zuchtte. 'Ik wist van mezelf niet dat ik zo licht ontvlambaar kon zijn.'

'Blijkbaar wel als het gevoelig ligt. Hoe was de verhouding tussen jou en je zus toen jullie allebei nog thuis woonden?'

'Nou, we schelen ruim vijf jaar, dus we waren allebei met andere dingen bezig. Daarnaast was zij het lievelingetje van m'n moeder, terwijl ik een vaderskind was.'

'Opvallend.'

'Wat?'

'Dat je het niet andersom zegt: zij een moederskind en jij het lievelingetje van je vader.'

Loïs dacht even na. 'Maar dat was ook niet zo. Anouk was echt het lievelingetje van m'n moeder. Ik denk dat mijn moeder erg teleurgesteld was toen ik niet het soort dochter bleek te zijn dat zij voor ogen had. Anouk was dat wel, en zij en m'n moeder waren altijd twee handen op één buik. M'n moeder kon nooit nee zeggen tegen Anouk.'

'Was Anouk een verwend kind?'

'Eh... in mijn ogen wel een beetje.'

'En jij en je vader?'

'Mijn vader en ik trokken veel samen op. Ik ging met hem mee naar de bouw, hij heeft zelfs nog even gehoopt dat ik naar de hts zou gaan en daarna samen met hem een bouwbedrijf zou beginnen. Maar ik was niet wat je noemt zijn 'lievelingetje'. Hij hield van Anouk evenveel. Alleen waren hij en ik meer maatjes.'

'Twee handen op één buik?'

Loïs schudde haar hoofd. 'Nee, dat niet. Tenminste, niet wat ik daaronder versta, namelijk altijd één lijn trekken. Hij was het heus niet altijd met me eens, en trok zeer zeker geen partij. Integendeel, hij was juist degene die altijd tussen ons bemiddelde.' Ze zuchtte weer. 'Als hij nog geleefd had, was het vast niet zover gekomen tussen mij en Anouk.'

'Maar hij is er niet meer.'

'Nee, helaas.'

'En dus...?'

Loïs keek naar de grond. 'En dus zullen we het nu zelf moeten oplossen.'

17

'MAM, IK GA NAAR SANNE, HOOR,' RIEP ISABEL. ZE STOND AL KLAAR OM WEG TE rennen.

'Wacht even, eerst je spullen boven brengen!'

Terwijl Marcel de auto uitlaadde, keek Loïs de post van de afgelopen week door. Twee rekeningen, zes, nee, zeven verjaardagskaarten, de tv-gids, een bedelbrief, en een hoop reclame. Wat kreeg een mens toch een hoop papier elke week. Ze moest toch maar eens zo'n NEE/JA-sticker halen, want de huis-aan-huisbladen lazen ze wel.

Ze opende de enveloppen van de kaarten. Zou er een kaart van Anouk bij zitten? Haar moeder had haar gisteren tegen lunchtijd op haar mobiel gebeld om haar te feliciteren, maar van Anouk had ze niets gehoord.

Ook bij de kaarten zat niks van Anouk. Nou ja, eigenlijk ook wel logisch, ze stuurden elkaar nooit kaarten, en Anouk wist dat ze niet thuis was geweest op haar verjaardag. Die felicitaties kwamen zondag wel.

Maar toen ze 's avonds haar mail opende, las ze als reactie op haar eigen mail: *Wij zijn het weekend weg. Nog gefeliciteerd. Gr. Anouk.*

Gr. Dat zou wel voor 'groeten' staan, maar het leek nu wel op de grauw van een roofdier...

Anouk kwam dus niet zondag. Nou ja, jammer dan. Loïs ging verder met het lezen van haar mails, maar bleef toch een wat vervelend gevoel houden.

'Ze zijn dit weekend naar Renesse,' wist haar moeder te vertellen toen ze zondag na kerktijd aan het tweede kopje koffie zaten en de kinderen naar hun eigen kamer waren. 'Jos had een bon gekregen om daar met korting een vakantiebungalow te huren.'

'Da's voor 't eerst dat Anouk niet op mijn verjaardag aanwezig is,' zei Loïs teleurgesteld.

'Je was er zelf niet eens toen je jarig was,' zei haar moeder. 'Ze had moeilijk naar Duitsland kunnen komen om er op je verjaardag bij te zijn.'

Het ergerde Loïs dat haar moeder het voor Anouk opnam. Zie je nu wel dat Anouk geen kwaad kon doen bij haar moeder?

Ze haalde wat nukkig haar schouders op. 'Gaat het weer wat beter tussen Jos en Anouk?' vroeg ze toen. 'Jos zei zowel op uw als op Anouks verjaardag dat

Anouk al een tijdje chagrijnig was, en dat was ook duidelijk merkbaar toen we bij haar op verjaarsvisite waren.'

'Geen idee, Anouk zegt daar niet zo veel over,' zei haar moeder wat ontwijkend. 'Lekkere taart trouwens, waar heb je die gehaald?'

'O, er is een nieuwe taartenwinkel in het winkelcentrum. Ze hebben heel veel verschillende soorten. Maar om op Anouk terug te komen, hebt u dan niks aan haar gemerkt de laatste tijd?'

Ze merkte dat Marcel zat te seinen, maar deed of ze het niet zag en draaide haar hoofd van hem weg.

Haar moeder prikte in een stukje taart. 'Anouk...'

Loïs boog zich naar haar moeder toe. 'Nou?'

Haar moeder keek haar wat schichtig aan. 'Anouk vindt dat je de laatste tijd zo uit de hoogte doet.'

Loïs leunde verbaasd achterover. 'Wat! Ik uit de hoogte? Hoe komt ze dáár nu bij!'

'Nou, je zult toch moeten toegeven dat je anders bent dan vroeger. Toen was je veel gezelliger,' zei haar moeder op verdedigende toon. 'Sinds je bent gaan studeren...'

'Toen was ik niet gezélliger, toen was ik meegáánder, en dat is heel wat anders!' Loïs werd steeds bozer.

Ze hoorde Marcel nadrukkelijk zijn keel schrapen, als waarschuwing dat ze zich in moest houden. Maar ze negeerde het en keek haar moeder fel aan. 'Hoe komt ze erbij dat ik uit de hoogte doe? Dat doe ik helemaal niet! Integendeel!'

'Nou, laten we er maar over ophouden,' zei haar moeder, die duidelijk verlegen was met de situatie. 'Laat maar niet merken dat ik dat gezegd heb, hoor! Anders wordt ze boos op mij.'

De opmerking van haar moeder bleef Loïs dwarszitten, en zodra Marcel terug was van haar moeder thuisbrengen, begon ze er weer over. 'Hoorde je wat ze zei? Hoe komt Anouk erbij dat ik uit de hoogte doe? En m'n moeder was het daar blijkbaar nog mee eens ook!'

'Ik hoorde het, ja. Waarom wond je je daar zo over op?'

'Omdat ik dat helemaal niet doe! Ik heb juist het idee dat ik alleen maar op m'n knieën kruip om het hun naar de zin te maken. Ik ga met m'n moeder naar de stad, ook al heb ik daar eigenlijk geen tijd voor. Ik vertel niks meer over school omdat dat hun niet interesseert. Ik doe poeslief tegen Anouk als ze hartstikke chagrijnig is. Ik laat niet merken dat ik me gepasseerd voel als ze me niet eens uitnodigt op haar vrouwenparty. En zo kan ik nog wel een poosje doorgaan. Ze moesten eens weten hoeveel moeite ik voor hen doe.'

'Dat klinkt wel erg slachtofferig...'

'Ja, begin jij ook nog eens!' zei Loïs boos.

Marcel hield zijn handen omhoog. 'Ik geef me over. Waarom word je nu boos op mij? Volgens mij richt je nu je woede op de verkeerde persoon.'

Loïs liet zich achteroverzakken. 'Je hebt gelijk...' Ze zuchtte. 'En ik kan Anouk er niet eens over aanspreken, want ik mag niet laten merken dat ik weet dat ze dat gezegd heeft.'

'Als je dat niet mag laten merken, had je moeder beter haar mond kunnen houden,' zei Marcel.

'Nou ja, zij zit tussen twee ruziemakende dochters in en zal daar best wel last van hebben,' verdedigde Loïs haar moeder. 'Ik vind het ook niks als onze kinderen onderling ruzie hebben.'

'Je hebt toch geen ruzie met Anouk?'

Loïs haalde haar schouders op. 'Nou, we gaan anders met elkaar om dan vroeger, daar heeft mam wel gelijk in. Maar om nu te vinden dat ik uit de hoogte doe...' Ze wond zich weer op.

'Dan vraag je toch aan haar hoe ze daarop komt?'

Loïs schudde haar hoofd. 'Nee, als ik dat doe, zal ze dat wel weer verkeerd opvatten. Ik kan beter niks zeggen.'

'Waarom zou ze dat verkeerd opvatten?'

'Gewoon, dat weet ik. Ik ken Anouk.'

'Zoals zij jou denkt te kennen?'

Loïs viel ineens stil. Marcel had wel een punt.

'Nou ja, ik moet daar eerst eens over nadenken,' besloot ze.

Maar daar kwam weinig van. Het eind van het schooljaar kwam in zicht, en de vele tentamens en werkstukken die ze moest maken eisten alle aandacht op. Ondanks de drukte genoot ze van haar studie. Zelfs tijdens de lessen van André durfde ze tegenwoordig haar mond open te doen.

Ook op haar stageplaats had ze het druk. Tom leek plezier te hebben in haar groeiende zelfvertrouwen, hij liet haar steeds meer dingen doen. De kinderen wisten inmiddels wat ze aan haar hadden, en ze had weinig moeite meer om de rust in de klas te houden.

'Wat trekt je meer, de onderbouw of de bovenbouw?' vroeg Tom haar tijdens een van de laatste evaluatiegesprekken.

'Ik weet het nog niet,' zei Loïs. 'Elke groep heeft zo z'n eigen charme. Het onbevangene dat de kleuters hebben trekt me, maar de discussies die in zo'n groep als groep 6 plaatsvinden vind ik heel uitdagend, ze prikkelen mijn geest meer dan het werk bij de kleuters. Gelukkig hoef ik nu nog niet te kiezen. Toen ik de eerste keer naar de pabo ging, leek het werken met moeilijk lerende kinderen me wel boeiend, maar daar heb ik nog geen stage gelopen. En ik heb de middenbouw ook nog niet gehad.'

'Je kent die verschillende leeftijden toch al van je eigen kinderen?'

'Jawel, maar als ik daarnaar kijk, vind ik elke fase z'n leuke kanten hebben. Het geknuffel en getuttel met baby's vond ik altijd heerlijk, hun eerste woordjes en de eerste stapjes. Daarna de ontdekkingsreis van de peuters en kleuters in hun steeds groter wordende omgeving en hoe ze zich ontwikkelen tot kleine persoonlijkheden. Het leren lezen van Sem en zijn verrukking over een nieuwe wereld die daarmee voor hem opengaat, en de fase waarin Isabel zit nu ze steeds zelfstandiger wordt. Zelfs het puberen van Anne en Koen heeft z'n charme, maar wat dat betreft hebben we ook niks te mopperen. En de tijd als Anne straks als eerste de deur uit gaat om te gaan studeren zal ook wel weer z'n bijzondere kanten hebben, al zal het loslaten denk ik moeite kosten. Maar dat duurt gelukkig nog een paar jaar.'

'En dan komt ze met een vriendje aanzetten, weer een nieuwe fase,' grijnsde Tom. 'Mijn moeder had daar veel moeite mee toen mijn zus als eerste verkering kreeg. Nu loopt ze weg met mijn zwager, maar hij werd in eerste instantie met argusogen bekeken.'

'Anne heeft nog geen vriendje. Tenminste, niet dat ik weet. Ze mailt sinds kort met een oud-klasgenoot die contact met haar gezocht heeft, en die ze wel heel leuk vindt, maar ik weet niet of hij dat ook weet. We horen er wel van.'

Ze sloeg haar agenda dicht. 'Was dit het?'

'Wat mij betreft wel. Heb jij nog vragen?'

'Eh... ja, eigenlijk wel. Bij mijn vorige stage kreeg ik bij mijn eindbeoordeling de opmerking dat ik wat meer initiatief zou kunnen tonen. Vind jij dat ook? Want dan heb ik nu nog de tijd om daaraan te werken.'

Tom schudde zijn hoofd. 'Nee hoor, die opmerking zul je van mij niet krijgen. Als je zo doorgaat, wordt het een ruime voldoende.'

'Fijn!' Loïs grijnsde. 'Dat is weer een zorg minder.'

Terwijl ze naar huis fietste, bedacht ze dat ze op deze stage weer heel andere dingen geleerd had dan tijdens haar eerste stage. Logisch, het was een heel andere groep. Maar dat kwam ook door Tom. Bij hem had ze meer ruimte ervaren dan bij Hetty. Blijkbaar was dat een wisselwerking: als zij meer ruimte ervaarde, nam ze die ruimte ook in.

Ze hadden gisteravond bij psychologie het zogenoemde Pygmalioneffect behandeld. Daarbij was het onder andere gegaan over verwachtingen, waardoor Loïs' aandacht meteen gewekt was. Het ging over een experiment op een basisschool, waarbij de IQ's van de kinderen voorafgaand aan het experiment gemeten werden. Vervolgens werd er volkomen willekeurig uit elke klas een aantal kinderen geselecteerd van wie gezegd werd dat zij zeer intelligent waren. Aan het eind van het schooljaar werd weer een IQ-test afgenomen, waaruit bleek dat de zogenaamd slimme kinderen opvallend beter presteerden dan de rest. De positieve verwachtingen van de leerkrachten ten aanzien van die kinderen waren blijkbaar van invloed op hun prestaties.

Andere onderzoeken hadden aangetoond dat leerkrachten aan leerlingen van wie ze niet zo'n hoge dunk hadden, minder prikkelende vragen stelden, minder doorvroegen, sneller zelf een uitleg gaven of de beurt aan een ander kind doorgaven. Ook al was de leerkracht vriendelijk en ondersteunend, de leerling werd toch op een lager niveau aangesproken dan nodig was.

Blijkbaar had Tom een hogere dunk van haar dan Hetty. En blijkbaar werd zij daardoor geprikkeld en had zij daarop gereageerd door bij Tom veel meer van zichzelf te laten zien. Of misschien had zij zich juist geremd gevoeld door de té hoge verwachtingen van Hetty. Dat kon natuurlijk ook.

Hoe deed ze dat eigenlijk met haar eigen kinderen? Als ze naar de manier van opvoeden van Marcel en haarzelf keek, dan waren zij ouders die eerder zeiden: 'Dat lukt je vast wel, probeer maar', dan 'Dat kun jij toch niet'. Poeh, toch wel goed om te weten dat ze dat in elk geval goed gedaan hadden... Hoe hadden haar ouders dat bij haar en Anouk gedaan? Haar vader had haar voldoende uitgedaagd. Ze had hem vaak geholpen bij klusjes en mocht zijn gereedschap zonder enige terughoudendheid gebruiken. Ook was hij iemand geweest die meestal zei: 'Dat kun jij vast wel.' Hij had onbetwistbaar veel van haar gehouden.

De signalen die ze daarentegen van haar moeder gekregen had, waren die van teleurstelling en afwijzing. Zij had nooit kunnen voldoen aan het beeld dat haar moeder van een dochter had gehad. Maar toen Anouk er eenmaal was, hoefde ze daar ook niet meer aan te voldoen. Haar moeder had toen haar oogappel gevonden.

O, haar moeder had altijd goed voor haar gezorgd, daar niet van. Het had Loïs materieel gezien aan niets ontbroken. Haar moeder had vast wel van haar gehouden.

Maar ik mocht nooit zijn wie ik was, besefte ze ineens. Ik mag zelfs nú nog niet eens zijn wie ik ben. Of wie ik aan het worden ben. Omdat dat niet voldoet aan háár beeld. Ze ziet me niet eens zoals ik ben.

Een snik welde in haar op. Dit besef deed zo'n pijn!

's Avonds in bed begon ze er tegen Marcel over. Ze vertelde over het gesprek met Tom, en de link naar de psychologieles van de avond ervoor. 'Onderweg naar huis vroeg ik me af wat voor soort ouders wij zijn naar de kinderen, en toen moest ik onwillekeurig terugdenken aan hoe mijn ouders naar mij geweest zijn.'

Ze nestelde zich in zijn arm, ze had ineens behoefte aan een veilig plekje voor ze haar pijn uitsprak.

'Ja,' vroeg Marcel. 'En toen?'

'Nou, papa gaf me genoeg bevestiging, je weet hoeveel hij van me hield. Maar mama...'

'Ja?'

'Mama... O, als je haar zou vragen of ze van me houdt, zou ze ongetwijfeld ja zeggen.'

'Maar...?'

Loïs voelde de tranen in haar ogen schieten. 'Mama was teleurgesteld in wie ik was. Tenminste, dat heb ik altijd zo gevoeld. Tot Anouk kwam. Toen pas had ze haar droomdochter. Daar ging al haar aandacht naar uit.'

'Dat merkte ik al direct toen ik voor 't eerst bij jullie thuis kwam, maar ik heb toen niet gemerkt dat jij daar last van had. Jij en je vader hadden een vergelijkbare band als Anouk en je moeder. Ik wist niet beter dan dat het altijd al zo geweest was.'

'Ik denk dat ik de pijn daarover altijd naar de achtergrond geschoven heb. Het was gewoon een gegeven. Vanmiddag kon ik er echter niet meer omheen.'

Ze snikte het ineens uit. Marcel liet haar even huilen, in de hoop dat de huilbui wat ruimte zou geven. Van lieverlee werd Loïs weer wat rustiger.

'Hèhè, dat lucht op,' zei ze. Ze slaakte een diepe zucht en vervolgde toen: 'Door die pijn onder ogen te zien realiseerde ik me net dat ik me nog steeds niet geaccepteerd voel door m'n moeder. Vroeger ging het om hoe ik eruitzag, nu om wat ik doe. Ze vindt het maar niks dat ik weer ben gaan studeren, ze vindt net als Anouk dat ik uit de hoogte doe, ze is niet geïnteresseerd in wat ik beleef, ze...'

Marcel drukte haar tegen zich aan. 'Maar ík hou toch van je? En de kinderen, en Bianca en Huub, en mijn ouders, en zo zijn er nog veel meer mensen die van je houden zoals je bent. En je krijgt toch ook bevestiging op school, en op je stageadres?'

'Maar als de mensen van mijn eigen vlees en bloed, mijn eigen moeder en zus, me niet erkennen om wie ik ben, hoe kan ik dat dan hopen en verwachten van andere mensen? Die vinden me alleen maar aardig om wat ik doe, en dat moet ik dan dus blijven doen om verzekerd te blijven van hun bevestiging.'

'En de kinderen en ik dan?'

'Ja, maar jullie zijn bevooroordeeld.'

Marcel begon te lachen, maar toch zei hij: 'Als ik net zo in elkaar zat als jij, zou ik dat dus kunnen ervaren als een afwijzing. Want dan zou mijn bevestiging niet goed genoeg voor je zijn.'

'Nee, sorry, schat, zo bedoelde ik dat niet!' schrok Loïs.

'Dat begrijp ik wel, maar zie je nu hoe het gevoel van de een haaks kan staan op wat de ander bedoelt? Zonder dat je daar bewust invloed op uitoefent?

Ik kan iets zeggen om je op te beuren, en jij kunt dat ervaren als een afwijzing. En jij noemt mijn liefde voor jou 'bevooroordeeld', en dat kan ik op mijn beurt weer ervaren als een afwijzing – tenminste, als ik daar gevoelig voor zou zijn.'

Loïs zuchtte. 'Moeilijk hoor.' Ze dacht even na. 'Weet je,' ging ze toen verder, 'ik wil niet meer zo afhankelijk zijn van die behoefte aan bevestiging van een ander. Ik mag zijn wie ik ben, dat weet ik inmiddels.' Ze keek hem aan. 'Misschien dat mama daarom nu moeite met me heeft. Ik was vroeger veel meegaander, logisch, want als ik dat was kreeg ik wél bevestiging. Nu ik veel minder meegaand ben, past dat niet meer in haar beeld van wie ik ben. Ook bij Anouk zal dat zo zijn. Ze weten nu niet meer wat ze aan me hebben.'

'Misschien is dat het wel,' zei Marcel nadenkend. 'En misschien ervaren ze jouw groeiende onafhankelijkheid wel als verbeelding en vinden ze daarom dat je uit de hoogte doet.'

'Doe ik dat?' Loïs keek Marcel indringend aan. 'Anders moet je het zeggen, hoor!'

Hij lachte. 'Reken maar dat ik dat zal doen! Nee hoor, ík ervaar je in elk geval niet als iemand die zich iets verbeeldt.'

Loïs herinnerde zich iets anders. 'We hadden aan het begin van het jaar een les over kwaliteiten, en toen kwam het woord 'arrogantie' aan de orde.' Ze vertelde over de les van André en het spervuur aan vragen dat Rika van hem te verduren kreeg. 'Hij zei toen dat haar weerstand tegen het woord arrogantie waarschijnlijk te maken had met haar angst om niet aardig gevonden te worden. Ik had nu hetzelfde toen mama zei dat Anouk en zij vonden dat ik uit de hoogte deed. Ze vonden me dus niet meer aardig.'

'Maar dat zei ze niet, dat was jouw interpretatie. Ze zei alleen maar dat Anouk vond dat je de laatste tijd uit de hoogte deed.'

'Nou ja, uit de hoogte is hetzelfde als hooghartig, en dat heeft een negatieve klank. Trouwens, de manier waarop ze het zei, was duidelijk genoeg. *C'est le ton qui fait la musique*, weet je nog? Bovendien voegde mam eraan toe dat ik vroeger veel gezelliger was. Dus ben ik nu ongezellig. Nou, als dat niet negatief bedoeld is...'

'Jij vindt mij toch ook weleens irritant?'

'Ja, hoezo?'

'Betekent dat dat je op dat moment niet van me houdt?'

'Nee, natuurlijk niet.'

'Dus het feit dat je moeder jou minder gezellig vindt dan vroeger, wil toch niet zeggen dat ze nu minder van je houdt dan vroeger?'

'Nee... maar...'

'Waarom hoor je dat daar dan wel in?'

Ze trok met een kort gebaar haar schouders op. 'Weet niet. Gewoonte misschien?'

'Het valt me wel vaker op dat jij niet luistert naar wat je moeder zegt, maar naar wat jij denkt dat ze tussen de regels door zegt. Wat jij hoort, zegt iets over jou. Ik hoor alleen maar wat ze zegt. Maar misschien luisteren mannen wel anders dan vrouwen.'

'Zou kunnen. Daar schijnen hele boeken over volgeschreven te zijn.'

'Je zou ook tegen je moeder kunnen zeggen dat je je gekwetst voelde door haar opmerking,' zei Marcel.

'En dan? Stel je voor dat ze zegt dat dat ook de bedoeling was?'

'Dat kan ik me niet voorstellen. Misschien schrikt ze juist en zegt ze dat dat niet de opzet was. Als je het niet vraagt, weet je het niet.'

'Jawel, maar... misschien denkt ze dan wel dat ik me aanstel.' Ik lijk m'n moeder wel, dacht ze. Ik zeg ook op alles 'ja maar', net als die man met dat gat in z'n emmer.

'Hoe kun jij nu weten wat zij denkt?'

'Eh... ervaring?'

'Volgens mij denken jullie alle drie te veel voor de ander,' zei Marcel zuchtend. 'Zonder na te vragen of het klopt wat je denkt.' Hij trok kreunend zijn arm onder haar hoofd vandaan. 'Ik krijg een beetje kramp in mijn schouder.'

Loïs ging op haar rug liggen, haar handen gevouwen onder haar hoofd. Marcel gaapte hardop. 'En eerlijk gezegd barst ik van de slaap.' Hij kuste haar op haar kruin. 'Misschien moet je er nog eens een nachtje over slapen. Morgen ziet het er vast weer anders uit.'

Al snel viel hij in slaap. Maar Loïs lag nog een poosje wakker. Er ging van alles door haar gedachten. Het gesprek zondag met haar moeder. Anouk die nog steeds niet had gebeld voor haar verjaardag. De psychologieles van gisteravond. De evaluatie met Tom. En nu het gesprek met Marcel.

Op de een of andere manier hield het allemaal verband met elkaar, maar misschien wel juist daardoor was het één grote brij aan het worden in haar hoofd.

'Wat jij hoort, zegt iets over jou,' had Marcel gezegd. Daar zat wel iets in. Maar ze was nu eenmaal wat overgevoelig voor de mening van haar moeder, en hoorde daar misschien iets te snel een veroordeling in.

Misschien was het toch niet zo'n gek idee van Marcel om een gesprek met haar moeder aan te gaan. Het viel allicht te proberen. Zoals ze al tegen Bianca gezegd had: nu haar vader er niet meer was, moesten ze er zelf uit zien te komen.

Maar wat als de uitkomst van het gesprek tegenviel? Wat als dat gesprek de afstand tussen haar en haar moeder nog groter maakte? Kwam ze dan niet nog meer alleen te staan?

Je bent nooit alleen, zei een stem in haar hart. God houdt van je. Hij weet precies wie je bent. Hij heeft je Zelf geschapen. Je mag er zijn. Dat moet genoeg voor je zijn. Durf maar los te laten.

Het beeld van een bevalling kwam haar weer voor de geest. Zij was zelf destijds ook geboren. Haar moeder had haar met veel pijn en moeite gebaard, ze had herhaalde malen verteld dat het zo'n zware bevalling was geweest.

Een bevalling wás ook een heel karwei, zowel voor de moeder als voor het kind dat geboren werd. Twee levende wezens die daarvóór nog onlosmakelijk met elkaar verbonden waren geweest, werden door zo'n bevalling gescheiden. Tot dan was het kind in de baarmoeder volkomen afhankelijk geweest van die moeder. Na de geboorte was de baby ook nog wel afhankelijk, maar er waren nu ook andere mensen die het konden koesteren en voeden. En naarmate de baby groeide, werd die afhankelijkheid steeds minder.

Misschien was het proces waarin een moeder haar volwassen wordende kind voor een tweede keer los moest laten, wel net zo'n pijnlijk proces als een bevalling. Misschien dat ze uit angst voor die pijn dat proces tot nu toe allebei uit de weg gegaan waren. Misschien was haar moeder daarom steeds een beroep op haar blijven doen, en benadrukte ze daarom steeds haar afhankelijkheid van haar dochters.

Hoe zou dat tussen haar en Anne gaan als Anne straks de deur uit ging?

Dat duurde gelukkig nog een paar jaar. Anne had echter al aangekondigd dat ze uit zou wijken naar België als ze uitgeloot zou worden voor de studie Diergeneeskunde. En ook al zou ze ingeloot worden in Utrecht, dan nog wilde ze op kamers gaan wonen en niet vanuit Arnhem heen en weer blijven reizen. Ze keek daar zelfs naar uit.

Anne zou haar eigen weg gaan, en na haar de andere kinderen. Dat was goed. 'Daar voeden we ze toch voor op?' zei Marcel steeds.

Loïs dacht terug aan die zaterdag waarop ze na was gaan denken over het opnieuw gaan beginnen aan een studie. Omdat ze meer wilde dan thuis zitten wachten tot haar man en kinderen thuiskwamen met hun verhalen. Omdat ze niet alleen doorgeefstation van het leven wilde zijn, maar zelf ook wilde leven.

Misschien dat ze haar eigen kinderen makkelijker los zou kunnen laten nu ze voor zichzelf een nieuwe weg gevonden had. Een weg die haar tot nu toe prima beviel. Een weg waarop ze met vallen en opstaan mocht groeien, fouten mocht maken en opnieuw mocht beginnen, elke dag weer.

Ze had dat al ervaren toen ze het gedicht *Wedergeboorte* schreef. Ze ervaarde het nu weer.

Er daalde een diepe vrede in haar hart, en met een zucht van verlichting draaide ze zich op haar zij en viel in een droomloze slaap.

18

WOENSDAGAVOND BELDE ZE ZOALS GEWOONLIJK HAAR MOEDER. DIE DEED WAT terughoudend. 'Misschien is ze geschrokken van je boze reactie afgelopen zondag,' zei Marcel toen ze het hem vertelde.

Loïs zuchtte. 'Nog weer iets om uit te praten. Ik mag wel een lijstje bij gaan houden... Nou ja, misschien dat ik zaterdag wel even bij haar langsga. Dan kunnen we zondag weer gewoon tegen elkaar doen.'

Die zaterdag belde ze haar moeder om een uur of tien. 'Heeft u nog boodschappen nodig?'

'Nee, die heeft de buurvrouw gisteren al voor me meegebracht.'

'O. Ik wil even langskomen, komt dat uit?'

'Is er iets?'

'Dat vertel ik straks wel.'

'Eh... goed dan, hoe laat?'

'Ik ga nu eerst onze eigen boodschappen doen. Elf uur, is dat goed?'

'Ja hoor, tot straks.'

Toen Loïs tegen elven naar haar moeder fietste, voelde ze toch wel een bepaalde spanning in haar buik. Heeft Marcel dan toch gelijk, dacht ze. Ben ik een beetje bang voor m'n moeder?

Nee, het had er meer mee te maken dat ze nu iets ging doen wat ze nog niet eerder gedaan had. Ze ging haar eigen gevoelens blootleggen voor haar moeder. En ze had geen idee hoe haar moeder daarop zou reageren. Dat was eng.

Bij het huis van haar moeder aangekomen zette ze haar fiets tegen het raam. De deur ging al open voordat ze haar sleutel kon pakken.

'Hoi.' Het leek wel alsof haar moeder een beetje schuw keek. Alsof ook zij ertegen opzag dat Loïs langskwam. Omdat ze niet wist wat er ging komen.

We zijn allebei bang voor onze eigen pijn, maar ook om elkaar pijn te doen, realiseerde Loïs zich. Dat besef gaf haar ineens rust. Ze rechtte haar rug en stapte naar binnen. Ze gaf haar moeder een hartelijke kus. 'Ha, mamaatje.'

Haar moeder keek verbaasd. 'Het is lang geleden dat je dat tegen me gezegd hebt.'

'Misschien wel veel te lang.' Loïs trok haar bodywarmer uit en hing hem aan de kapstok.

'Heb je al koffiegedronken?'

'Ja, maar ik lust nog wel een bakje.'

Terwijl haar moeder naar de keuken ging, liep Loïs alvast de gezellige woonkamer binnen. Waar zouden ze gaan zitten? Aan de eettafel, of in de zithoek? Aan de eettafel maar. De tafel gaf wat afstand tussen hen in, en dat was misschien wel prettig als het gesprek wat heftig werd. Bovendien konden ze er altijd zo lekker op 'ellebogen', zoals haar moeder dat noemde als ze vroeger met z'n allen na het eten bleven kletsen met de ellebogen op tafel. Ze schoof een van de stoelen naar achteren en ging zitten, met haar blik op de tuin.

Haar moeder kwam binnen met twee kopjes koffie. 'Alsjeblieft.' Ze ging tegenover Loïs zitten. 'Jammer dat het net iets te fris is om buiten te zitten. De tuin is nu zo mooi.'

Ze nam een slokje van haar koffie. Loïs zag dat haar handen trilden. Ze nam zich voor voorzichtig te werk te gaan. Hoe nu het gesprek te beginnen?

'Mam...'

Stilte. Haar moeder keek haar aan. Ze fronste haar wenkbrauwen, maar ze zei niets.

Loïs zette haar kopje neer en waagde een nieuwe poging. 'Mam...' Ze wreef haar handen over haar gezicht.

'Wat heb ik verkeerd gedaan?' vroeg haar moeder plotseling.

'Niks! U hebt niks verkeerd gedaan,' zei Loïs. 'Alleen...' Ze haalde diep adem. 'De laatste tijd loopt het niet zo lekker tussen ons. Dat hebt u toch ook wel gemerkt?'

Haar moeder knikte. 'Ja, sinds jij bent gaan studeren.'

Loïs zuchtte. Ze hoorde een verwijt in haar moeders woorden: was je er maar nooit aan begonnen, dan was het niet misgegaan tussen ons. Toen dacht ze weer aan het beeld van een bevalling. Hou rekening met de pijn van je moeder, zei ze tegen zichzelf. Bovendien: haar moeder had gelijk dat haar studie een rol had gespeeld in de toenemende afstand tussen hen. Het was alsof ze Marcels stem hoorde: luister naar wat ze zegt, en niet naar wat jij denkt dat ze indirect probeert te zeggen.

'Ja, ik denk ook dat het is begonnen toen ik weer ging studeren.'

'Je veranderde ineens heel erg,' zei haar moeder.

Dat is geen verwijt, maar een constatering, hield Loïs zich voor. Ze knikte. 'Ja, ik veranderde. Alleen was ik blij met die verandering, maar u niet zo, klopt dat?'

Haar moeder knikte. 'Nee, ik was er niet blij mee. Want ik raakte je daardoor kwijt.' Ze zette met trillende handen het lege koffiekopje voor zich neer. Haar mond beefde een beetje.

Loïs pakte haar moeders handen. 'Weet u nog dat u aan het bevallen was van mij?'

Haar moeder reageerde onmiddellijk. 'Alsof ik dat zou vergeten!' Haar gezicht vertrok even, alsof ze zich de pijn weer herinnerde.

'En toen ik eenmaal geboren was, had u toen het idee dat u me kwijt was, omdat ik niet meer in uw buik zat?'

Haar moeder moest even wennen aan het beeld dat Loïs voor haar probeerde te schetsen. 'N...nee, dat niet. Ik had na de bevalling wel een tijdlang zo'n leeg gevoel in m'n buik, ik miste je bewegingen. Maar ik was ook blij dat ik nu kon zien wie ik al die tijd bij me gedragen had. En dat ik je in m'n armen kon houden.' Ze glimlachte even en staarde nadenkend voor zich uit. 'Je vader was zo blij met je! Hij vond je de mooiste baby die er bestond. Hij liep maar met jou op z'n arm door de kamer en vertelde hele verhalen aan je. En jij lag met grote ogen naar hem te kijken.'

'En u?'

'Hoe bedoel je?'

'Was u blij met me?' Loïs keek haar moeder gespannen aan.

Die keek verbaasd terug. 'Of ik blij met je was? Wat is dat nu voor vraag! Natuurlijk was ik blij met je. Mijn eerste kind...'

'Ik... ik had vaak de indruk dat u met Anouk veel blijer was dan met mij. Omdat zij de dochter was die u altijd gewenst had. En dat was ik niet...'

'Hoe kom je daar nu bij?' Haar moeder keek zo mogelijk nog verbaasder. Nu pakte zij Loïs' handen. 'Anouk was anders dan jij, dat is waar. Anouk vond het heerlijk dat ik met haar tuttelde, en jij vond dat maar niks. Jij wilde je al heel snel zelf aankleden, zelf je schoenen aandoen, zelf lopen, zelf fietsen. Het ging allemaal zo snel met jou. 'Ik kan 't sallef!' zei je altijd.' Ze staarde weer even voor zich uit, met haar gedachten terug in de tijd. 'Jij trok altijd veel meer naar je vader,' ging ze toen verder. 'En hij naar jou.' Het was weer even stil.

Loïs keek naar haar moeder. Er welde een vreemde droefheid in haar op. Ze had het idee dat ze haar moeder nu pas echt zag. Niet als moeder, maar gewoon, als medemens. Het was een vreemde ervaring. Ze leunde wat achterover om afstand te scheppen, als om die ervaring wat meer ruimte te geven. Maar ze liet haar handen in die van haar moeder liggen.

Haar moeder streelde met haar duimen over de handen van Loïs. Een lief, zacht gebaar. De stilte die tussen hen beiden hing, werd alleen onderbroken door het langzame, zware getik van de staande klok.

Toch was het geen akelige stilte, vond Loïs. Het was alleen alsof ze allebei even de adem inhielden, alsof ze allebei bang waren om dat tere, dat broze tussen hen te verbreken.

Haar moeder leek heel ver met haar gedachten. Loïs bekeek haar met nieuwe ogen. Ze zag het gezicht met de fijne lijnen, de mooi gevormde wenkbrauwen, de wat spitse neus, de kleine mond. Er waren nog nauwelijks rimpels te zien. Haar moeder was nog steeds een mooie vrouw, ontdekte ze tot haar verbazing. Vreemd dat ze dat nooit eerder gezien had. Haar moeder was altijd... gewoon haar moeder.

Plotseling keek haar moeder haar aan. 'Wat zit je naar me te kijken?'

Loïs glimlachte. 'Ik zag ineens dat u nog steeds een mooie vrouw bent.'

Ze zag dat haar moeders mond wat vertrok, en er verschenen tranen in haar ogen. 'Dat zei je vader ook altijd...' Ze trok haar handen uit die van Loïs. 'Wil je nog koffie?' Ze schoof haar stoel naar achteren en wilde opstaan.

Loïs schudde haar hoofd. 'Nee, dank u. Hè, blijf nog even zitten. Ik vind het net zo fijn om hier met u te praten.'

Haar moeder stond toch op. 'Even wat water pakken.' Ze liep naar de keuken. Loïs hoorde dat ze daar luidruchtig haar neus snoot.

Mam laat net als ik moeilijk haar gevoelens zien, bedacht ze. Als het een beetje te dichtbij komt, trekt ze zich terug. Net als ik.

Ze wachtte tot haar moeder weer tegenover haar zat en zei toen: 'Vond u het vervelend dat ik dat zei?'

Haar moeder trok een denkbeeldig pluisje van het tafelkleed. Er rolde een traan over haar wang. 'Ik mis je vader soms zo erg, dat ik... dat ik... dat ik zelf ook wel dood wilde...'

Loïs schrok, maar ze probeerde dat niet te laten merken. Het ging nu even niet om haar, maar om haar moeder. Ze pakte haar moeders hand, die nog steeds aan het tafelkleed plukte, en kneep er even in.

Er kwamen meer tranen. Haar moeder kromde haar schouders, haar lichaam maakte schokkende gebaren, en haar gezicht vertoonde een diepe smart. Ze huilde geluidloos.

Loïs wilde opstaan en naar haar moeder toe gaan, haar arm om haar schokkende schouders slaan en haar troosten, maar iets in haar zei dat ze moest blijven zitten. Laat het er maar uit komen. Geef haar de ruimte om verdriet te hebben, te rouwen.

Er ontsnapte een klein kreungeluid uit haar moeders keel, en alsof dat de weg opende voor haar smart, gierde ze het ineens uit met diepe uithalen.

Haar handen klemden zich vast aan Loïs' hand alsof dat een houvast voor haar vormde in haar diepe verdriet.

Na een poosje werden de uithalen minder diep, het huilen nam af tot een zacht snikken.

Met haar vrije hand streelde Loïs de handen van haar moeder.

Ze dacht terug aan de dagen rondom de begrafenis van haar vader. Er moest toen van alles geregeld worden, en daar waren ze erg druk mee geweest. Natuurlijk waren ze allemaal verdrietig geweest en was er veel gehuild, maar Loïs had haar verdriet om het verlies van haar vader meer met Marcel gedeeld dan met haar moeder of Anouk. Het feit dat Anouk na de begrafenis een paar weken bij haar moeder ingetrokken was, had dat alleen maar versterkt. En daarna waren ze allemaal weer overgegaan tot de orde van de dag. Bij Anouk en haar vroeg het gezin weer de nodige aandacht, waardoor het verdriet wat naar de achtergrond schoof. Maar voor haar moeder, die alleen achterbleef, was dat natuurlijk veel moeilijker geweest.

Eindelijk keek haar moeder haar met betraande wangen aan. 'Wat een gek mens ben ik, hè, om zomaar te gaan zitten huilen. Je zult wel denken...'

Even schoot Marcels opmerking: 'Jullie denken te veel voor een ander' door Loïs' gedachten. Ze glimlachte. 'Nee hoor, ik denk niks.'

Haar moeder haalde haar neus op. Een van haar handen liet die van Loïs los en zocht naar een zakdoekje in de zak van haar vestje. Ze veegde ermee over haar gezicht en snoot haar neus. Daarna stopte ze het zakdoekje terug en pakte Loïs' hand weer. 'Hè, dat lucht op, weet je dat?' Ze kneep in Loïs' hand. 'Kijk ons nu hier eens zitten. Als je vader ons zo zag...'

'Ik denk dat hij blij zou zijn,' zei Loïs zacht.

'Hoe kwamen we nu ineens op je vader?' vroeg haar moeder plotseling. 'Daar kwam je toch niet voor?'

'Nee, daar kwam ik niet voor. We hadden het erover dat het de laatste tijd niet zo lekker tussen ons ging sinds ik weer naar school ging, en toen zei u dat u me kwijtraakte...'

'... en toen kwam jij met dat voorbeeld van een bevalling. Wat bedoelde je daar eigenlijk mee?'

'Nou, u zei dat u na mijn geboorte wel een wat leeg gevoel in uw buik had, maar dat u aan de andere kant ook blij was dat u me in uw armen kon houden, en dat u kon zien wie ik was.'

'Ja, dat was zo.'

'En daarmee wilde ik zeggen dat u me door die bevalling wel los moest laten uit uw buik, maar dat u me daarmee niet kwijtraakte. U leerde me alleen op een andere manier kennen.'

Haar moeder knikte langzaam. 'Ja...' Ze keek Loïs vragend aan.

'Ik... ik wilde daarmee laten zien dat u me ook niet kwijtraakt nu ik weer ben gaan leren. U leert me alleen op een andere manier kennen. Zoals ik mezelf ook op een andere manier leer kennen. Begrijpt u?'

'Nog niet helemaal.'

'Nou...' Loïs zocht naar de juiste woorden. Ze wilde eerlijk zijn maar haar moeder geen pijn doen. 'Door de dood van papa ben ik veel gaan nadenken over wat leven nu eigenlijk is. Ik realiseerde me misschien toen pas dat ik zelf ook een keertje dood zou gaan. Dat was best eng om over na te denken, maar het heeft me ook geholpen om te kijken naar de tijd tussen geboren worden en doodgaan. Ik ging daardoor nadenken over wat ik in die tijd gedaan wilde hebben, en of ik alleen maar de vrouw van Marcel en de moeder van onze kinderen wilde zijn. Ik...' Ze haalde diep adem. 'De kinderen worden allemaal groter, ze gaan ons steeds minder nodig hebben, en ik had geen zin om thuis achter de geraniums te gaan zitten wachten tot zij naar huis kwamen met hun verhalen.'

'Zoals ik,' zei haar moeder wat bitter. Ze wilde haar handen terugtrekken, maar Loïs hield ze vast.

'Ik bedacht me net dat wij in sommige opzichten heel erg op elkaar lijken. Wij hebben allebei de neiging om ons terug te trekken als we ons gekwetst voelen.'

Haar moeder keek haar wat wantrouwend aan, maar Loïs keek met een open blik terug. 'Wat ik zeg is geen verwijt aan u, maar inderdaad, zoals u in mijn ogen weg zat te kniezen thuis, wilde ik het niet. Als moeder mag je het leven doorgeven, maar daarnaast mag je ook je eigen leven leven. Weet u nog dat de dominee een keer die preek over talenten hield? Ik bedoel... Ik heb mijn talenten toch niet alleen gekregen om die via mijn genen door te geven aan onze kinderen? Ik mag, nee, ik heb toch ook de opdracht om daar zelf mee werken? En dat doe ik nu door weer te gaan leren.'

'Waardoor je minder tijd hebt voor je moeder.'

'Ja, dat is zo. En dat zal best wel pijn doen, dat begrijp ik. Maar dat betekent niet dat u me kwijtraakt. Denk maar weer terug aan toen u van mij beviel. Voor die tijd waren we vierentwintig uur per dag met elkaar verbonden, daarna niet meer. Mij laten gaan uit uw lijf verbrak die verbondenheid en deed veel pijn, maar u kreeg er iets voor terug: u kon me in uw armen houden, u kon zien wie ik was. Als ik in uw buik was blijven zitten omdat u me niet los wilde laten, was ik doodgegaan. Ik had meer ruimte nodig om te groeien. En dat is nu weer het geval, ik heb meer ruimte nodig, ik wil graag verder groeien. U wilt de oude Loïs vasthouden, maar die ben ik niet meer.'

Haar moeder knikte. 'Dat heb ik gemerkt, ja.'

'Maar als u erin slaagt om die oude Loïs los te laten, krijgt u daar iets anders voor terug. Dan kunt u mij, dan kunnen wij elkáár anders leren kennen.'

Nu was zij degene die tranen in haar ogen kreeg. 'En ook die nieuwe Loïs heeft behoefte aan uw liefde. Ook die nieuwe Loïs wil uw armen om zich heen voelen, wil horen dat u blij met haar bent, en dat u van haar houdt.'

De tranen drongen zich steeds meer op. Ze probeerde zich te vermannen en sprak zichzelf vermanend toe: hé, nu niet gaan zitten huilen! Maar de tranen lieten zich niet terugdringen. Ze stond bruusk op van haar stoel. 'Even een beetje water drinken.'

Ze liep naar de keuken, pakte een glas en vulde dat met water. Haar tanden klapperden tegen het glas. Daarna scheurde ze een vel van de rol keukenpapier en snoot haar neus.

Het geluid dat ze daarbij maakte herinnerde haar aan dat van haar moeder, nog maar even geleden. Ik doe hetzelfde als zij, realiseerde ze zich. Als het te dichtbij komt, vlucht ik weg, trek ik me terug.

Ze rechtte haar schouders. Nee, de nieuwe Loïs deed dat niet meer. Die durfde ook haar eigen gevoelens onder ogen te zien, en ze te tonen aan de ander.

Ze liep weer terug naar de kamer en vroeg: 'Vindt u het goed als ik naast u kom zitten?'

'Ja, natuurlijk. Dat hoef je toch niet te vragen?'

Loïs ging naast haar moeder zitten. Ze rook haar moeders eau de toilette, een fijne, zacht zoete geur. Een geur die bij haar moeder paste, en die ze al heel lang bij zich droeg. Een jaarlijks terugkerend cadeautje van haar vader. Zou moeder dat tegenwoordig zelf kopen? Sinds pap...

Ze schudde de gedachte van zich af. Nu kwam het moeilijkste gedeelte.

Ze keek haar moeder aan. 'Mam, sinds ik ben gaan leren, heb ik steeds meer het gevoel gehad dat u me afwees. Wat u zondag zei, dat Anouk en u vinden dat ik uit de hoogte doe, en dat ik niet meer gezellig ben, deed me veel pijn. Ik voelde het als een veroordeling. Ik heb zelf niet het idee dat ik uit de hoogte doe, integendeel. Datgene wat papa me geleerd heeft, 'wees bescheiden en acht de ander belangrijker dan jezelf', zal ik nooit vergeten. Maar ik zit nu wel een stuk lekkerder in mijn vel dan vroeger. Ik geloof dat God van me houdt, en ik weet dat ik er mag zijn, mét mijn fouten en gebreken. Ik mag zelfs van mezelf houden. Het is toch 'je naaste liefhebben áls jezelf', niet 'méér dan jezelf'? Dus van jezelf houden is zelfs een opdracht.'

Haar moeder staarde naar de grond.

Loïs schraapte haar moed bijeen en ging verder: 'Alleen geeft dat u en Anouk misschien het idee dat ik uit de hoogte doe. Jammer genoeg.' Ze zocht haar moeders blik. 'God heeft mij geschapen zoals ik ben, en ik zou Hem beledigen als ik niet blij zou zijn met datgene wat Hij mij heeft toevertrouwd: mijn lijf, mijn verstand, mijn ziel.'

'God? God heeft je vader van mij afgenomen,' zei haar moeder bitter. 'Wat heeft het leven nu nog voor zin voor mij?'

Loïs geloofde haar oren niet. Was dan helemaal niets van wat ze zei doorgedrongen tot haar moeder? 'Mam, u bent zelf toch ook iemand? U was toch niet alleen maar de vrouw van papa en de moeder van Anouk en mij?'

'Wat ben ik dan nog meer? Jullie hebben me ook allebei niet meer nodig. Dat zul je straks zelf wel merken als je eigen kinderen volwassen worden.'

'We hebben u nog wél nodig. We hebben uw liefde nodig, en...' Loïs stopte. Had dit wel zin als haar moeder toch niet luisterde?

Ze leunde achterover. Een gevoel van diepe teleurstelling viel als een zware deken over haar heen. Ze merkte het op alsof ze van een afstandje naar zichzelf keek. Weg was de vertrouwelijkheid tussen hen, die er zo-even nog geweest was. Of had ze zich dat maar verbeeld omdat ze dat zo graag wilde? Ze had de neiging om op te staan en naar huis te gaan, maar hield zichzelf bijtijds tegen. Nee, nu niet vluchten, meid. Gun je moeder haar eigen boosheid, haar eigen verdriet, haar eigen gevoel van eenzaamheid. Het is háár pijn, niet de jouwe. Denk aan het beeld van die bevalling. Laat haar pijn jouw gedrag niet negatief beïnvloeden. Als je nu wegloopt, bevestig je die eenzaamheid alleen maar. Blijf haar nabij.

Het was alsof die gedachte haar vleugels gaf. Het zware gevoel viel van haar af, alsof ze opgetild werd. Ze haalde diep adem en voelde hoe haar hart volstroomde met liefde.

'Mam, ik hou van u.' De woorden kwamen als vanzelf.

Haar moeder keek op. 'Hè? Wat?'

'Ik hou van u.'

Haar moeder keek haar vreemd aan. 'Wat bedoel je daarmee?'

Loïs lachte vriendelijk naar haar moeder. 'Ik bedoel er niks mee. Ik wilde het alleen maar graag tegen u zeggen. Omdat het zo is.'

'Heb je wat van me nodig?' Haar moeder keek haar schuin aan.

Loïs' glimlach werd alleen maar breder. 'Nee mam, ik heb niks van u nodig. Of ja, eigenlijk toch wel. Ik heb uw liefde nodig. En ik heb u nodig om mijn liefde voor u aan kwijt te kunnen.'

Even voelde ze een snik opwellen, maar ze ging verder: 'Nu papa er niet meer is, heb ik alleen u nog. Natuurlijk heb ik Marcel en de kinderen, maar de liefde van en voor je ouders is toch iets unieks. Ik ben zo blij dat u er nog bent!' Ze sloeg haar armen om haar moeder heen en knuffelde haar.

Haar moeder liet zich de knuffel welgevallen. Het was alsof ze daarna wat minder bitter keek. 'Je bent een rare,' zei ze. 'Net je vader. Die kon ook zo onverwacht uit de hoek komen.'

'Nou, ik ben blij dat ik dan ook nog wat van m'n vader heb,' lachte Loïs.

Toen ze later naar huis fietste, bedacht ze hoe wonderlijk deze ochtend verlopen was. Ze was naar haar moeder toe gegaan om haar gevoelens bloot te geven, en haar moeder had als reactie daarop zelf haar gevoelens getoond. Ze had behoefte gehad om van haar moeder te horen dat die van haar hield, en nu was zijzelf degene die haar liefde aan haar moeder betuigd had. Ze was gekomen om wat te halen, maar het was erop uitgedraaid dat ze iets gegeven had.

En het meest wonderlijke was dat ze daar nog blij mee was ook!

Nu nog een gesprek met Anouk...

19

DE LAATSTE WEEK VAN HET SCHOOLJAAR BRAK AAN. LOÏS HAD HAAR VERSLAGEN ingeleverd, haar toetsen gedaan. Ze had er een goed gevoel over en verwachtte niet dat ze ergens een onvoldoende voor zou krijgen.

Op haar stageadres had ze een afrondend gesprek met Tom.

'Je krijgt een goed van me,' zei hij, en hij legde uit: 'Normaal gesproken geef ik niet hoger dan een ruim voldoende, maar jij hebt in het afgelopen halfjaar zo'n groei laten zien, dat ik niet anders kan dan je een goed geven. Maar let wel op, je kunt nu niet achterover gaan leunen. Op je volgende stageplaats moet je weer net zoveel inzet tonen.'

'Dat zal ik zeker doen, daar mag je wel op vertrouwen,' zei Loïs blij. Ze had een goed!

Op haar laatste stagedag bracht ze voor de kinderen van de klas een traktatie mee. Ze had thuis cakejes gebakken en allerlei lekkere dingen meegenomen waarmee ze die in de klas konden versieren. En voor de collega's had ze een appeltaart gebakken.

De laatste avond dat ze les had, keek Loïs de klas rond. Wat waren deze mensen haar in het afgelopen jaar vertrouwd geworden! En wat had ze veel van hen geleerd.

Ze kregen de datum door van de avond waarop de propedeuse-uitreiking zou plaatsvinden, uiteraard na voldoende resultaat. Familie en vrienden konden daar ook voor uitgenodigd worden.

'Jullie komen natuurlijk allemaal,' zei ze tegen Marcel toen ze thuiskwam. 'Ook Isabel en Sem. Dan gaan ze maar een keer wat later naar bed, maar ik zou het echt geweldig vinden als jullie allemaal in de zaal zouden zitten.'

'Natuurlijk komen we,' zei Marcel. 'Nodig je je moeder en Anouk ook uit?'

'Mam wel, ik hoop dat zij komt. En Irene wil ik ook vragen. Maar Anouk weet ik nog niet. Ik heb haar nog steeds niet gesproken. Het was ook zo druk de laatste weken.'

'Je bent nu toch klaar op school? Dus heb je tijd om een afspraak met haar te maken.'

'Ik zie er wel tegen op...'

'Des te meer reden om er niet te lang meer mee te wachten,' zei Marcel laco-

niek. 'Je zag ook tegen het gesprek met je moeder op, dat is toch ook mee-
gevallen?'

Marcel had gelijk, wist ze. Na het gesprek met haar moeder was de sfeer tussen hen aan het veranderen. Het ging heel langzaam, alsof ze allebei op hun
hoede waren, maar er was meer hartelijkheid over en weer.

Toen Loïs de volgende dag thuiskwam nadat ze Sem en Isabel naar school
had gebracht, schonk ze een kopje thee voor zichzelf in en ging ermee in de
tuin zitten. Ze leunde achterover en voelde de zon op haar gezicht. Hè, heerlijk! Ze sloot haar ogen, ademde langzaam diep in en genoot van de geuren
van de lavendel, die weer volop bloeide. Zo bleef ze een poosje zitten. Geen
schoolwerk dat wachtte, geen stageplek waar ze naartoe moest, gewoon even
helemaal niets.

O ja, ze moest een afspraak maken met Anouk.

Ze ging rechtop zitten. Ze kon daar ook mee wachten tot maandag, en dan
vandaag lekker een poosje in de tuin gaan werken. Daar had ze al de hele
week naar uitgekeken.

Toch maar niet. Iets uitstellen waar ze tegen opzag was iets van de oude Loïs.
En die wilde ze toch niet meer zijn?

Ze liep weer naar binnen en pakte de telefoon. Eerst belde ze Irene en nodigde haar uit voor de propedeuse-uitreiking.

'Ja, leuk! Is dat zo'n officieel gebeuren dan? Bij mijn opleiding doen ze daar
niet aan, maar ik ben in elk geval wel door naar het volgende jaar. Wat is dat
jaar omgevlogen, hè?'

'Nou! Het lijkt nog maar zo kortgeleden dat jij me tijdens het koffiedrinken
op De Startbaan vertelde dat je die opleiding ging doen en jij mij die vraag
stelde. Daar is het bij mij allemaal mee begonnen. Als iemand toen tegen me
gezegd had dat ik een jaar later m'n propedeuse zou halen, had ik hem of
haar vast voor gek verklaard.'

Irene lachte. 'In elk geval alvast gefeliciteerd. En bedankt voor de uitnodiging, ik kom graag.'

Nu Anouk.

Loïs wilde het nummer intoetsen, toen ze besloot toch maar niet te bellen.
De laatste keren dat ze Anouk gebeld had, werd er steeds niet opgenomen.
Loïs vermoedde dat Anouk op de nummermelder zag dat zij belde en dat ze

daarom niet opnam.

Een mailtje dan? Daar reageerde Anouk heel af en toe op, zij het kortaf.

Nee, ook maar geen mailtje. Dan moest ze nog maar afwachten of en wanneer er een reactie kwam.

Zou ze Anouk thuis opzoeken? Hoe zou ze reageren als zij Loïs ineens voor de deur zag staan? Zou ze zich niet overvallen voelen? Voor hetzelfde geld smeet ze de deur voor Loïs' neus dicht. Misschien dacht ze wel dat...

'Jullie denken te veel voor de ander', schoot Marcels opmerking door haar hoofd.

Kom op, sprak ze zichzelf bestraffend toe. Pak je fiets en ga naar Anouk. Wil je dat het weer goed komt tussen je zus en jou of niet? Ze stond resoluut op, en even later zat ze op de fiets. Terwijl ze langs het winkelcentrum reed, aarzelde ze of ze eerst om een bos bloemen zou gaan. Ze giechelde zenuwachtig bij het vooruitzicht van een *Het spijt me*-achtige scène voor Anouks deur, waarbij Loïs zich verborg achter een reusachtige bos rozen. Nee, geen bloemen.

Na tien minuten kwam ze aan bij de bungalow van Jos en Anouk. Anouks Peugeot stond voor de garage, het leek er dus op dat ze thuis was.

Loïs zette haar fiets tegen de garagedeur en belde aan. Geen reactie.

Ze belde nog eens. Weer geen reactie.

Ze keek door het raam naar binnen. Daar was geen beweging te zien.

Teleurgesteld draaide Loïs zich om. Anouk was niet thuis. Dan moest het toch maar wachten tot maandag.

Ze pakte haar fiets en wilde net opstappen, toen ze Anouk aan zag komen fietsen met Jurre achterop. Loïs' hart sloeg een slag over en ze voelde haar spanning toenemen.

Anouk stapte van haar fiets af en keek Loïs met gefronste wenkbrauwen aan. 'Hoi. Wat doe jij nou hier?' Ze hielp Jurre uit het zitje, zette hem op de grond en pakte enkele boodschappen uit de fietstas.

Jurre rende naar Loïs. 'Kijk es, tante Lowis, ik heb een zaklamp!' Hij wees naar de riem van zijn broek, waar een sleutelhanger aan hing met daaraan een minizaklamp.

Loïs hurkte voor hem neer. 'Zo hé, een echte zaklamp. En doet hij het ook?'

'Ja, kijk maar.' Hij frummelde met zijn vingertjes aan het schuifje en scheen in haar gezicht. Het verbazend felle lichtstraaltje verblindde haar bijna.

'Wauw! Wát een mooie zaklamp.'

Loïs stond op. Ze zag dat Anouk in tweestrijd verkeerde. 'Mag ik even met je praten, Anouk?' vroeg ze.

'Waarover?' Het kwam er stug uit.

'Gewoon, over... over ons.'

Anouk leek te aarzelen. Ze keek om zich heen, alsof ze zich afvroeg of er nog iemand meeluisterde.

'Ik wil graag weten wat je dwarszit, en hoe het zover tussen ons heeft kunnen komen,' zei Loïs zacht.

'Oké, kom dan maar mee.'

Anouk opende het tuinhek en liep achterom. 'Kom, Jurre.'

Loïs liep achter haar aan, de ruime tuin in. Ze keek bewonderend om zich heen. 'Wat is jullie tuin veranderd!'

Achter de bungalow was een hardhouten vlonderterras aangelegd. Eromheen lag wit grind met daarin kleine buxusbollen. Op het met doorzichtige platen overdekte vlonderterras stond een prachtige tuinhoekbank van beige vlechtwerk met bruine kussens erin, en zo'n zelfde kleine fauteuil. Een glazen tafel completeerde het geheel. Het grote gazon was in vakken verdeeld, en daaromheen waren diverse borders aangelegd. In de hoek van de tuin stond een groot speeltoestel met een huisje, een glijbaan, een zandbak en twee schommels.

'Wat is het mooi geworden! Hebben jullie dat door een tuinarchitect laten doen?'

'Nee, zelf ontworpen. Ik kan ook wel wat.' Het kwam er wat snibbig uit.

Loïs keek haar zus bewonderend aan. 'Joh, ik wist niet dat jij zo creatief was!'

'Je weet wel meer niet van me.' Anouk draaide zich om en opende de achterdeur. 'Wil je koffie?'

'Graag.'

Loïs aarzelde of ze Anouk nu naar binnen moest volgen of niet.

'Tante Lowis, wil jij me duwen?'

Loïs draaide zich om. Jurre zat op de schommel. Ze liep naar hem toe en gaf hem een duwtje.

'Hoger! Nee, nóg hoger!' Hij schaterde het uit.

Vanuit deze hoek zag ze weer andere bijzondere dingen in het tuinontwerp. Ze genoot met volle teugen van de schoonheid van het geheel.

Anouk kwam weer naar buiten. Ze liep naar het terras met een blad met daarop twee kopjes koffie, een beker drinken voor Jurre en een schaaltje met stroopwafels.

'Jurre, limonade.'

Jurre schoot meteen van de schommel af en rende naar het terras. Loïs liep langzaam achter hem aan. 'Mijn complimenten voor de tuin, Anouk. Echt prachtig!'

'Bedankt.' Anouk ging in de fauteuil zitten en pakte een kopje koffie.

Loïs ging op de bank zitten. ''t Zit lekker.' Ze pakte ook een kopje.

Jurre had inmiddels zijn limonade op en rende weer naar het speeltoestel. Zwijgend dronken ze hun koffie. Het schaaltje met stroopwafels bleef onaangeroerd.

Toen de stilte hinderlijk begon te worden en Anouk nog steeds niets zei, schraapte Loïs haar keel. 'Anouk, ben je nog steeds boos op me omdat ik niet wilde oppassen toen jij naar Frankrijk wilde?'

Anouk haalde met een kort gebaar haar schouders op en gaf geen antwoord. Ze staarde voor zich uit en nam nog een slokje van haar koffie.

Loïs piekerde zich suf. Hoe doorbrak ze dit stoïcijnse zwijgen van haar zus? Misschien moest ze er niet op gericht zijn iets bij Anouk te veranderen, om haar iets te laten doen wat zij, Loïs, wilde. 'Manipuleren doen we allemaal', hoorde ze de stem van Irene.

Misschien moest ze zich alleen maar beperken tot wat ze zelf voelde, en dat uiten. Wat Anouk daar dan mee deed, was aan haar.

Ze zette haar halfvolle kopje op tafel. 'Ik ben blij dat je me de gelegenheid geeft om iets tegen je te zeggen,' ging ze verder. 'Ik... Ik vind het jammer dat we de laatste tijd zo koel met elkaar omgaan. Dat maakte dat ik me steeds onzekerder voelde in jouw gezelschap. Dat ligt niet aan jou, dat ligt aan mezelf, weet ik nu. Ik vulde voor mezelf in dat je vast een hekel aan me had, en dat je me niet meer moest. Ik ben je daardoor uit de weg gegaan, maar ik realiseer me nu dat ik daarmee zelf de afstand tussen ons vergroot heb. Dat spijt me, en dat wilde ik even kwijt.'

Ze pakte het kopje weer op, en merkte daarbij dat haar vingers trilden. Ze sloot even haar ogen en haalde diep adem.

Anouk zei nog steeds niets. Ze staarde naar Jurre, die het niet moe werd om steeds opnieuw van de glijbaan te gaan.

Loïs dronk haar koffie op en zette het lege kopje op tafel. Wat moest ze nu doen? Blijven zitten of weggaan?

Ineens hoorde ze Anouk zeggen: 'Jij, onzeker? Dat kan ik me niet voorstellen.'

'Blijkbaar weet jij ook niet alles van mij.'

'Nou, je komt op mij in elk geval niet onzeker over. Eerder arrogant.'

Ai, dat deed zeer. Nu niet terugslaan of in de verdediging schieten, hield ze zichzelf voor. Anouk mag vinden wat ze vindt.

'Wat maakt dat jij mij arrogant vindt?'

Anouk keek verbaasd, alsof ze deze reactie niet verwacht had. 'Nou, gewoon, je hele houding. Alsof je je beter voelt dan ik.'

'Maar waar blijkt dat dan uit?'

'Ja, eh... weet ik veel. Je doet afstandelijk, reageert nergens op. Daarnet bijvoorbeeld, toen ik zei dat ik je arrogant vond. Vroeger zou je direct tegen het plafond hebben gezeten als ik zoiets tegen je zei, nu reageer je ijskoud, alsof het je niks doet. Dat noem ik arrogant.'

'Oké, dan hebben we blijkbaar allebei een ander beeld bij het woord arrogant. Nog meer?'

'Dus je geeft toe dat je arrogant geworden bent sinds je weer naar school gaat.'

'Nee, dat geef ik niet toe. Ik ga daar alleen niet over in discussie met jou, jij mag vinden wat je vindt, ik heb mijn eigen mening.'

'Als je niet arrogant bent, waarom reageer je dan zo afstandelijk?'

'Dat doe ik om mezelf te beschermen. Ik ben geen masochist, die het prettig vindt om gekwetst te worden.'

Even was het stil.

'Nou, die afstandelijke houding van jou maakt anders wel dat ik juist dacht dat je mij niet meer moest. Dat je je te goed voor me voelde.'

'Waarom zou ik me te goed voelen voor jou, mijn eigen zus?' Loïs keek Anouk stomverbaasd aan.

'Omdat je alles beter doet dan ik. Jij hebt een leuker gezin, je hebt een betere relatie, jouw man doet alles voor je terwijl Jos het alleen maar druk heeft met z'n werk, jij kunt beter leren dan ik, jou zit alles mee.'

'Marcel en ik hebben niet vanzelf zo'n goede relatie gekregen, daar hebben we hard voor gewerkt. En dat ik beter kan leren, daar kan ik niks aan doen, ik heb mezelf niet gemaakt. Jij hebt weer andere talenten. Zo'n tuin ontwerpen zou ik bijvoorbeeld nooit kunnen. En jij hebt toch ook een leuk gezin? Je hebt twee prachtige jongetjes!'

'Maar het zijn geen dochters. En die wilde ik juist zo graag.'

Loïs hapte naar adem. 'Papa had graag een zoon gewild, maar hij heeft het ons toch ook nooit kwalijk genomen dat wij geen zoons waren?'

'Papa had geen zoon nodig, papa had jou.'

'Mama had jou, precies de dochter die ze wilde.' Nu zijn we weer aan het pingpongen, dacht Loïs. En dat wilde ik eigenlijk niet. 'Het lijkt wel alsof je jaloers op me bent,' constateerde ze. 'Terwijl ik altijd jaloers was op jou.'

Nu was Anouk degene die verbaasd was. 'Jij jaloers op mij? Waarvoor?'

'Jij bent veel knapper dan ik, hebt een mooier figuur, ziet er beter uit, alle jongens keken altijd naar jou. Je hebt veel meer smaak voor kleding dan ik. Jou staat alles, je kunt een vuilniszak aantrekken en dan zie je er nog prachtig uit. Jouw haar zit altijd leuk, je huis is mooier, jullie hebben heel stijlvolle meubelen terwijl het bij ons een samengeraapt zootje is, en zo kan ik nog wel even doorgaan.'

'Zou je met me willen ruilen?'

Loïs had deze vraag niet verwacht. Ze dacht na en zei toen eerlijk: 'Nee. Hoezo? Zou jij met mij willen ruilen?'

'Soms wel.'

Loïs was met stomheid geslagen. Ze wist even niet wat te zeggen.

'Je vond het ook niet eens erg dat ik je niet uitgenodigd had op m'n verjaardagsparty.'

'Dat vond ik wel erg, alleen wilde ik dat niet laten merken.'

'Nou, daar ben je dan prima in geslaagd. Ik dacht dat het jou niet uitmaakte, omdat ik toch niet meer belangrijk voor je was.'

'Marcel zei pas dat wij veel te veel voor elkaar denken,' zei Loïs zuchtend. 'Jij denkt dat ik denk dat ik je niet belangrijk vind, en ik denk dat jij denkt dat

je me niet meer moet. Mooi stel zijn wij.'
Het was weer even stil.
'Die Fransman was trouwens een engerd,' zei Anouk plotseling.
'Hè, wat? Welke Fransman?'
'Die ene waarvoor ik zo nodig naar Parijs moest.'
Anouks openheid overrompelde Loïs. Blijkbaar keek ze erg verbaasd, want Anouk begon te giechelen. 'Je had je gezicht nu eens moeten zien,' hikte ze. 'Alsof je water zag branden!'
'Ik... Ben je toch nog naar Parijs geweest?'
'Ja, ik zou hem ontmoeten in Disneyland. Maar Loïs, het was een griezel eersteklas. Hij wilde steeds maar zoenen waar de jongens bij waren, en hij stonk verschrikkelijk naar knoflook, en hij had een tic aan een oog waardoor het leek alsof hij voortdurend naar me knipoogde, en van die kleffe handjes. Brrr, ik heb hem al snel weggestuurd.'
'Hoe had je hem leren kennen?'
'Via internet. Op de foto leek hij wel leuk, en hij was erg charmant in z'n mails. Daar had ik net behoefte aan. Jos was almaar op pad en als hij thuis was, lag hij te slapen.'
'Wist die Fransman dat je getrouwd was?'
'Ik had hem verteld dat ik in scheiding lag. Dat overwoog ik ook echt in die tijd.'
'En nu?'
'Vorige maand hadden Jos en ik een pittig gesprek. Daarin heb ik het hele Parijs-gebeuren opgebiecht. Hij was daar uiteraard niet blij mee, maar hij snapte ook zijn eigen aandeel daarin. Hij is nu bezig met het aantrekken van een partner, zodat hij meer tijd heeft voor mij en de kinderen. Daarom waren we het weekend van jouw verjaardag weg. We waren naar Renesse.'
'Ja, dat vertelde mama.'
'Ben jij nooit verliefd geweest op een andere man?' vroeg Anouk nieuwsgierig.
Loïs schudde haar hoofd. 'Nee, nooit.'
'Wees maar blij,' zuchtte Anouk. 'Reuze vermoeiend!' Ze stond op. 'Wil je nog koffie?'

'Graag.'

Terwijl Anouk koffie inschonk ging Loïs bij Jurre kijken, die in de zandbak zat te spelen.

Toen Anouk weer de tuin in kwam, zei Loïs: 'Wat is het toch een prachtig ventje. Net een cherubijntje, met die blonde krulletjes.'

Anouk lachte. 'Ja hè.' Ze zuchtte. 'De jongetjes hebben heel wat met me te stellen gehad, ik heb een tijdlang echt niet lekker in mijn vel gezeten.'

'En nu?'

'Nou, tussen mij en Jos gaat het een stuk beter, en nu jij... Ik ben erg blij dat je langsgekomen bent.'

'Ik ben ook erg blij dat je met me wilde praten.'

'Al had ik geen idee waarvoor je kwam. Toen je voor de deur stond, schrok ik eerst. Ik dacht dat je me van alles naar m'n hoofd kwam slingeren omdat ik niet op je verjaardag was geweest, en...'

'En ik was juist bang dat jij lelijk tegen mij zou doen. Ik zag er erg tegen op.'

Anouk grijnsde naar haar. 'Welkom terug in mijn leven, zus.'

Loïs grijnsde terug. 'Fijn, zussie, en jij in het mijne.' Ze zuchtte. 'En zullen we nu afspreken dat we het gewoon tegen elkaar zeggen als er wat is, en niet van alles voor de ander in gaan vullen?'

'Afgesproken!'

De avond van de propedeuse-uitreiking brak aan. De studenten zaten op de voorste rij, de rest van de zaal was gevuld met familie en vrienden.

André zou een toespraak houden, maar toen hij naar voren liep, bleek hij die kwijt te zijn. Hij zocht in al zijn zakken, maar vond niets. Loïs moest weer terugdenken aan de eerste afspraak die ze met hem had. Dat chaotische zou hij wel nooit kwijtraken.

De toespraak die hij daarna uit zijn hoofd deed, was er niet minder om. De zaal moest lachen om de grappige incidenten die hij wist te vertellen.

Daarna volgde er een cabaretachtig lied, dat uitgevoerd werd door alle docenten. Simone speelde de dirigent.

Tot slot volgde de officiële uitreiking. Telkens werden er drie studenten naar voren geroepen, die persoonlijk toegesproken werden door André.

Loïs werd samen met Jacques en Rika naar voren geroepen. André prees haar om de snelle groei die ze doorgemaakt had, en zei dat hij blij was dat ze na dit 'proefjaar' besloten had om door te gaan.

Loïs keek de zaal in. Ze zag haar gezin zitten op de derde rij. Ze zag de glunderende gezichten van Sem en Isabel. 'Dat is mijn mama,' hoorde ze Sem roepen. Koen en Anne staken allebei tegelijk hun duim op.

Naast Anne zaten Anouk, haar moeder en Irene. Anouk hield een mooie bos rode rozen in haar hand. Ze zwaaide naar Loïs.

Er zwaaide nog iemand naar haar. Tom! Hij was ook gekomen! Ze lachte naar hem en knikte: fijn dat je er bent.

Marcel maakte foto's terwijl ze haar diploma tekende. Ze kregen allemaal een mooie map, en een badge waarop een schoolkrijtje zat vastgelijmd met daarop het woord: *gezel*. Want dat waren ze vanaf nu: gezel. Nog geen meester, maar ook geen leerling meer.

Ten slotte kregen ze allemaal nog een roos, en daarna was het volgende groepje aan de beurt.

Na afloop was er een hapje en een drankje, en kregen de familie en vrienden de gelegenheid om de studenten te feliciteren.

Eerst kwamen Marcel en de kinderen, en vervolgens was het de beurt aan haar moeder. 'Van harte gefeliciteerd, meisje,' zei ze. 'Wat zou papa trots op je geweest zijn. Jammer dat hij er niet bij kan zijn.'

'Ja, dat vond ik ook. Maar u bent er wel, en daar ben ik hartstikke blij mee.'

Daarna kwam Anouk. Loïs omhelsde haar. 'Fijn dat je erbij bent. Ik heb tenslotte maar één zus.'

'Ik ben trots op m'n grote zus,' zei Anouk. Loïs schoot even vol.

Anouk zag het. 'Hé, geen tranen, hoor, het is feest!' Ze duwde haar de bos rozen in de hand. 'Alsjeblieft.'

Irene en Tom feliciteerden haar ook, en ook zij hadden elk een bos bloemen meegenomen.

Marcel kwam op haar af met twee glazen wijn in zijn hand. Hij overhandigde haar een van de glazen en toostte met haar. 'Van harte, schat. Ik hou van je.'

Loïs voelde zich gelukkig. Al haar dierbaren stonden om haar heen. Nee, haar vader niet, maar die zat in haar hart. En iedereen was blij voor haar.

Ze had een bewogen jaar achter de rug, en een jaar met nieuwe uitdagingen lag voor haar. Het zou opnieuw hard werken worden, maar dat had ze er graag voor over. En gezien haar ervaringen in dit jaar waren haar verwachtingen hooggespannen!